Foi assim

WANDERLÉA

Foi assim

AUTOBIOGRAFIA

Pesquisa e edição de
RENATO VIEIRA

1ª edição

EDITORA RECORD
RIO DE JANEIRO • SÃO PAULO
2017

CIP-BRASIL. CATALOGAÇÃO NA PUBLICAÇÃO
SINDICATO NACIONAL DOS EDITORES DE LIVROS, RJ

Wanderléa
W214f Foi assim: autobiografia; pesquisa e edição de Renato Vieira. -
1ª ed. - Rio de Janeiro: Record, 2017.
il.

Inclui índice
ISBN 978-85-01-11204-0

1. Wanderléa. - 2. Cantores - Brasil - Biografia. 3. Jovem guarda (Movimento musical) - História. 4. Rock - Brasil. 5. Música popular - Brasil. I. Vieira, Renato. II. Título.

CDD: 927.8164
17-44387 CDU: 929:78.067.26

Todas as imagens sem crédito no encarte pertencem ao acervo pessoal da autora.

Texto revisado segundo o novo Acordo Ortográfico da Língua Portuguesa.

Direitos exclusivos desta edição reservados pela
EDITORA RECORD LTDA.
Rua Argentina, 171 - Rio de Janeiro, RJ - 20921-380 - Tel.: (21) 2585-2000.

Impresso no Brasil

ISBN 978-85-01-11204-0

Dedico este livro aos meus fãs, que carinhosamente
acompanham a minha trajetória.

Às minhas filhas Yasmim e Jadde e ao meu eterno
parceiro Lalo, por estarem sempre comigo.

A toda minha família, irmãs e irmãos amados,
pelo apoio incondicional.

Aos meus amigos Roberto e Erasmo, por tudo
que representam em minha vida.

"O que fascina em Wanderléa é a capacidade de amar, sem a qual nenhuma artista é realmente grande. Ela inicia agora a viagem enorme para dentro e fora do Brasil. Que Deus pouse a mão na sua cabeça."

Nelson Rodrigues, 1975

Sumário

Prólogo
Amei como pude

Só consigo registrar emoções. Se você me pergunta de emoções, sou capaz de lembrar as datas em que as vivi. Mas não sei responder quando perguntam coisas da minha vida, desde que eu nasci. Sabe, sou muito desligada e, se você me pedir agora o número do meu telefone ou a placa do meu carro, eu não saberei dizer nada. Registro o que em mim ficou marcado. Doido ou leve, forte ou fútil, fraco ou lírico, covarde ou instintivo. E não me incomodo de viver minhas contradições, inseguranças, minha seriedade, minha coragem, minhas fraquezas. Sou muitas mulheres em uma só. Alegre ou triste, mas sempre com um enorme potencial de amar e sentir a vida.

Escrevi essas palavras para o programa do show *Feito Gente*, que fiz em 1975. Elas continuam válidas, mesmo que eu tenha mudado de lá para cá. Acho que para melhor. As emoções definem minha personalidade e estavam latentes em rascunhos que são a base deste livro de memórias, idealizado há décadas. Inicialmente, não me preocupei com os fatos que vinham antes ou depois. Simplesmente coloquei para fora o que sentia. Renato Vieira me trouxe acervos de jornais e revistas para tirar a poeira de lembranças há muito adormecidas, estabelecendo uma cronologia com datas, nomes e contextos.

Nunca parei para pensar calmamente sobre os passos que dei, as pessoas que conheci e os amores que amei. Fui simplesmente caminhando, encontrando e amando. Adversidades grandes demais para enfrentar me fizeram viver um dia de cada vez. Existir, e por tantas vezes resistir, era mais importante do que guardar coisas na cabeça naturalmente desligada. Acho que agora os cantos escuros da minha vida, as lembranças perdidas, estão iluminadas de uma forma que não sei se é a melhor, mas penso ser a mais humana e verdadeira.

A Jovem Guarda foi um momento glorioso da minha carreira por seu impacto na cultura brasileira e em toda uma geração, mas não foi o único. Cantei boleros, choros, músicas de carnaval, gravei os tais "malditos" da MPB (benditos sejam!), experimentei sonoridades eletrônicas, rasguei o verbo na hora da raiva e, em uma nova estação, me reencontrei com minhas origens. Ao longo de todos esses anos, transgredi, segui as regras da sociedade, me recolhi e logo em seguida fui em frente. Essas contradições, que nunca me incomodaram, formam minha trajetória. Durante um estudo de cabala com o mestre Moacir de Curitiba, ele me disse que eu era uma mistura de eterna *teenager* com uma cigana centenária. Ele está certo. A *teenager* é curiosa, moleca, desligada; a cigana é interessada na espiritualidade e quer se aprofundar nos mistérios da vida.

Eu amei, cantei, chorei, sofri e vibrei como qualquer um. Ainda que a fama possa colocar o artista em um pedestal inalcançável, tomei o cuidado de manter os pés no chão. Espero que você, ao final desta leitura, possa pelo menos saber um pouco mais de mim. Aqui, me reencontro comigo mesma. Foi assim...

Dois mundos distintos

Fazia algum tempo que eu não aproveitava feriados prolongados. Para ser sincera, eu jamais havia parado para descansar em um deles. Naquela Semana Santa de 1971, não deveria me preocupar em chegar na hora marcada para uma apresentação ou perder um voo, depois de dedicar quase exclusivamente minha vida ao trabalho por dez anos seguidos. Deixei o Rio, meus pais e irmãos para morar em São Paulo, levando na mente os sonhos de uma garota com 20 anos disposta a ter seu talento reconhecido. Voltei à cidade onde minha trajetória profissional despontou, considerando já ter tudo o que eu queria para ser feliz, depois de participar de uma revolução musical no Brasil e quebrar alguns paradigmas comportamentais. Minha carreira se encaminhava para algo bem diferente, e o casamento com o grande amor da minha vida aconteceria em breve.

Comecei a namorar José Renato Barbosa, o Nanato, no ano anterior. Um parceiro essencial, que me deu o amparo necessário em uma situação difícil ocorrida três meses antes: a morte inesperada de meu pai. Até banho juntos demos nele no hospital, quando estava em seus últimos dias de vida. Seu altruísmo era o sinal de que eu estava ao lado da pessoa certa, com quem eu pretendia ficar para sempre.

Fui convidada para uma viagem a Petrópolis, acompanhando a família de Nanato, cujo patriarca era ninguém menos que Abelardo

Barbosa, o Chacrinha. Seria uma forma de dissipar um pouco a tristeza que vivia pela ausência de meu pai, uma pessoa fundamental na minha vida. Preparei minha mala na noite do dia 7 de abril e fui dormir pouco depois. Nanato me pegaria no dia seguinte, às 7 horas.

Estranhamente, acordei com dor de cabeça e mau humor. Era raro isso acontecer comigo, inclusive nas noites em que dormia mal. Eu me assustei comigo mesma, pois aquela era uma sensação inconveniente demais para começar o primeiro dos quatro dias de descanso tão esperados. Mas não queria me abater, nem chatear Nanato. Quando ele chegou, pedi para irmos no meu carro, um BMW conversível. Os bancos reclinavam e eu poderia descansar.

Saímos de Copacabana em direção à serra. Fui me sentindo mal na estrada e, depois de meus óculos caírem no asfalto, gritei batendo os pés dizendo que não queria ir mais. Pacientemente, Nanato aceitou dar meia-volta. Chegando ao Rio, ele lembrou que sua família nos esperava e não havia como avisá-los. Sem ter como argumentar, concordei com ele e, depois de uma maratona, finalmente estávamos em uma das fazendas da família Veloso, íntima dos Barbosa.

Nanato insistiu para ir comigo à piscina. Recusei, sem motivo aparente, e fiz o possível para impedir seu mergulho. Estava distraída, batendo papo, quando ele me chamou. Deu tempo de olhar para trás e vê-lo mergulhar. Nanato não voltava. Fui até lá e vi a água avermelhada pelo sangue que saía de sua cabeça. Naquele feriado prolongado em que eu pretendia descansar, concluí que a vida é capaz de transformar momentos que deveriam ser de felicidade em uma irreparável tragédia pessoal.

O acidente com Nanato representou uma transformação no meu modo de sentir a vida. Passei a dividi-la, com muita intensidade, em dois mundos distintos. O sucesso como artista e a dificuldade de estar ao lado dele em um momento tão difícil. O choque entre essas duas realidades me fez questionar o valor de cada conquista. Era jovem, bem-sucedida, e essa boa fase foi subitamente interrompida pela constatação da vulnerabilidade do ser humano. Depois dessa tragédia, nunca mais seria a mesma. E eu já havia passado por muita coisa até ali.

Salim e Odette

Nasci em Minas por um ato de amor. Meu pai, Antonio Salim, viajava por várias cidades do Brasil fazendo expansão de rede elétrica ou terraplenagem. Durante sua ausência, minha mãe, Odette, ficava ao lado dos filhos na casa de vovô Jonga, seu padrasto, e da minha avó Geraldina, em Vila Isabel — bairro da zona norte do Rio de Janeiro tido como berço do samba.

Wanderlí, um de meus irmãos, havia acabado de morrer devido a uma infecção. Em um triste descompasso, a penicilina chegaria ao Brasil pouquíssimo tempo depois. A família não se conformava, pois o antibiótico poderia ter salvado a vida dele. Ao saber que estava grávida e ainda lamentando a perda recente, mamãe quis ficar ao lado do homem que amava em Governador Valadares, onde papai trabalhava na ocasião.

Mamãe passou por onze gestações. A imagem de infância que tenho dela é a de carregar uma criança nos braços com a barriga anunciando a outra que viria. Dois casais de gêmeos não sobreviveram aos partos. Assim como Wanderlí, Wanderlã morreu criança, pouco depois de eu nascer. Wanderley, Wanderlene, Wanderbele, Wanderléa, Wanderbil, Wanderte e Wanderlô são os filhos que eles criaram e educaram para a idade adulta. Todos, por escolha de papai, com nomes iniciando em W, seguindo a linha do primogênito. Em casa nos chamávamos por apelidos: Ley, Leninha, Belinha, Leinha, Bill, Detinha e Lolô, que sofreu implacáveis gozações por ter o mesmo apelido da atriz Gina Lollobrigida.

Mineiro de Nepomuceno, papai era filho de libaneses. Conheceu minha mãe em sua cidade natal, Magé, interior do Rio de Janeiro, trabalhando na instalação da rede elétrica do município. Quando ele passou pela rua dela e a viu na janela, esperando o leiteiro passar, os olhares se cruzaram. Amor à primeira vista, literalmente. Viveram apaixonados e mantiveram um relacionamento tranquilo por mais de trinta anos.

O amor rodeava nossa casa e inspirava quem estava por perto, o que se refletia em gestos singelos. Uma vizinha de vovó fez um enxoval para aquele bebê que viria, todo bordado. Mamãe vivia dizendo que foi o mais bonito de todos os filhos. Sem avisar meu pai, que provavelmente tentaria impedi-la de viajar, colocou as roupas em baús, pegou um trem e foi para Valadares com Wanderlene e Wanderley. Wanderbele e Wanderlã ficaram com vovó.

Repleta de estrangeiros que procuravam pedras preciosas, a recém-fundada Governador Valadares tinha apenas 6 mil habitantes no início dos anos 1940 e passava por um momento de expansão. Na noite em que chegou à cidade, após uma viagem cansativa, mamãe foi direto para o hotel onde papai estava hospedado. Ao perguntar por Antonio Salim, a administradora a olhou com espanto. Parecia não acreditar que a moça baixinha e graciosa com um barrigão enorme era casada com aquele homem alto, bonitão e com aparência de líder. Mas disse que ele poderia estar em um bar próximo. Com as crianças, mamãe bateu à porta do estabelecimento, prestes a fechar, e perguntou a um funcionário se Salim estava lá. Ele confirmou e foi chamá-lo. Papai nem precisou pensar muito.

— Ah, eu já sei quem é. É a Odette.

Papai e mamãe foram ao hotel e pediram um quarto maior. Não havia nenhum disponível. A solução foi abrigar todos naquele em que meu pai já dormia. E em coração de mãe sempre cabe mais um. No saguão do hotel, ela conheceu Anita, uma senhora muito elegante que também vinha do Rio e aguardava uma vaga. Com sua generosidade, não teve dúvidas: colocou Anita junto com o marido e os filhos.

Papai achou uma maluquice a iniciativa de mamãe de colocar Anita no quarto. Mas o gesto dela não demorou a ser retribuído. O baú com meu enxoval foi extraviado durante a baldeação entre trens em Belo Horizonte. Além de ficar ao lado de minha mãe no fim da gestação, Anita comprou roupas para o bebê. Desesperado, meu pai não sabia o que fazer com todo mundo se amontoando naquele pequeno espaço. Um amigo com quem trabalhava lhe estendeu a mão, dizendo que tinha uma casa nos arredores da cidade, uma espécie de bangalô, e o colocou à disposição. Estava todo montado e seria o local ideal para que eu nascesse. Leninha, antenada, encontrou uma parteira.

Desde o início da minha trajetória artística, livros, jornais e revistas afirmam que nasci em 5 de junho de 1946. Na verdade, sou de 5 de junho de 1944. Na escola, me achava a menor da turma. Quando perguntavam minha idade, eu ficava bem envergonhada e dizia ser dois anos mais nova, justamente por ser tão pequena. Acabei me acostumando com essa nova realidade e a assumi. Fui registrada apenas como Wanderléa Salim. Merecidamente, Anita tornou-se minha madrinha. Enquanto esteve viva, não houve aniversário em que ela deixasse de mandar um presente ou aparecer para me dar os parabéns pessoalmente.

Lavras

Depois que nasci, tivemos uma breve passagem pelo Rio. Em seguida fomos para Lavras, também em Minas, onde moravam vários membros da família Salim. Papai ganhava a vida transportando frutas importadas com seu caminhão, e depois virou dono de frigorífico. Mamãe ficava em casa cuidando de todos nós, cantarolando canções de sua infância e sucessos do rádio. Foi a primeira pessoa a me influenciar. Ainda criança, ela atuou como cantora no grupo de teatro do Grêmio Recreativo Talma. Vovó tolheu seus dotes artísticos, dizendo que palco não era "coisa de moça direita". A música, porém, estava no sangue. Seu pai, Francisco Nunes, era um português que gostava de tocar sanfona. Quando nasci, ele já havia morrido, na explosão de uma mina em que trabalhava.

Em Lavras, moramos em duas casas, ambas com varandas, na rua Doutor Gammon, nos fundos do Instituto Gammon, referência em agronomia. Nesses espaços, com 3 anos, fiz meus primeiros "shows". Meus irmãos eram mais velhos e se relacionavam com outras crianças. Como não tinha ninguém por perto, eu subia em um dos tambores que armazenavam as uvas de papai para cantar músicas que mamãe me ensinava. O rádio também estimulava minha imaginação. Uma das principais emissoras da época era a Rádio Tamoio, que transmitia um programa chamado *Os Curumins*. O apresentador anunciava com toda a pompa:

— E agora com vocês, os curumins da Tamoio!

As crianças que cantavam no programa levavam prêmios para casa. Achei aquilo interessante e, olhando para o aparelho, mamãe ouviu o que eu disse e nunca se esqueceu.

— Ainda vou cantar nessa "ládio".

Brincadeira de criança

Aos poucos, a vizinhança ficou sabendo que Leinha, a filha mais nova do seu Salim, se divertia cantando na varanda de casa. Precoce, ficava pensando em elementos cênicos para incrementar os shows que ninguém via. Na minha cabeça aquilo era uma brincadeira, fantasia de menina do interior. Inventei de fazer um cenário com papel crepom e tive a ideia de vender as verduras plantadas no quintal da minha casa para conseguir dinheiro e comprar o material. Saí pela rua enquanto minha mãe cuidava do recém-nascido Wanderbil, o Bill. Meu querido irmão que, pela afinidade com a arte e pouca diferença de idade, se tornou um parceiro para toda a vida.

Batia de casa em casa com uma cestinha de verduras na mão e ia ouvindo a mesma frase de alguns vizinhos:

— Leinha, compro uma verdura, mas só se você cantar um pouquinho pra mim.

Quase sempre eu cantava "A estrada do bosque", versão de uma música italiana gravada por Francisco Alves, que Leninha adorava cantar.

> Brilha no firmamento, doce luar,
> A brisa vem de leve e passa a cantar
> E um perfume suave vem lá do bosque
> Noite assim tão bonita nos faz sonhar...

Humberto Teixeira era o autor da letra em português. Anos mais tarde, soube que ele era parceiro de Luiz Gonzaga em "Assum Preto", outra canção marcante em minha vida, que eu ouvia no serviço de alto-falante de Lavras. A voz do Velho Lua cantava aquela história do passarinho que tinha os olhos furados "pra cantá mió" e meus olhos se enchiam de lágrimas. Minha mãe não entendia o porquê do choro, e eu explicava.

— Mamãe, furaram os olhos do bichinho!

Fui cantando para a rua inteira e consegui o dinheiro para montar o cenário. Ainda sobraram alguns trocados que gastei em balas vendidas por dona Dulce, uma de nossas vizinhas.

Cantando na rádio

Dona Nhanhá era uma senhora que morava em nossa rua. Toda semana ela fazia reuniões e enchia sua casa de gente. Era curiosa em saber o que acontecia lá dentro, e só depois fui entender que eram sessões espíritas. Nhanhá decidiu organizar uma festa para angariar fundos para leprosos, como eram chamados os portadores de hanseníase à época. Generosamente, meus pais deram abrigo a vários deles, pois não encontravam guarida facilmente. A desinformação sobre o contágio era grande, gerando preconceito entre a população e até mesmo entre seus familiares.

Nhanhá convidou todas as pessoas que tinham algum dom artístico para a festa. Lembrou-se de mim, e lá fui eu, levada por Wanderley, meu irmão mais velho. Não me recordo qual música cantei, mas minha mãe disse que todo mundo gostou. Essa participação me levou a ser chamada para cantar em um programa infantil da Rádio Difusora de Lavras. Quando entrei no auditório, vi a plateia lotada. Havia uma cadeira e achei que era para me sentar. Fiquei balançando as perninhas e olhando a audiência tranquilamente, me sentindo muito confortável de frente para o público enquanto esperava ser anunciada.

Na verdade, a cadeira estava ali para que eu ficasse em pé, perto do microfone. Todos os participantes eram acompanhados por um regional, grupo musical caracterizado por violão, cavaquinho e flauta. Depois de me levantar, fui anunciada e comecei a cantar "Caminhemos", de Herivelto Martins, sucesso de Francisco Alves que minha mãe me ensinou.

> Não, eu não posso lembrar que te amei
> Não, eu preciso esquecer que sofri
> Faça de conta que o tempo passou
> E que tudo entre nós terminou
> E que a vida não continuou pra nós dois
> Caminhemos, talvez nos vejamos depois...

A festa da igreja

Depois de cantar na rádio, participei de alguns eventos promovidos pela igreja de Lavras. De um deles me lembro bem. Do Rio de Janeiro, minha madrinha mandou uma boneca bem moderna para a época, feita de louça. As meninas costumavam ganhar esse tipo de presente para aprenderem a ser mães. Eu ficava mais interessada nos brinquedos dos meus irmãos: bolas, patins, patinetes e bolinhas de gude eram os que eu mais gostava.

A boneca andava com as perninhas duras e, com seus cabelos loiros, virava a cabeça de um lado para o outro. Quando fui convidada para cantar em uma quermesse, levei a boneca comigo. Chegando lá, o pessoal não estava dando a mínima importância para aquele show, em que várias crianças se apresentavam. O que chamou a atenção das outras meninas que iriam participar foi minha boneca. Como pouca gente em Lavras tinha uma daquelas, o brinquedo fez o maior sucesso.

Ao ser anunciada, virei a boneca de cabeça para baixo e fui arrastando-a comigo no caminho do palco, causando grande espanto. Crianças e adultos ficaram chocados ao ver aquela cabeleira loira varrendo o chão, sem entender a atitude teatral daquela pequena cantora. Séria, fui ao microfone e cantei "Caminhemos". Foi uma comoção, gostaram muito. Com apenas 4 anos, acho que acabei criando uma performance que chamou a atenção daquele público disperso. Foi ali que percebi como um pouco de ousadia no palco pode fazer a diferença.

Vida de interior

Minha família começou a fazer a pergunta que toda criança escuta: "O que você vai ser quando crescer?" A resposta era sempre a mesma, cantora ou médica, a profissão das minhas primas Damina, a Dadá, e Marta, que um dia comentou:

— É melhor você ser cantora porque vai ser muito mais divertido.

Mas decidir o que eu faria no futuro era coisa para depois. Em Lavras, gostava de aproveitar o melhor da vida interiorana, naquela cidade que nem teatro tinha. Com 5 anos, conseguia andar livremente pela cidade, na maioria das vezes sem avisar meus pais. Nem precisava, pois não havia perigo. Saía com um carro de boi e ia até um povoado chamado Quenta Sol. No trajeto, sentia o cheiro de terra molhada e o ar puro que vinha por entre as folhas das árvores e dos pés de frutas. Passava pelos vizinhos e os via tomando café da manhã com broa de fubá e biscoitos quebra-quebra.

Meu lugar preferido no Quenta Sol era um laticínio. Gostava de ver homens e mulheres batendo leite para fazer manteiga e queijo, de maneira bem rudimentar, enquanto papai trabalhava e mamãe ficava se perguntando onde eu estava. Desde pequena queria fazer meu caminho de maneira independente, movida pela curiosidade.

Uma das diversões que eu tinha com meus irmãos era passear em uma jangada feita por Wanderley. Nosso quintal dava acesso a um riacho. Para chegar lá, era preciso passar pelos galhos de plantas que estreitavam o trajeto. No fim do rio, a gente via um acampamento de ciganos que passavam pela cidade, com aquelas roupas coloridas e adereços incomuns que me impressionavam.

Nós tínhamos muitos animais em casa. No quintal, havia um enorme casco de tatu, que para mim era um brinquedo. Papai costumava sair para caçar com alguns amigos, e um dia chegou com uma loba, uma fera de verdade, vivinha. Não sei bem qual era a sua intenção, mas ele a amarrou em um cercado com uma corrente presa a um varal, e ela ficou correndo de lá para cá, deslizando naquele fio de arame durante alguns dias.

Em uma Sexta-Feira da Paixão, ao cair da noite, meus irmãos e eu ficamos esperando a procissão que passaria em frente à nossa casa. De repente, tomamos um susto com um ruído vindo do nosso quintal, precisamente do portão dos fundos, onde meu pai havia organizado um enorme galinheiro com ninhos para chocadeiras e divisões para galinhos garnisé e galinhas-d'angola.

Corremos para as janelas dos fundos do último quarto, que davam ampla visão para o terreno. A loba havia se soltado e invadiu o galinheiro. Vimos as galinhas lá embaixo, cacarejando. *Cocorocó, tô fraco, tô fraco!* Com meus irmãos, disputava um espaço na beirada da janela no maior fuzuê, para acompanhar melhor o que acontecia. Do ponto em que estávamos, dava para avistar a porta da escada que descia da cozinha para a área externa da casa. De lá veio papai, com espingarda em punho. Mamãe estava atrás, de camisola, equilibrando um enorme lampião de querosene nas mãos. Parecia mais empolgante que filme de Tarzan e Jane na matinê do cinema aos domingos.

Papai mirou e deu um tiro só, certeiro. Após o disparo, um silêncio mortal. A procissão chegava perto da nossa casa e as vozes altas das rezadeiras encheram aquele momento de dramaticidade.

Com minha mãe estarei
Na santa glória um dia
Ao lado de Maria
No céu triunfarei...

Os fiéis passavam carregando Cristo no andor empunhando lanternas de papel coloridas que abrigavam velas acesas, em um bonito espetáculo de fé. Enquanto isso, meu pai tentava colocar ordem no galinheiro. Foi difícil pegar no sono naquela noite. Antes de dormir, comemos um pedaço de broa de fubá que Márcia, a ajudante da minha mãe, assava no forno a lenha. Invadimos aquela espaçosa cozinha sentindo um delicioso aroma de erva-doce saindo do forno ainda quente. Na manhã seguinte, acompanhamos de longe o trabalho de meu pai com alguns ajudantes, escalpelando o couro da pobrezinha da loba. Para os caçadores, quem trouxesse um pedaço de pele de lobo junto ao corpo ficava imune à mordida de cobra. Meu pai conservou o crânio do animal, e aquela caveira envernizada com suas enormes mandíbulas é uma das lembranças marcantes da minha infância.

Papai era adepto de um estilo de vida saudável. Acordava cedo e preparava para nós um café reforçado com direito a gemada, suco e tutano de boi dentro do pão quentinho. Ao amanhecer, eu acordava com o barulho dos jovens da vizinhança, que chegavam em trajes de atleta para fazer o roteiro esportivo que papai organizava antes de nos levar à escola.

Pelo rádio, ecoavam canções que seriam a trilha sonora dessas manhãs. Quando ouço "A saudade mata a gente", sucesso de Dick Farney, sinto que volto a esse ambiente. Na enorme cozinha com fogão a lenha, eles faziam o aquecimento junto ao corrimão da escada que dava acesso ao quintal, respirando o cheirinho do café recém-moído. O clima era de preparo para uma competição. Eles corriam até o jardim que havia perto da estação de trem, onde meu pai construiu uma praça por conta própria. Orientada por ele, a turma passou a se encontrar ali para fazer ginástica e jogar vôlei e basquete. Até hoje a cidade usufrui dessa área de esporte.

Religiosidade

Além de cantar nas festas da igreja, participei de missas como um dos "anjinhos", indo sempre na frente para coroar Nossa Senhora, vestida com uma camisola de cetim com asas de plumas branquinhas. Atrás vinha Sônia, uma menina morena de cabelos longos, contrastando com o loiro dos meus. Ela fazia o contraponto na cerimônia cantando versos e pondo o anel nas mãos da Virgem Maria. Depois eu cantava e colocava a coroa na imagem que a representava.

As cerimônias eram bonitas, com mamãe dando todo apoio em minha preparação. Na última em que estive presente, entrei no salão de concentração, onde todos os anjinhos estavam, e me deparei com a inovação das asas de Sônia. Não eram mais aquelas tradicionais e cobertas de penas. Eram grandes, de filó, salpicadas de brilho. E, como se não bastasse, ela ainda usava uma grinalda com uma estrela brilhante no alto da cabeça.

Fiquei pasma e com uma baita inveja daquela fantasia brilhando sob os refletores da igreja. Afinal, existia uma unidade naquela representação. Engoli em seco e, já sem nenhuma vocação para anjinho, quis cantar melhor do que nunca. Acho que consegui. Esse fato, no entanto, foi mais uma das lições da infância guardadas para o futuro. Percebi que, para trabalhar em grupo, é necessário administrar o próprio ego.

Como o ambiente era de forte religiosidade, Wanderley decidiu ser sacerdote. Resultado de seu ingresso no Colégio Santo Antônio, que pertencia à Ordem dos Franciscanos de São João del-Rei, perto de Lavras. Ele brigava bastante na rua com os outros meninos, que o chamavam de "carioca da bunda choca". De cima dos caminhões de papai, Ley jogava frutas nos gozadores. A solução então foi mandá-lo para outra cidade. Papai, que havia sido coroinha, por algum motivo não admitia a possibilidade de ter um filho padre.

— Você? Ser padre? O diabo que você vai ser!

Wanderley já estava longe no meu primeiro ano da escola, quando fui convidada para participar de um espetáculo sobre a abolição da escravatura no Brasil, interpretando a Princesa Isabel. Li um texto, peguei um papel, simulei a assinatura da Lei Áurea e no final exclamei de uma maneira apoteótica:

— De hoje em diante, acabou-se a escravidão!

Ah, sim: Wanderley desistiu de ser coroinha e se tornaria um grande namorador, daqueles terríveis.

De repente, Rio

Papai estava em um momento de ascensão na cidade. Já havia conquistado sua liderança e comprovado seu caráter. Ele tinha fugido de casa com 9 anos de idade e, durante sua juventude, era visto como um rebelde. Desde sua fuga, havia prometido a si mesmo que formaria uma família decente, pois ninguém acreditava nisso. O degenerado deu lugar ao homem responsável. Além de vender frutas e cuidar do frigorífico, foi chamado por um sobrinho, Maurício, para administrar um posto de gasolina que este havia arrendado.

Depois de aceitar a proposta, papai descobriu que Nígimo, seu irmão mais novo e conhecido por ser um sedutor incorrigível, começou a paquerar a esposa de Maurício. Houve uma briga séria entre eles por causa disso. Nígimo continuava a investir na moça, e meu pai, indignado com sua postura, tomou uma atitude explosiva: pegou minha mãe, os filhos e foi embora de Lavras, deixando para trás tudo o que construiu. Aos 6 anos de idade, sem entender muito bem os motivos daquela atitude, fui morar no Rio de Janeiro.

Fizemos a viagem de trem e desembarcamos na Cidade Maravilhosa em um fim de tarde, rumo à casa de vovó Geraldina, em Vila Isabel. Ela seria nosso porto seguro naquele momento, pois meu pai não tinha nenhum trabalho em vista. Saímos da estação e passamos pela Praça da Bandeira, quando de repente algo me chamou a atenção:

Beba Mate Leão! Beba Mate Leão!

Era um letreiro luminoso enorme, que piscava de maneira intermitente. Nunca tinha visto uma coisa daquelas. A diferença entre os costumes simples do interior e as características da grandiosidade de uma metrópole já ficaram claras naquele momento. Dali para a frente tudo seria diferente...

Juca, um amigo de meu pai, conseguiu emprego para ele na oficina mecânica em que trabalhava, na Ilha do Governador. Fomos morar lá, em um conjunto de casas que o estabelecimento oferecia para os funcionários. Papai ganhou um cargo de operador de tratores. Por seu esforço e energia, rapidamente caiu nas graças dos donos do local, sendo promovido. Juca ficou com ciúme e houve um desentendimento. Com seu trator D4 Caterpillar, papai fazia terraplanagem para grandes empreiteiras, o que dava um dinheiro razoável, mas o setor tinha lá os seus conchavos, e ele nunca aceitou ser conivente com o que era errado. Passamos por sérios problemas financeiros por causa de suas convicções firmes, mas a família tinha orgulho de sua dignidade, algo que dinheiro nenhum poderia comprar.

Fui matriculada na escola Anita Garibaldi, em frente à praia. A caminho da aula, vi o mar pela primeira vez. O litoral da Ilha do Governador tem uma particularidade: a ausência de ondas. Ainda pequena, eu ficava contemplando aquela calmaria. Com seu entusiasmo esportivo, papai teve a ideia de nos levar todos os dias de madrugada para a Praia das Pitangueiras, a bordo de seu antigo micro-ônibus, antes do colégio. Ele dizia que entrar na água ao amanhecer fazia bem para a saúde. Sem saber nadar, eu ficava de maiô naquela areia escura ao lado dos meus irmãos mais velhos, morrendo de sono e batendo a boca de frio.

Antes de irmos para Lavras, passamos um tempo no Rio, morando em uma rua tranquila da Penha Circular, onde Bill nasceu. Lá ocorreu um fato que não é uma lembrança nítida, mas minha mãe me contou essa história muitas vezes. Brincando na porta de casa, bem pequena, uma desconhecida me pegou e foi até uma praia próxima. Os vizinhos foram atrás dela, que entrou comigo no mar, e me salvaram antes que eu morresse afogada. Inconscientemente, acho que acabei associando a água a algo perigoso, talvez vislumbrando algumas tragédias que abalariam minha vida.

Papai nos ensinava a nadar de um jeito básico e rústico, com algumas coordenadas a seco na areia e depois, no mar, tínhamos que bater os pés dando braçadas até cansar. Tentando respirar do jeito certo, eu só engolia água sem conseguir fazer os movimentos adequados. Tinha torcicolos horríveis pela manhã, e à noite sofria com pesadelos em que meus irmãos mergulhavam felizes em uma piscina de gelatina. Quando chegava a minha vez, ficava entalada com as pernas do lado de fora, esperneando como um boneco. Percebendo meu desconforto, papai deixou de me levar à praia.

Comecei a estudar no meio do ano, perto da festa de São João. Na sala, eu me sentava em uma cadeira bem ao fundo. Logo nos primeiros dias, a professora fez um chamado:

— Vamos fazer a festa junina da escola. Quem aqui tem alguma coisa a apresentar? Algum de vocês gostaria de cantar uma música?

Não me fiz de rogada e logo levantei o dedo. A professora perguntou qual era o meu nome, e eu respondi:

— Wanderléa Salim.

— Então, Wanderléa, cante uma música.

Vancê tá vendo
Essa casinha simplesinha
Toda branca de sapê
Diz que ela véve no abandono
Não tem dono
E, se tem, ninguém não vê

Mamãe foi quem me ensinou essa música, "Casa de Caboclo". A professora adorou e fui convidada para cantar na festa junina da escola. A partir desse momento, ganhei a antipatia de Vera Lúcia, uma colega de classe que se apresentava em programas infantis da Rádio Tupi com algum sucesso. Sentada no fundo da sala, ela e uma amiga debochavam de mim, rindo e cochichando enquanto eu cantava. A rivalidade entre nós estava estabelecida. Ali comecei a aprender que é preciso saber viver.

Depois de arrendar uma oficina de máquinas pesadas no bairro de Cordovil, papai decidiu se mudar para uma casa na Rua Ipameri. Com suas construções simples, Cordovil tinha algumas características de cidade do interior. A vizinhança foi se aproximando de nossa família e nos adaptamos bem ao bairro. Quando podia, ia ao trabalho com papai, só para mexer no sistema de alto-falante do lugar, ouvir minha própria voz e cantar um pouco para quem quisesse ouvir.

Tudo parecia correr bem. Meu pai sempre prestativo e resolvendo problemas da comunidade, minha mãe sempre carinhosa e dando conforto a quem precisasse, meus irmãos felizes... Achava que seria assim para sempre. Estava enganada.

A primeira perda

Das quatro filhas do casal Salim e Odette, Wanderlene, a Leninha, era a mais velha e mais bonita. Em 1954, ela tinha 17 anos, 1,77 metro de altura, rosto expressivo e corpo escultural. Sua maiores qualidades eram a alegria de viver e sua cabeça de adulta. Acredito que o fato de ter ajudado mamãe a cuidar dos irmãos mais novos foi positivo para o seu amadurecimento.

Leninha morava com minha avó Geraldina, em Vila Isabel, e passava os finais de semana conosco em Cordovil. Na época, ela namorava Vasco, um rapaz que eu não conhecia direito. Só sabia que ele era engenheiro da tradicional Companhia de Fiação e Tecidos Confiança e que havia conseguido um trabalho de meio período para ela, já que pela manhã minha irmã cursava o colegial.

Naquele mesmo ano, conheci o homem que achava perfeito para ela: Marcelo. Cadete da Academia Militar das Agulhas Negras, ele costumava passar férias com sua mãe, dona Maria, que morava no mesmo quarteirão. Sempre o via meio preguiçoso, recostado na calçada de sua casa tomando sol. Adorava passar por lá para conversar com ele. Nossa diferença de idade era grande, e eu o enxergava como um homem feito. Marcelo devia me achar uma criança tagarela. Com sua voz grave, me respondia com poucas palavras. Mas, de tanto insistir, acabei conquistando sua simpatia.

— Sabe que você é muito bonitinha? Acho que quando você crescer podemos nos casar.

Marcelo me disse isso e voltei para casa muito feliz. Só que esse casamento ia demorar um bocado... Foi então que tive a ideia de falar com ele sobre Leninha, que andava chorando pelos cantos por ter brigado com Vasco. No fim do ano, os dois se cruzaram. Ele gostou dela de cara. Uma paixão instantânea, mas não correspondida. Leninha ainda tinha sentimentos por Vasco e estava prestes a ficar noiva dele. Assumi o papel de cupido, fazendo de tudo para ver os dois juntos. Marcelo ficou animado com a possibilidade de namorar minha irmã, que sabia dessa expectativa.

A virada de 1954 para 1955 foi inesquecível. A família toda celebrou o ano que estava chegando e o término da construção de uma casa, no terreno adquirido por meu pai na rua Paulo Bregaro, também em Cordovil, ao lado de sua oficina. Finalmente havíamos nos reabilitado do prejuízo causado pela mudança repentina para o Rio. Com a ajuda de empreiteiros, ele finalizou as obras em apenas 28 dias e ainda fez um parquinho a céu aberto na frente, com balanço, barras e pesos de exercício, onde colocou uma imensa mesa de madeira, que serviria mais para jogar pingue-pongue do que para comer.

Às 19 horas daquele 1º de janeiro, Leninha se aprontava para sair com uma vizinha nossa, Hilda. As duas combinaram de ir à festa que a família Bonavitta costumava oferecer no bairro para celebrar o ano-novo. Minha irmã também pretendia se encontrar com Marcelo para lhe contar que se casaria com Vasco em poucos dias — decisão que me deixou chateada. As duas saíram de casa e fui logo atrás, na companhia de Belinha. Enquanto eu saboreava um sorvete de flocos, pensava em dizer a Leninha que ela estava errada por descartar aquele homem alto, forte, de voz grave e cadete das Agulhas Negras por um branquelo esquálido que a gente mal conhecia.

A estrada do Porto Velho estava toda enfeitada. Ainda havia muita animação no ar pelo réveillon. Em meio a tudo isso, fogos de artifício e barulho. O clima de alegria foi interrompido quando vi um tumulto. Belinha estava ao meu lado e percebemos algo errado com Leninha, que caiu no chão, se curvando e apertando a barriga com as mãos. Sem entender o que acontecia, me aproximei de seu corpo a ponto de ouvi-la balbuciar:

— Uma bala. Salve-me, Nossa Senhora das Graças!

Como em um filme de bangue-bangue, dois bandidos que tinham uma rixa antiga trocaram tiros. De carro, um deles perseguia o outro, que estava em uma bicicleta fazendo um retorno na esquina. Os dois se encontraram justamente no momento em que minha irmã passava. Em casa, meus pais estavam deitados na rede estendida no quintal, apreciando a noite. Ambos ouviram os gritos dos vizinhos no portão, pedindo ajuda.

Minha irmã foi levada ao Hospital Getúlio Vargas. Marta, uma de minhas primas que era médica, já morava no Rio e veio prestar auxílio por sua experiência. Depois de três dias, apesar de esforços incansáveis, Leninha morreu. *Causa mortis*: perfurações em vários órgãos, causadas por uma bala de revólver que se alojou em sua coluna cervical.

O funeral foi realizado em nossa casa, com o caixão no meio da sala, repleto de amigos ao redor. Ali, de frente para o corpo, todos faziam uma simples pergunta: por quê? Para agravar a situação, papai ficou por muito tempo com a ideia de se vingar do homem que deu os tiros, preso logo depois da morte de Leninha. De vez em quando, porém, ouvíamos rumores de sua fuga. Meu pai não se conformava e chegou a procurá-lo em vielas e morros das redondezas para acertar as contas, deixando todos nós apreensivos.

Foi a primeira vez que vivi uma perda tão profunda. Na minha cabeça de criança, era algo injusto, pois ela nada tinha a ver com a briga dos dois homens. E Leninha, por ser a primogênita, era minha referência de mulher, meu espelho. Hoje, mais de 60 anos depois, penso em como as coisas poderiam ser diferentes se aquela bala não tivesse perfurado seu corpo. A certeza que tenho é que ela teria ficado ao meu lado. Eu precisava dela.

Não pare o casamento

Marcelo ficou chocado com a morte de Leninha. Os anos iam se passando e ele nunca deixava de passar as férias com a mãe. Quando sabia que ele estava na casa de dona Maria, ficava ansiosa para encontrá-lo. No início da minha adolescência, ele foi visitar minha família e quase não o vi, porque fiquei no meu quarto tentando disfarçar as espinhas que apareciam, passando base e pó de arroz para ficar bonita. Marcelo já estava se despedindo quando abracei no peito meu caderno de recordações do colégio, com mensagens dos meus professores e amigos do ginásio, e apareci na sala meio desajeitada. Queria que ele escrevesse algo.

Na adolescência, permanecia com Marcelo na cabeça. Criei fantasias sentimentais, coisa que minha avó Geraldina, a única a saber da minha paixão, estimulava. Ela dizia que meu destino era ser esposa dele. Por causa dessa convicção, nem ligava para os namoricos de colégio. Só queria saber dele. Até que recebemos a visita de dona Maria, que veio pedir autorização a meus pais para que eu a acompanhasse até Brasília para assistir à cerimônia de casamento de seu filho. Foi um choque!

Quando cheguei à rodoviária da capital recém-inaugurada com dona Maria, Marcelo e sua noiva nos receberam. Assim que nos acomodamos em sua casa, fomos comprar um pequeno enxoval. Tive a impressão de que ele não estava nem aí para o casamento. Marcelo tinha esse jeitão meio relaxado. Na chegada a Brasília, quem carregou nossas malas pesadas foi a própria noiva.

Ficamos hospedadas no apartamento em que o casal iria morar. Na manhã seguinte, recebemos a visita da noiva. Ao entrar no quarto, pude observá-la fazendo uma confissão à futura sogra:

— Dona Maria, sei que vou sofrer com Marcelo, mas ele é tudo que nunca ousei sonhar!

Ainda imatura, pensei que ainda tinha tempo para ela desistir. Depois que ele vestiu o casaco da farda, dei-lhe a espada que ele colocou na bainha da calça. A cerimônia foi linda, e o aperto no coração foi diminuindo. Não senti a menor vontade de gritar "Por favor, pare agora!", como ainda faria diversas vezes em certas tardes de domingo.

Wanderléa,

Deveria desejar que tua vida transcorresse no mais sublime e doce encanto, mas isso seria te desejar o impossível. A vida apresentar-te-á obstáculos que te parecerão intransponíveis, mas, podes estar certa, não o serão. Desejo apenas que venças todos esses obstáculos, sem que esse teu doce sorriso saia dos teus lábios.

Assinado: M. L.

Foi essa a mensagem que Marcelo deixou no meu caderno de recordações da escola. Li e reli tantas vezes que nunca mais esqueci. Acho engraçado lembrar que borrei aquela folha com lágrimas e beijos dados depois de pintar a boca com batom bem vermelho. Passado tanto tempo, com tantos obstáculos superados, vejo que ele estava certo. Gostaria muito que ele soubesse, onde estiver, que nunca deixei de sorrir. Minha ternura não ficou na estrada.

Meu remédio é cantar

A morte de Leninha me deixou mais introspectiva. Cantar para mim mesma era um dos poucos alentos que eu tinha. Aquilo me relaxava, me transportando para outros mundos, fugindo da aflição e da lacuna deixada pela ausência da minha irmã. Como Leninha também gostava de música, sentia que me reconectava com ela em outro plano enquanto cantava.

Nossa família contou com a ajuda dos vizinhos, que deram apoio emocional após a tragédia. Alguém da rua, não me lembro quem, comentou comigo sobre Neucir José da Cruz, uma cantora-mirim que participava de programas infantis da Rádio Mayrink Veiga. Ela e seus pais haviam se mudado para a rua Vera, paralela à da nossa casa.

Depois, meus amigos me contaram que ela ficava na varanda de casa fazendo mímicas e passos de balé, para todo o bairro ver. Fiquei interessada em conhecê-la. Houve um sentimento de identificação, pois também gostava de cantar para os vizinhos.

Um dia, descobri que a vizinhança estava assistindo a uma das apresentações de Neucir e corri para ver. Lá estava ela, exibindo todo o seu talento. Era tudo aquilo que tinham me contado. No final, ela deu um salto no ar e caiu de pernas abertas naquele chão encerado e brilhante. As pessoas ficaram boquiabertas e reagiram com aplausos efusivos.

Por trás daquela aglomeração, espiando de longe, achei o máximo sua performance. Fui conversar com Neucir e contei que também cantava. Criamos uma afinidade imediata. Posso dizer que foi a primeira pessoa amiga que a música me deu, pois ela achou que eu também deveria cantar na Mayrink Veiga.

— Por que você não vai na rádio um dia? Você podia fazer um teste para cantar no programa do vovô Odilon. Eu canto lá.

O radialista Odilon de Alencar era um senhor muito simpático, magrinho e que estava sempre bem-vestido, usando terno de linho branco, gravatas-borboletas excêntricas e sapato bicolor. Ele era o responsável pelo departamento infantojuvenil da Mayrink Veiga. Nos domingos pela manhã, dirigia o programa *Ciranda Mirim*, que ia ao ar logo após o *Ciranda dos Bairros*, com o elenco principal da emissora, composto por cantores como Carlos Galhardo, além do grupo Regional do Canhoto. Neucir falou sobre mim para Odilon, que sugeriu que eu fosse até a rádio. Pedi a meus pais para me levarem até ele. Apesar da desconfiança inicial dos dois, consegui convencê-los.

Logo que cheguei à rádio, no Centro do Rio, ele me recebeu de braços abertos. Sorriu e pegou no meu queixo.

— Ah, então é você que sabe cantar?

Respondi que sim. Cantei e, depois de me ouvir, Odilon convenceu papai e mamãe a permitirem que eu cantasse na Mayrink Veiga. Os dois viram que ele era uma pessoa correta. Meu repertório seria formado por clássicos em castelhano. "Granada" era um dos meus carros-chefe, influência de dona Ester, uma espanhola que morava perto de casa. Sabendo que eu gostava de música, ela me ensinou a cantar boleros hispânicos com aquela voz empostada das cantoras da era do rádio.

— Agora, com vocês, o xodozinho do vovô: Wanderléa Salim!

Era assim que Odilon me anunciava. No início, cantava acompanhada pelo piano de Pedro Bevilacqua. Com o passar do tempo, quis cantar choros, ao lado do Regional do Canhoto. Eu ficava encantada com Altamiro Carrilho e sua flauta. Que músico ele era! Já bem perto de completar 9 anos, meu pai, com toda sua seriedade, achava que eu devia deixar um pouco de lado a cantoria para focar nos estudos.

— Você já se decidiu sobre o que vai fazer no futuro? Por que não escolhe ser médica como suas primas?

Era uma pergunta que ele me fazia sempre. Coisa de pai que quer garantir um bom caminho para a filha. Eu respondia que agora seria cantora. Acho que ele não levava a sério, devia pensar que com o tempo eu mudaria de ideia.

Odilon acabou sendo um verdadeiro avô para mim. No primeiro domingo de cada mês, havia exibição de desenhos de *Tom e Jerry* na Cinelândia, e ele levava as crianças do programa. Depois da sessão, íamos jantar. Por ser o xodozinho dele também fora da rádio, a meninada morria de ciúme de mim. Acredito que ele via em mim algum futuro como cantora pelo seu incentivo incondicional.

De repente, comecei a receber correspondências de fãs que me ouviam em casa ou iam ao auditório da rádio. Com toda atenção e carinho, eu respondia às cartas. Fui com mamãe ao centro da cidade tirar fotografias profissionais para quem queria saber como eu era. Em pouco tempo, me tornei uma das estrelas infantis da Mayrink Veiga, sob os olhares sempre vigilantes de meu pai.

Agora na TV

Samuel Rosenberg apresentava o *Clube do Guri* nas Emissoras Associadas, a Rádio e a TV Tupi. Ele pediu que o vovô Odilon selecionasse artistas mirins que pudessem representar o Rio no *Clube Papai Noel*, programa que Homero Silva apresentava na TV Tupi de São Paulo. A atração tinha começado no rádio e iria comemorar 20 anos em 1957. Uma edição especial, com a participação de crianças que vinham de várias partes do Brasil, estava em produção.

Fui à Rádio Tupi fazer um teste com Rosenberg. Quando cheguei ao estúdio com vovô Odilon, dei de cara com Vera Lúcia, a "colega" de escola que havia escolhido ser minha rival. Com Bevilacqua ao piano, cantei uma música flamenca. Rosenberg gostou e, entre todos os concorrentes, fui a escolhida para ir ao *Clube Papai Noel* representando seu programa. É de se imaginar que Vera Lúcia não tenha gostado desse resultado...

Eu já havia andado em um teco-teco em Lavras, de propriedade de meu primo Maurício, no tempo em que meu pai administrava seu posto de gasolina. Aquela ida a São Paulo marcou a primeira de tantas viagens que eu faria em avião de carreira. Lembro-me bem dessa ocasião. Era uma quinta-feira. Papai, muito contrariado, não queria que eu fosse por ter aula naquele dia. Ele só me acompanhou por insistência de mamãe, que com seu jeito doce soube contornar a situação.

Fui para o aeroporto ao lado de papai, toda produzida, vestida com um conjunto de calça e blusa de malha de lã cinza, com gola, boina e luvas vermelhas. Na bagagem levei vestidos de babados e rendas, com enormes laçarotes de organdi, além de um casaco branco de pele de coelho, com sapatos de verniz preto e meias brancas de náilon. Anáguas engomadas eram peças íntimas indispensáveis para serem usadas por debaixo das saias, para dar mais volume e glamour aos vestidos. Fomos do aeroporto para o Hotel Danúbio, um dos melhores da cidade. Chegamos, deixamos as malas no quarto e fomos direto para o estúdio da TV Tupi. Cantei e Homero aprovou minha participação.

Além de cantar em rádio e TV, comecei a fazer apresentações no Fã-Clube Mirim de Brás de Pina, dirigido por Valdomiro Ferreira Jr., onde havia shows de crianças prestes a conquistar seu lugar ao sol. Lá, eu era acompanhada pela dupla de acordeonistas Gelson e Gilson. Este passaria a assinar como Gilson Peranzzetta, tornando-se tecladista e arranjador consagrado e músico de Simone, Ivan Lins e Nana Caymmi. Nas apresentações do Fã-Clube, também conheci um menino que tinha talento, simpatia e cantava muito bem. Um dos carros-chefe dele era "Montanha-russa", sucesso de Ivon Curi. No início dos anos 1960, ele apareceu com força no rádio e na TV, e reconheci Sérgio Murilo, que com suas interpretações de "Marcianita" e "Broto Legal" tornou-se um dos pioneiros do rock no Brasil.

Um belo dia, meu pai comprou uma televisão. Foi uma festa, porque ninguém no bairro tinha uma. Nos anos 1950, um aparelho de TV ainda era um produto caro, para poucos afortunados. A criançada da vizinhança se acomodava na sala de casa para assistir a programas de auditório ou teleteatros. Uma lembrança marcante é a de Virgínia Lane. A grande vedete do Brasil ficava atrás de uma árvore vestida de coelhinha, cantando "Eu sou o Coelhinho da Phillips" em um comercial, com as pernas de fora. Uma figura encantadora, muito carismática e ousada para a época. Outra influência inesquecível.

Em 1958, ganhei no Fã-Clube Mirim de Brás de Pina o título de Rainha da Voz, inspirado no concurso de Rei e Rainha do Rádio, promovido anualmente pela *Revista do Rádio*, o que me encheu de confiança. Um dia, vendo TV, soube que nas tardes de sexta-feira a TV Rio exibia o programa *A mais bela voz infantil*, concurso de calouros com patrocínio do Açúcar União e do Café Caboclo. Para participar, era necessário se inscrever. Pensei em mandar uma carta, mas imaginei que papai não iria deixar. Afinal, ele já não estava gostando daqueles compromissos que me tomavam muito tempo. Eu só ficava pensando na possibilidade de estar lá algum dia. A sorte não tardaria a bater no portão da minha casa.

A mais bela voz infantil

A televisão já havia chegado em minha casa, mas ainda não tínhamos telefone — um artigo de luxo nas residências. Um aparelho no armarinho perto da minha casa resolvia o problema. O dono do estabelecimento, Paulo César, permitia seu uso para mandar e receber recados. Certa tarde, ele veio me chamar no portão, dizendo que estavam querendo falar comigo. Fiquei surpresa e animada, imaginando o que poderia ser. Pressenti que era coisa boa e fui correndo atender.

O telefone do armarinho ficava no alto, preso em uma parede. Subi em um caixote para alcançá-lo. Ainda arfando pelo cansaço da corrida, ouvi a voz do outro lado da linha. Ela se identificou como Beatriz, secretária de David Cohen, diretor da TV Rio, me convidando para participar de *A mais bela voz infantil*. Beatriz contou que uma amiga minha tinha dado o meu telefone de recados e que a emissora gostaria de me escalar, mas antes era preciso fazer um teste.

Eu controlava a respiração sem acreditar no que ouvia. Não me lembrava de ter passado aquele número de telefone para ninguém, mas fiquei feliz de saber que uma amiga de verdade havia se lembrado de mim. Pouco depois soube que sua sugestão ia além da generosidade. Ela perdeu a eliminatória anterior do programa para uma de suas concorrentes, sua grande rival, e achou que eu poderia vencê-la. Mesmo assim agradeci, pois sem aquele convite seria impossível participar do programa.

Beatriz perguntou se eu poderia comparecer ao teste às 17 horas da sexta-feira seguinte. Nem parei para pensar em como chegaria lá ou quem me levaria para o estúdio: disse que sim! Beatriz falou que estaria me esperando na hora marcada. Voltei para casa aos pulos para contar a novidade. Até hoje acredito que, se você quer que um desejo se torne realidade, basta simplesmente pensar nele. Com determinação, tudo pode ser concretizado.

A sede da TV Rio ficava no Posto 6 em Copacabana, no prédio do antigo Cassino Atlântico, na avenida Atlântica. Pedi a Wanderley que me levasse ao distante mundo da zona sul do Rio, onde eu nunca tinha pisado. No ônibus, chegando à Atlântica, avistei o mar. Nunca tinha visto ondas tão fortes, estourando na margem de encontro às finas areias brancas. A visão era tão bonita que ignorei o trauma de água. Tirei os sapatos e molhei meus pés. Com as ondas indo e vindo, fechava os olhos e sentia o cheiro forte da maresia. Era mágico.

Na orla, os prédios de luxo enfeitavam o cenário. Os carros passavam calmamente, ainda em mão única. Em um banco do calçadão, sequei meus pés com um lencinho de pano bordado à mão que sempre trazia na bolsa a tiracolo, enquanto Wanderley insistia para que fôssemos à TV, com medo de passar do horário marcado com Beatriz. Cheguei lá e fiz o teste com um pianista.

A produção de *A mais bela voz infantil* me aprovou e logo eu estava concorrendo ao prêmio e participando de eliminatórias por várias semanas. Para a alegria de todos, minha e dos meus irmãos, o prêmio por vencer cada etapa eram enormes caixas de chocolates Diamante Negro e brinquedos da Estrela ou da Troll. Fazíamos muita farra — não sem algumas brigas durante a disputa pelos presentes. Cantei músicas brasileiras, especialmente choros, e outras em língua espanhola durante seis meses, período daquela temporada do programa.

Na última eliminatória, interpretei "Sabrá Dios", sucesso na voz de Lucho Gatica. Com esse bolero de Alvaro Carrillo, ganhei o prêmio *A mais bela voz infantil*. Um dia muito feliz.

O prêmio

O principal prêmio do concurso era um contrato de gravação com a Columbia Broadcasting System, a gravadora CBS, fundada no Brasil em 1953. Em seu elenco estavam nomes de grande sucesso, entre eles Cauby Peixoto, Sílvio Caldas e Zezé Gonzaga. Ficou combinado um encontro com Othon Russo, relações-públicas da gravadora, e Roberto Corte Real, diretor artístico. Mas meu pai não estava gostando nada daquela história.

— Nossa, você agora vai gravar disco, minha filha? E a sua escola? E o seu futuro? Como vai ser?

Com muito custo, e sempre com aquele sutil empurrão materno, ele me levou à reunião. Chegando ao escritório da CBS, na praça Tiradentes, fomos bem recebidos pelos diretores. A gravadora queria que eu interpretasse músicas do compositor Irani de Oliveira, feitas sob medida para projetos que Othon tinha na cabeça. Ele pensava em discos de 78 rotações, a mídia mais comum da época, com repertórios temáticos. O primeiro seria dedicado ao público infantil, depois viria outro para celebrar o Natal e, no ano seguinte, faríamos uma homenagem ao Dia das Mães. Não gostei de nenhuma dessas ideias. Queria cantar boleros e sambas-canções, estilos com os quais eu estava acostumada. Mesmo assim, fui ao encontro de Irani que, muito educado e paciente, me ensinou algumas músicas que poderiam vir a ser meus primeiros registros em estúdio.

A gravadora conseguiu me colocar em programas da Rádio Nacional, a principal do País, com a intenção de divulgar sua nova contratada. Eu ficava fascinada em estar perto de Angela Maria, Chico Anysio, Cauby, Dalva de Oliveira, Orlando Silva... E eu ali, a caçula que pedia autógrafos para eles em um caderninho. Minha presença era fixa em *Ontem, hoje e amanhã*, atração comandada por Renato Murce que ia ao ar nos sábados à noite. O "ontem" era representado por um cantor que havia feito sucesso anos atrás, o "hoje" era alguém que estava nas paradas, e o "amanhã" era um artista infantil em quem eles apostavam. No caso, eu.

Fui uma cantora-mirim de destaque na Rádio Nacional. Cheguei a ter uma pasta com meu nome no armário de partituras, dividindo espaço com as dos meus ídolos. Cantava o que tinha aprendido com dona Ester, nossa vizinha espanhola, e papai até comprou castanholas para eu me apresentar no programa de César de Alencar, nos sábados à tarde. A produção me chamava, mas a escalação era feita pouco antes do programa entrar no ar, porque a prioridade era formar o elenco com os contratados fixos da rádio. Algumas vezes eu voltava para casa frustrada, depois de a secretária de Alencar avisar que o espaço estava preenchido.

Por chamar atenção com meu repertório, participei de uma edição do *Programa Paulo Gracindo*, a maior audiência dos domingos. O apresentador me anunciou como contratada da CBS. Emilinha Borba, principal estrela do rádio brasileiro, também pertencia à gravadora e estava entre suas convidadas. O apresentador veio à coxia e me perguntou:

— Quer cantar com Emilinha?

Surpresa, disse que sim. Tomei coragem e entrei no auditório para cantarmos "Cachito", versão em português para a música de Consuelo Velázquez. O público, como sempre, vibrou, e Emilinha foi carinhosa comigo. Um encontro curioso entre a Rainha do Rádio e eu, que seria aos olhos do público a Rainha da Jovem Guarda. E não é que depois eu também fui Rainha do Rádio?

A gravadora colocou na sede da Rádio Nacional uma urna para que o público elegesse um novo nome para mim. Gracindo, que chegou a anunciar o concurso, revelaria o resultado em seu programa. O detalhe é que nem eu nem meus pais fomos avisados dessa iniciativa. Papai foi à CBS tirar a história a limpo e foi recebido por Othon, que confirmou tudo.

— Sabe o que é, Salim? O nome Wanderléa é diferente, ninguém consegue guardá-lo, é estranho. As pessoas na gravadora acham melhor ela ter um nome mais sonoro, mais radiofônico, que todos possam lembrar.

Foi o bastante para irritar papai, orgulhoso do nome dos filhos.

— Quer saber? Ela não vai mais gravar e nem cantar. Ninguém vai mudar o nome da minha filha. Ela nasceu Wanderléa e vai viver Wanderléa.

Com essas palavras, meu pai rompeu com a CBS e o contrato foi para uma gaveta. Ao voltar para casa, ele me proibiu de cantar.

— Agora você vai cuidar dos estudos. Não vai cantar mais. Acabou essa brincadeira.

Eu concordava com a resistência de papai em mudar meu nome, pois não queria ser uma outra pessoa. Mas não queria parar de cantar; eu gostava daquele ambiente e estava determinada a ser cantora. No dia seguinte à conversa com Othon, fui comprar balas Toffee em uma padaria depois da escola. O padeiro, todo sujo de farinha de trigo, batendo as mãos no peito para limpar seu avental, saiu de onde trabalhava e veio falar comigo.

— Oi, Wanderléa. Eu estou escrevendo uma carta para o programa do Paulo Gracindo sugerindo um novo nome pra você. Acho que Solange Maria é bonito. E você, o que acha?

Respondi sem esconder meu espanto:

— O quê? Solange Maria? É bonito, sim, mas gosto do meu nome e quero continuar com ele.

Afinal, como disse meu pai, quem nasceu Wanderléa, vai viver Wanderléa.

O rock chegou

O filme *Ao balanço das horas*, com o cantor Bill Haley, foi um grande sucesso entre os jovens. Quando ouvi a música que dá nome ao filme, cantada por ele, adorei. Era o *rock'n'roll* sendo mostrado ao mundo, com uma coreografia alucinante. Fiquei sabendo na época que, durante uma exibição do longa-metragem, em São Paulo, um cinema foi quebrado por adolescentes que ficaram enlouquecidos com aquele ritmo. Ao mesmo tempo apareceu Elvis Presley, lindo, com suas canções e seus filmes.

Em casa, meus irmãos esqueceram um pouco os carrinhos de rolimã, a peteca, o pingue-pongue, o patins de quatro rodas, o patinete e o bambolê para aderirem ao rock. Eu adorava dançar com eles, ainda que eu me identificasse mais com o grandioso estilo de interpretação dos boleros, dos choros e das fantasias espanholas em que podia usar a potência da minha voz.

Bill e Detinha faziam sucesso como dupla no Fã-Clube Mirim de Brás de Pina, no vovô Odilon e em programas de TV, seguindo a mesma trilha da irmã mais velha. Apesar de dançarem e cantarem bem o novo ritmo, meu número favorito dos dois era a interpretação descontraída de "Boneca de Piche", clássico de Ary Barroso.

Eu gostava de ir ao cinema para ver os filmes da loiríssima atriz Sandra Dee, casada com o ator e cantor Bobby Darin. As histórias eram repletas de rock, luau, fogueiras noturnas, romance e muito surfe — esporte que ainda não existia por aqui. Aquela realidade tão diferente da minha era encantadora e me fazia querer estar entre eles. Era difícil, sendo ainda tão jovem, resistir àquele estilo de vida que os Estados Unidos determinavam ao mundo.

Terminei o primário na Escola Jardelina Rodrigues da Silva, em Cordovil, e fui fazer o ginásio no Colégio Pedro I, em Brás de Pina. Estava de cabeça nos estudos, sem cantar em rádio ou TV, quando apareceu Celly Campello, a primeira estrela do rock brasileiro. Gostava muito de "Estúpido Cupido", "Túnel do Amor" e "Lacinhos Cor-de-Rosa", sucessos internacionais vertidos para o português por Fred Jorge. Acompanhei pelo rádio o surgimento de Carlos Gonzaga, Sérgio Murilo e Tony Campello, irmão de Celly. Com o tempo, percebi que eles sedimentaram os caminhos para o surgimento da Jovem Guarda. A postura deles conservava uma aura de inocência, que eu, Erasmo e Roberto, por uma série de questões, conseguimos quebrar. No final dos anos 1950 ninguém poderia mandar tudo para o inferno.

Vamos dançar

A música continuava a dominar meus pensamentos. Em uma descontraída reunião musical com meus irmãos, dei um agudo e fiquei rouca por semanas. Dona Ernestina, que lavava roupa para a família, era uma grande fã minha e fez uma promessa a São Cosme e São Damião. Se eu voltasse a cantar, ela daria doces às crianças no dia dos santos, 27 de setembro. E deu certo. Fico emocionada ao me lembrar disso porque dona Ernestina era uma pessoa simples, que provavelmente passava por necessidades, e em vez de pedir algo para si preocupou-se comigo.

Foi por essa época que Wanderley me chamou e disse que um amigo seu, Marlos, iria participar de uma quadrilha pelo Olaria Atlético Clube, mas a menina com quem ele iria dançar tinha se machucado e agora ele estava sem par.

— Você não quer dançar com ele? Tenho certeza que você pegaria essa coreografia com facilidade.

Aceitei para não deixar o amigo de Wanderley na mão. Ele tentava me entusiasmar, dizendo que eu iria me divertir. Antes da quadrilha, precisava ir a um ensaio geral no Olaria para prepararmos a apresentação contra o Social Ramos Clube. A final ocorreria na sede deles e achei que a disputa seria acirrada. Como vencê-los em sua própria casa? Cheguei ao Olaria, fui apresentada a todos por Marlos e tentei fazer o meu melhor.

No dia da final, vi uma mesa com jurados e reconheci um senhor com bigode e entradas no cabelo. Era Lamartine Babo, grande compositor de famosas marchinhas carnavalescas e dos hinos do futebol carioca. Como havia participado de apenas um ensaio com o pessoal do Olaria, eles estavam com medo de que eu errasse algum passo e isso fosse decisivo na contagem final dos pontos. Eu estava usando um sapatinho Maria Mole, moda da época. Sua sola era lisa e, com ele, podia me movimentar com mais leveza, o que me ajudaria.

A quadra do Social não era coberta e, assim que começamos a dançar, choveu. O sapato começou a deslizar na água. Os outros membros da quadrilha começaram a me segurar para que eu não caísse. Ainda tentei tirar a Maria Mole dos pés, mas não consegui. Quando vi que não tinha jeito, virei a irreverente do grupo: comecei a escorregar intencionalmente, me fazendo de matuta que não sabe dançar. Bem à minha frente, Lamartine sorria. Todo mundo aplaudiu e nós ganhamos do Social por causa da minha atuação, com diferença de poucos pontos. Tanto o júri quanto o público acreditaram que minha performance estava no roteiro da coreografia.

De miss a crooner

O jornalista Walter Rizzo, diretor social do Olaria, gostou de mim e puxou papo. No meio da conversa, ele perguntou se eu poderia participar de uma festa coletiva de debutantes que estava organizando no clube. Por não ter feito minha festa de 15 anos, decidi participar. O jornalista Kléber Lopes divulgou a lista das escolhidas para o evento, que ocorreu em outubro de 1960, em sua coluna no jornal *A Luta Democrática*. Fui ao baile com um bonito vestido branco de Belinha. Wanderley, todo galante, dançou comigo uma valsa ao som da orquestra de Pierre Kolmann, pseudônimo do pianista Britinho.

Fui ao baile com os cabelos loiros, recém-pintados com camomila, o que deve ter agradado Rizzo, pois ele fez outro convite depois da festa. O jornalista pediu que eu fosse uma das candidatas do clube em um concurso de beleza chamado Miss Koleston, patrocinado pela famosa marca de tintas de cabelo. Perguntei a meus pais se poderia participar e, surpreendentemente, eles deixaram. Em um sábado, 1º de abril de 1961, um júri me elegeu a Miss Koleston Olaria.

No início daquele ano, Rizzo havia me colocado em outras competições, como o Miss Elegante de Lucas, que ocorreu no bairro de Parada de Lucas; Miss Cinquentenário de *A Noite*, celebrando os 50 anos do jornal;

e o Senhorita Rio, promovido pelo jornal *O Globo*. Como Wanderley me acompanhava em todos eles, meus pais não criavam empecilhos.

Nunca tive o sonho de ser miss. Aceitava esses convites só para ver as grandes orquestras que tocavam nos clubes. Sem a vida de artista infantil com a qual estava acostumada, minha vida de adolescente havia se tornado um tédio completo. Além de não dar a mínima para esses concursos, achava muito bobo o Senhorita Rio ter, por exemplo, provas que avaliavam dotes como fritar um ovo, o que eu nem sabia fazer. Durante passagem do Miss Koleston por um clube de Bangu, fiquei muito contrariada por ter de esperar o resultado daquela eliminatória sentada em uma mesa. Minha impaciência só diminuiu quando vi a movimentação dos músicos no palco.

A orquestra Jaime e Sua Música estava escalada para tocar naquela noite. O maestro, que era mais conhecido pelo apelido Barba de Milho, rodava com seus músicos por clubes do subúrbio do Rio e de cidades vizinhas. O cantor, na época chamado de *crooner*, era Luiz Carlos, que adotaria Luiz Keller como nome artístico. No meio da apresentação, ele saiu do palco e a orquestra começou a tocar vários sambas em sequência. Fui me animando com aquele balanço e pensei: a hora é agora.

Em um impulso, desci as escadas, passei pelos casais que dançavam, fui para perto do palco e apenas olhei fixamente para Jaime. Meu olhar deve ter valido mais que mil palavras. Ele prontamente me apontou o microfone. A banda continuava a tocar e senti que a tonalidade do que eles tocavam era adequada para cantar "O amor e a rosa", de Pernambuco e Antônio Maria, sucesso na voz de Elizeth Cardoso. Entrei direitinho.

> Guarda a rosa que eu te dei
> Esquece os males que eu te fiz
> A rosa vale mais que a tua dor
> Se tudo passou, se o amor acabou
> A rosa deve ficar
> Num canto qualquer do teu coração...

O público aplaudiu e começou a pedir mais, até mesmo pessoas que trabalhavam na organização do Miss Koleston. Jaime fez um movimento com a mão, girando o indicador. Percebi que pedia para eu cantar mais uma e, sem perder tempo, me lembrei de "Mulata assanhada". A música composta e lançada por Ataulfo Alves estava fazendo sucesso naquele momento com Elza Soares, cantora que havia acabado de lançar seu primeiro disco e cuja voz marcante eu ouvia todos os dias antes de ir para a escola, em programas vespertinos da rádio.

> Ô, mulata assanhada
> Que passa com graça
> Fazendo pirraça
> Fingindo inocente
> Tirando o sossego da gente...

Mais uma vez o público aprovou. Já estava feliz. Jaime viu que eu representava o Olaria, pois estava usando uma tradicional faixa de miss, e me chamou rapidamente.

— Vamos estar no Olaria amanhã, fazendo a domingueira. Vai lá, vamos conversar.

No dia seguinte, fui ao Olaria com Wanderley. Quando chegamos, Jaime e seu grupo já estavam tocando, com a pista repleta de casais. Tirei meu irmão para dançar bem na frente do maestro, na expectativa de que ele me visse. Quem sabe eu também poderia cantar naquela noite? Quando me avistou, Jaime fez sinal para eu ir ao palco.

Enquanto a banda tocava, Jaime, Wanderley e eu fomos para a coxia, que uma cortina empoeirada separava do palco. O maestro foi direto ao assunto:

— Já tenho o Luiz de *crooner* e também gostaria de uma mulher para cantar. Você gostaria de ser a *crooner* feminina do conjunto?

Eu achava que haveria a possibilidade de ele me chamar para cantar apenas naquela noite. Nem passava pela minha cabeça ser integrante fixa do grupo. Wanderley respondeu que seria difícil nosso pai deixar. Jaime tentou nos tranquilizar:

— Falem com ele. Se for preciso, eu explico a situação. Pode deixar que a gente vai resolver isso. Já temos baile nesta sexta-feira e você estará com a gente.

Meu irmão disse que, se eu topasse ser *crooner*, ele se comprometeria a me levar secretamente aos clubes. Mamãe seria a única a saber do nosso plano. Era só esperar papai dormir para pegar sua caminhonete Aero Willys azul e branca. Por um modesto cachê, aceitei o convite de Jaime. Deixei o Miss Koleston e passei a percorrer o Rio e arredores com o maestro e os músicos. Luiz iniciava o baile, e assim que eu chegava ia para o microfone cantar sambas, boleros e o que mais fosse preciso para fazer as pessoas dançarem. Como eu ainda era menor de idade, precisava de uma autorização do Juizado de Menores para trabalhar. Wanderley era quem assinava os papéis como meu responsável legal.

Em agosto de 1961, Kléber Lopes registrou em *A Luta Democrática* a passagem de Jaime e Sua Música pelo Clube dos Quinhentos, em Duque de Caxias. "A orquestra do maestro Jaime esteve magnífica, sem falar nos dois *crooners*, Luís Carlos e Vanderléia (sic) Salim, ambos de flagrante categoria." A imprensa, especialmente no início da minha carreira, errou bastante a grafia do meu nome. Mas, para quem estava começando, aquele era um elogio e tanto. Além de cantar, eu fazia aulas de pintura com a professora Do Carmo, chegando a expor minhas obras, e também cursos de inglês, tudo pago por meu pai. Fiz cursos-relâmpago com a professora Fernanda Barcelos, que dava aulas de psicologia, higiene mental, sociodiagnóstico através do desenho e assistência social. Aprendi muito com ela e acredito que seus ensinamentos foram importantes para o meu autoconhecimento.

Astor

Dois meses após ter assumido o posto de *crooner* da orquestra de Jaime, fomos ao programa de Paulo Gracindo, na Rádio Nacional. Fiquei feliz em retornar àquele auditório, depois de tanto tempo afastada. O trombonista Astor Silva, diretor artístico da Columbia, havia se apresentado antes com sua enorme orquestra. Vadico, parceiro de Noel Rosa, era o pianista. Wilson das Neves, grande baterista, já mostrava seu balanço característico. Depois que cantei, Astor veio conversar comigo, dizendo que gostou de mim, e perguntou se eu estava interessada em trabalhar com ele.

— Eu estou precisando de uma cantora de jazz, com presença de palco como a sua. Acho que você seria uma ótima escolha.

Era um belo desafio, pois Astor comandava uma orquestra de renome. Com essa aproximação, também poderia estrear na Columbia. Meu contrato estava vigente, ainda que eu não tivesse gravado nada lá. Muitas vezes, após as aulas de inglês no Instituto Brasil-Estados Unidos (IBEU), na rua México, eu ia ao estúdio da gravadora, que ficava bem próximo. Como os diretores e funcionários já me conheciam do tempo de *A mais bela voz infantil*, entrava no prédio sem problemas. Os corredores tinham fotos dos artistas que faziam parte do elenco nas paredes, e eu ficava sonhando em ver minha imagem ali um dia. Às vezes cruzava com Othon Russo e perguntava quem estava gravando. Vi, por exemplo, várias sessões de estúdio de Tito Madi, autor de canções românticas como "Chove lá fora". Era, e ainda sou, muito fã dele.

Deixar Jaime foi difícil. Uma ruptura dolorosa, porque não queria desapontar quem havia me dado uma oportunidade tão importante, essencial para eu ter ainda mais certeza do que queria fazer da vida. Com medo de magoá-lo, demorei algumas semanas para abrir o jogo. Antes de um baile no América Futebol Clube, tomei coragem. Pouco antes de a orquestra subir ao palco, me despedi de Jaime, que não esperava me ver indo embora, mas me desejou boa sorte. Os outros músicos também ficaram sentidos, o que partiu meu coração.

Quando atravessei a catraca do América e pisei na rua, me senti leve e livre, deixando um peso incômodo para trás e com a sensação inigualável de estar no controle do meu próprio destino. Tive a certeza de que não teria o menor vestígio de arrependimento ao seguir minha intuição. Estava livre para ser feliz na orquestra de Astor. Saí do clube e fui para a casa da minha avó, ali perto. Wanderley foi me buscar e, ao saber da novidade, disse para eu continuar contando com ele.

Na orquestra de Astor, dividi o posto de *crooner* com Jorge Silva. Cantávamos todos os gêneros e ampliei meu repertório a pedido do chefe, que me deu uma pasta com partituras e letras de *standards* do jazz para cantar nos bailes: "Autumn Leaves", "Laura", "Stardust"... Eu ainda estava aprendendo inglês, então tentava seguir direitinho a decoreba. Astor gostou e me fez ir para o estúdio gravar duas faixas para um disco que ele fez na CBS, até hoje arquivadas. Meu desempenho foi o bastante para ele desengavetar meu contrato.

Aí não houve jeito. Chamei meu pai e contei a ele sobre minhas escapadas com Wanderley. Apliquei toda a filosofia da Dra. Fernanda, dizendo o quanto era importante fazer o que a pessoa gosta para que ela não se torne frustrada, coisa e tal. Papai me ouvia atentamente. Depois que falei tudo, ele ponderou:

— Olha só, minha filha: não te dou dois meses para você desistir dessa vida. Gravar disco é um compromisso sério, é preciso ser responsável e você ainda é muito nova. Você vai ver que essa vida de artista é tão cansativa que vai parar por conta própria.

Papai errou na previsão.

Como dois plebeus

O ano de 1961 estava para terminar e fiquei sabendo que o famoso comunicador Luiz de Carvalho, da Rádio Globo do Rio de Janeiro, levaria sua caravana de jovens artistas a Cordovil. A apresentação iria acontecer no recém-inaugurado clube da Sociedade Amigos do Bairro, que tentava levantar verbas para finalizar sua construção. Querendo ter contato com os artistas escalados para o evento, todos jovens como eu, fui até lá para me enturmar.

Cheguei ao clube com Ruth, então namorada de Wanderley, e nos sentamos em um dos bancos compridos de madeira da plateia. Ficamos ali por alguns minutos, aguardando o início do show. Olhei para trás e constatei que havia poucas pessoas. O clube não havia feito uma promoção adequada para receber aquele show. Só vi lá nos fundos, em pé, alguns acompanhantes dos artistas conversando com a diretoria do clube.

Dali a pouco, Luiz de Carvalho veio ao palco. Ele começou anunciando sua primeira atração e fiquei atenta à entrada do cantor. Empunhando um violão, ele chamou minha atenção de cara. Aparentava um semblante sereno, como se fosse um tanto solitário. Ele usava um topete caprichado, com a gola da camisa levantada até o pescoço, dando-lhe um ar de James Dean. O rapaz começou cantando uma versão gostosinha e balançada de "Mr. Sandman", gravada pelo quarteto vocal feminino The Chordettes, em 1954.

> Mr. Sandman, quero sonhar
> Fazer com ela o mais lindo par
> Quero beijar, beber sua boca
> Encher de sonhos minhas noites tristes...

Gostei da música e achei diferente aquela voz, cantando uma baladinha pop com uma emissão vocal lisa, que lembrava João Gilberto. Era um cantor moderno, que não seguia a escola dos cantores antigos que eu ouvia no rádio, cuja referência era a escola clássica italiana, que usava tons fortes e agudos estridentes.

Ao fim do show, fui conversar com ele para dar-lhe os parabéns. Contei que também cantava e tinha um contrato assinado para gravar na CBS desde os 10 anos de idade. O rapaz me disse que era da mesma gravadora e havia acabado de lançar seu primeiro disco, *Louco por você*. Naquele encontro, veio mais uma vez à cabeça a vontade de também gravar o meu, mas ainda não tinha conhecido Astor e também precisava convencer meu pai.

Depois que o show acabou, todos os artistas foram comer em uma lanchonete fora do clube e acabei ficando mais um pouco para me enturmar. Já voltando para casa, encontrei aquele rapaz caminhando em direção ao seu grupo. Paramos para conversar um pouco enquanto os outros artistas entravam em um ônibus. Durante o papo, com um jeito charmoso de falar, ele perguntou sobre minha relação com a gravadora. Contei que ainda não havia gravado por oposição do meu pai, mas também não havia gostado das propostas de repertório para crianças, Natal e Dia das Mães. De repente, o motorista começou a buzinar. Era hora de ele ir embora.

Ignorando aquele som insistente, o rapaz continuou me escutando com atenção, enquanto eu notava seu topete cacheado caindo um pouco sobre a testa. Quem estava no ônibus também começou a ir para a janela reclamar da demora. Nós nos despedimos sorrindo, e ao estender-lhe a mão, fui surpreendida com um inesperado beijo na boca, com gosto da coxinha de frango que ele comeu no lanche. Aconteceu tão rapidamente que eu nem pude contestar, de tão surpresa que fiquei. Mas confesso: gostei. Ainda não tinha sido beijada, nem quando brincava de pera, uva, maçã ou salada mista. Acompanhei-o até a porta do ônibus, interessada no tumulto daquela turma toda lá dentro e achando aquilo muito divertido. Era novidade demais para uma só noite.

Depois de se acomodar na parte de trás do ônibus, em um dos assentos na janela, ele esticou o braço para fora e deu tchau. Respondi ao aceno, parada, sentindo ainda o toque do seu beijo em minha boca, que selava assim aquele nosso primeiro encontro. O ônibus velho se preparava para arrancar, soltando fumaça para todos os lados, como se comemorasse por já ter cumprido sua missão: me fazer conhecer, naquele lugarejo distante do subúrbio, aquele que seria meu eterno parceiro de estrada. Seu nome? Roberto Carlos.

Aquele singelo beijo foi como uma demarcação de território em meu coração de menina. No decorrer da nossa relação, tentei sublimar esse sentimento por percebê-lo complexo e frágil dentro daquele nosso contexto juvenil. Nosso trabalho, feito com talento e criatividade, tinha um impulso tão vital e verdadeiro que namoricos e paqueras acabavam ficando em segundo plano. Aquela exuberância saudável nos fazia buscar algo ainda não muito bem identificado dentro de nós, mas que traria um sentido maior às nossas vidas, nos levando a uma viagem de intenso aprendizado por meio de nossa arte. Desde aquele beijo roubado, amo Roberto. E esse sentimento fincou raízes e ficou por muito tempo guardado comigo.

Atenção, gravando!

Em janeiro de 1962, fui à CBS para acertar os detalhes do que seria o meu primeiro disco de 78 rotações. O estúdio e a seção administrativa ficavam no andar térreo. Na parte de cima ficava o escritório do diretor-geral, Evandro Ribeiro. Impondo certo respeito, todos os artistas lhe chamavam de Seu Evandro. Fui a seu encontro e ele me mostrou a música que eu iria cantar, o rock "Meu anjo da guarda", que já havia sido gravada por Cleide Alves. Seu Evandro não me disse nada, mas a gravadora já tinha intenção de me posicionar no mercado fonográfico como a cantora jovem da companhia, possivelmente como uma "substituta" de Celly, que havia acabado de anunciar seu casamento e o fim da carreira de cantora.

Ouvi a música e achei muito ruim. Falando sério: achei péssima. Mas, ainda iniciante, como eu iria dizer não? Eu queria gravar o que cantava na orquestra de Astor. Desci as escadas, decepcionada, pensando no que estava fazendo ali. De repente, veio ao meu encontro um rapaz simpático, com bochechas bem vermelhinhas e olhos arregalados, perguntando animadamente:

— Gostou da música?

Minha inocência de jovem não me deixou mentir.

— Olha, não gostei. Não gostei mesmo.

De repente, sua feição mudou.

— Ah, que pena. Fui eu que fiz.

Fiquei tão sem graça! Queria sumir dali para sempre. O rapaz era Rossini Pinto. Contratado da CBS como cantor, também compunha e fazia versões de sucessos internacionais para artistas da gravadora. Nem imaginava que ele seria o autor de futuros sucessos meus.

Gravei "Meu anjo da guarda" com a orquestra de Astor. No primeiro *take*, coloquei alguns soluços sincopados na música, para brincar com as frases rítmicas. Seu Evandro, que controlava o tempo de estúdio com mão de ferro, deixou como estava. Esses soluços despretensiosos me diferenciaram das outras cantoras jovens, uma marca registrada do início de carreira. O lado B do disco é "Tell Me How Long", blues que eu cantava nos bailes com Astor.

O disco saiu e, apesar de não ter gostado de gravar "Meu anjo da guarda", achei o resultado satisfatório. Em uma bela manhã, eu estava no meu quarto ouvindo rádio e a música começou a tocar. Eufórica, chamei todos de casa para ouvir. Para minha alegria — e decepção de papai, que se veria obrigado a me deixar ser uma cantora profissional —, a faixa permaneceu nas paradas de sucesso por mais de três meses.

Não era segredo para ninguém que ele não queria ter a filha como artista. Em agosto de 1962, o jornal *Diário de Notícias* fez um pequeno perfil meu, "Vanderléia (sic) aponta no sucesso". A matéria dizia que papai era contra minha carreira artística, "mas não proíbe". Enquanto nos mudávamos para um apartamento grande e confortável na Tijuca, na rua Almirante Cochrane, ele comprou um sítio na antiga estrada Rio-Petrópolis, perto de Xerém. Para homenagear minha irmã que havia sido assassinada, batizou o lugar de Sítio Wanderlene, passando a ficar mais tempo lá. Mamãe permaneceu comigo, dando o apoio incondicional de sempre.

No final daquele ano, Seu Evandro me chamou para fazer o segundo 78 rotações, com duas músicas escolhidas por ele: "Ao nascer do sol", uma versão em português de "Cuando calienta el sol", sucesso do trio Hermanos Rigual, e "Quero amar", de Castro Perret, que estava sempre na gravadora tentando emplacar suas composições. Aprendi as letras no estúdio, pouco antes de gravar. Coloquei voz na primeira e achei que a interpretação estava exagerada. Pelo vidro da cabine de gravação, disse a Seu Evandro que queria fazer de novo. Ele estendeu e mexeu os braços de um lado para o outro, indicando o fim da sessão.

Além de ter gravado "Meu anjo da guarda" a contragosto, outra música seria veiculada de um jeito que eu não queria. Saí da cabine chorando e fui até Seu Evandro. Com a voz trêmula, disse que ele não me deixava cantar o que eu queria e que precisava de mais tempo para aprender as músicas. Seu Evandro viu esse desaforo juvenil como a pior das afrontas e me colocou por meses na geladeira. Não pude participar de shows ligados à CBS, nem dos programas de rádio e televisão em que a gravadora poderia me incluir. Para mim, pareceu uma eternidade. Meus amigos do meio artístico, jovens como eu, começavam a despontar, e ficar esperando em casa por uma chance me deixou muito chateada.

Em 1963, voltei ao estúdio para gravar o primeiro disco, já com plena ciência de que Evandro determinaria tudo, até o fim. Em julho daquele ano, o jornalista e compositor Claribalte Passos escreveu uma pequena crítica sobre o álbum no *Correio da Manhã:*

> No estilo do rock-balada e do twist, tão ao gosto da mocidade dos nossos dias, surgiu entre outras promissoras figuras a de Wanderléa. Aos poucos, através de boa orientação, firmou-se no mundo fonográfico nacional e hoje é disputada pelos empresários para longas temporadas pelas capitais e cidades do país. É, sem dúvida alguma, o mais positivo valor dessa safra brasileira. Canta com espontaneidade, possui escorreita dicção, a par de natural simpatia e timbre de agradável colorido.

Meu caminho já não tinha mais volta. Eu era o que sempre desejei ser: uma cantora profissional.

Gente jovem

Depois que meu primeiro 78 rotações foi lançado, Roberto e eu começamos a conviver com mais intensidade. Chegamos juntos às paradas de sucesso, eu com "Meu anjo da guarda", e ele com "Malena", o que fez a CBS montar um plano conjunto de divulgação. Fomos escolhidos para ser o par da música jovem. A gente se encontrava de madrugada em alguma rádio e, no meio da manhã, fazíamos uma pausa para comer nas tradicionais leiterias que existiam no Centro do Rio. Depois do almoço, descansávamos no saguão da CBS para em seguida continuar as visitas aos programadores, voltando para casa só à noite. Jair de Taumaturgo e Isaac Zaltman, que respectivamente apresentavam *Peça Bis Pelo Telefone* e *Hoje é Dia de Rock*, na Mayrink Veiga, foram os primeiros a tocar nossas músicas.

Naquele início de carreira, alguns homens de rádio nos recebiam com cara amarrada, na maior má vontade. A música jovem não era bem-recebida por eles, com programas dominados por boleros latinos, música americana e os clássicos brasileiros. Com o suporte dado pelos divulgadores da CBS, assumimos como meta quebrar essa resistência, o que foi acontecendo aos poucos. Nada era mais prazeroso do que fazer nossa música ir ao ar e, melhor ainda, comemorar por quem conseguia tocar o maior número de vezes.

Com Roberto, eu me sentia parte de uma turma, que incluía artistas como Erasmo, ainda integrante do Renato e seus Blue Caps; Wilson Simonal e seu irmão Roberto Simonal; a família Corrêa, cujos membros fazem parte dos Golden Boys e Trio Esperança; Ed Wilson e muitos outros. Quando fui participar de um show da caravana de Jair de Taumaturgo, encontrei todos eles reunidos para embarcar em um ônibus especial estacionado à porta da Rádio Mayrink Veiga.

Eu nunca havia participado de um agito assim. Ao lado de Wanderley, entramos meio sem jeito e fomos nos sentar lá atrás, com todos os outros ainda se instalando, procurando seus lugares e acomodando suas mochilas nos bagageiros. Logo chega Roberto com uma namorada a tiracolo. Os dois ficaram em uma das poltronas no meio do ônibus, sem participar daquela euforia ao redor, e foram namorando do início ao fim da viagem. Acho que nem perceberam que o ônibus tinha dado partida... E eu lá atrás, de olhos arregalados, acompanhando toda aquela movimentação, admirada.

Passei a conhecer algumas de suas namoradas. Aquela do ônibus era muito legal. Mais tarde, em outra ocasião, ele começou a sair com uma moça bastante especial, que muitas vezes nos deu carona em seu Fusca. Por nossa convivência constante, Roberto conquistou a confiança de meu pai e a de Wanderley, assumindo a pedido deles o compromisso de me deixar em casa depois de trabalharmos, como se eu fosse sua irmã caçula. E ele ainda não tinha sequer um calhambeque.

Certa vez, após um show, pegamos um ônibus. Nós estávamos cochilando e, de repente, batemos nossas cabeças uma na outra. Acordei assustada e percebi que já estávamos em Vila Isabel. O ponto em que eu deveria descer tinha ficado para trás. Descemos na Boulevard 28 de Setembro e voltamos a pé até a rua da antiga fábrica de tecidos Confiança, chegando à vila onde vovó Geraldina e vovô Jonga moravam.

Mesmo cansado, Roberto manteve o costume de esperar a porta se abrir para ter certeza de que estava tudo bem comigo. Depois de se despedir, caminhou de volta para pegar o ônibus no mesmo ponto em que descemos.

Roberto e eu fomos chamados por José Messias — radialista que também dava espaço para a música jovem — para apresentarmos um programa em seu horário diário na Rádio Guanabara, nas manhãs de segunda-feira. Era o *Encontro com os brotinhos*. Essa empreitada foi um bom exercício para mim, que sofria com a timidez enquanto Roberto mostrava toda sua desenvoltura perante o microfone. Hercy, que se casaria com o cantor e nosso grande amigo José Ricardo, era secretária de Messias e me ajudava, preparando antecipadamente as falas de locução.

Messias criou o concurso "Favoritos da Nova Geração" para premiar jovens talentos. A disputa era ferrenha e movimentava os fã-clubes, que se organizavam para enviar milhares de cartas com seus votos. As finais eram realizadas com pompa e circunstância, em grandiosas festas no Teatro Carlos Gomes. Eu e Roberto ganhamos em todas as edições o prêmio Os Melhores da Juventude. Éramos imbatíveis, pois tínhamos quase o triplo de votos em relação aos concorrentes que vinham em seguida.

Nossos caminhos eram percorridos lado a lado. Com o sucesso aumentando, começamos a viver uma maratona louca de compromissos, atendendo a muitas solicitações de reportagens, fotos e gravações de programas de rádio e TV, especialmente em São Paulo. Com toda essa correria, passava muitos dias longe dos meus pais e dos meus irmãos. Roberto tornou-se minha referência familiar mais próxima.

Certa vez me deparei com uma cena comovente de carinho envolvendo Roberto e sua mãe, dona Laura. Ele ainda morava com ela e com o pai, Robertino, em um apartamento perto da CBS. Durante uma visita, eu o vi sentado no colo dela como se fosse um bebê. Os dois conversavam abraçados. Achei aquele momento muito lindo, pois um filho no colo da mãe era algo inédito pra mim. Eu tinha muitos irmãos homens, e lá em casa isso não era comum — só se alguém estivesse doente. Pensando bem, era esse lado sensível de Roberto que me chamava a atenção.

Havia entre nós essa amizade baseada na confiança, ainda que seu carinho e atenção mexessem comigo. Na época, achei que era algo normal, pois estávamos sempre perto. Ainda muito menina, não sabia lidar bem com esses meus sentimentos ambíguos, nem mesmo classificar essa relação. Provavelmente nem ele. Tínhamos uma química forte e ao mesmo tempo uma atração mal resolvida, o que deixava um clima de suspense no ar. O público e até mesmo amigos próximos achavam que escondíamos nosso namoro, pois os romances dos jovens astros daquela época eram mantidos em segredo para não decepcionar os fãs.

Claro que houve um clima entre nós. Algumas vezes ficamos bem perto de ter algo além daquele beijo, mas logo nossa vida sentimental se encaminhou para outras direções e fomos muito felizes assim. Tive o privilégio de ver de perto Roberto conquistando seu sucesso e as coisas que sempre quis. Nunca me esqueço do dia em que ele, animado, veio até o apartamento de minha família na Tijuca mostrar seu primeiro carrão. Desci toda alegre, pois sabia o quanto ele havia batalhado para ter aquele carrão conversível. Ele começou a falar da potência do motor e do tipo de freio. Sem entender nada, eu ouvia aquele assunto pouco interessada. Mas o carro era bonito e acabei aceitando seu convite de pronto para andar naquela máquina. Como dois jovens rebeldes, saímos cantando pneus.

Já nos anos 1980, participei de um especial de fim de ano de Roberto. Depois da gravação, ele me conduziu pelo braço até seu camarim. Roberto entrou, fechou a porta, pegou delicadamente minha mão e colocou em seu peito. Ele me abraçou e falou que achava nosso amor mal resolvido. Eu não soube o que dizer. Aquela declaração inesperada me pegou tão de surpresa que não consegui me desarmar e lhe confessar que, por muitos anos, esse mesmo sentimento também me perseguiu.

Roberto continuou a cuidar de mim, como se eu fosse de sua própria família. Embora gostasse de ouvir piadas picantes, nunca deixava que o fizessem quando eu estava por perto.

— Ô, bicho, espera um pouco. Não está vendo que a Wandeca está aqui?

Estamos juntos sempre, apesar da distância física. Se Roberto tem um milhão de amigos, tenho certeza de que estou entre eles.

O meu amigo...

O estúdio da Rádio Guanabara, assim como a CBS, ficava perto do IBEU, onde eu estudava inglês. Carlos Imperial, um dos primeiros defensores do rock nacional na mídia, era o apresentador de *Os brotos comandam*, transmitido pela emissora de 17h30 às 18 horas. Sem ter o que fazer depois do fim de uma aula, resolvi assistir a uma gravação do programa. Ao entrar no estúdio, vi ao microfone um rapaz grande e forte, com topete no estilo Elvis Presley e um monte de papéis da programação musical na mão. Era o secretário de Imperial, que precisou ser improvisado na função de locutor por uma ausência inesperada de seu chefe.

Ele anunciou animadamente:

— Atenção menininhas, tirem os tapetes do chão, afastem as cadeiras e os sofás da sala, aumentem o som do rádio porque aí vem... *Os brotos comandam!*

Nesse momento, o técnico de som desceu o braço da vitrola, ferindo com a agulha o vinil com o prefixo do programa, a já clássica "Rock Around The Clock". Enquanto a música era tocada, ele se sacudia eufórico e rebolava na cadeira, sob o olhar do apresentador de última hora, que via aquela cena por meio do aquário de vidro que dividia a grande sala com a técnica. Havia uma mesa com microfones enormes, um para o locutor oficial e outro para o locutor comercial. Sentada em um dos bancos compridos ao redor da sala, com os livros do curso nas mãos, eu assistia àquela movimentação ao lado de alguns poucos curiosos.

Quando o programa terminou, o rapaz veio falar comigo. Simpático, parecia ter gostado da minha presença e perguntou se eu era fã de música. Disse a ele o que já havia dito a Roberto: era cantora, tinha um contrato com a Columbia desde criança e ainda não havia gravado porque queriam mudar meu nome. Depois de me ouvir com atenção, perguntou como eu me chamava.

— Wanderléa.

— Ah, que bonito...

Era incomum na época alguém se chamar Wanderléa; eu mesma não conhecia nenhuma. Comentei que, quando eu falava os nomes dos meus irmãos, as pessoas pediam para eu repetir devagar. Ele se interessou:

— Ah, é? Quais são?

Respirei fundo e mandei de uma vez.

— Wanderley, Wanderlene, Wanderbele, Wanderlí, Wanderlã, Wanderléa, Wanderbil, Wanderte e Wanderlô.

— Puxa, que criatividade...

Na época, não entendi se esse seu comentário era sério ou irônico. Conhecendo-o tão bem quanto o conheço hoje, fico com a segunda opção. Mantendo a pose, ele se apresentou.

— Mas muito prazer, meu nome é Erasmo, Erasmo Esteves.

Pouco tempo depois ele escolheria seu nome artístico e passaria a ser, para mim, para o Brasil inteiro e para sempre, Erasmo Carlos.

Só fomos nos reencontrar algum tempo depois, na época da gravação do meu primeiro 78 rotações, pois ele havia se tornado integrante do grupo Renato e Seus Blue Caps. Descobri que Erasmo morava na Tijuca, perto da casa da minha avó em Vila Isabel, onde quase sempre eu passava a noite. Quando estávamos juntos, ele sorria constantemente, revelando as covinhas na sua face. Parecia um meninão.

Um dia, voltando juntos de algum lugar para casa da vovó, Erasmo colocou o braço em volta do meu ombro e me tascou um beijo na boca. Fui pega de surpresa e reagi àquela situação totalmente inesperada batendo no peito dele, revoltada. Acho que ele gostava de me ver irritada, porque daí em diante passou a me cortejar de todas as formas, das mais engraçadas às mais impulsivas, sempre me aprontando situações embaraçosas. Muitas vezes isso me tirava do sério e eu precisava ser enérgica. Como um *gentleman*, Erasmo sempre me pedia desculpas. Tal e qual no filme ... *E o vento levou*, eu era um pouco voluntariosa como Vivien Leigh e sua Scarlett O'Hara. E ele, sempre galante e irreverente, como o Rhett Butler de Clark Gable. O Gigante Gentil ainda me aprontaria muitas...

Tenho muito orgulho de tê-lo como amigo e, principalmente, de sua parceria com Roberto, seu amigo desde o fim dos anos 1950. Toda vez que nos encontramos, a alegria é garantida. Fizemos juntos um programa na TV Record, *Ternurinha e Tremendão*, que estreou no fim de 1967. Os textos eram de Chico Anysio e, a cada semana, a gente interpretava diversos personagens. Fiz papéis de gueixa a assistente social, e ele gostava de brincar de bandido, policial e mafioso, mesmo sendo a doçura em pessoa.

Dividimos até hoje os palcos, as vitórias e as tristezas. Vivo falando para ele fazer exercícios e procedimentos estéticos, tão comuns para os homens atualmente. Além de não querer saber disso, Erasmo confessou em seu livro *Minha fama de mau* que responde o contrário do que quero ouvir só para me irritar, o que me valeu o apelido de Madre Wandeca de Calcutá. Depois de suas brincadeiras, o papo toma outro rumo e, inevitavelmente, recordamos as histórias de um certo programa de TV.

Jovem Guarda

A disputa pelo lugar de Celly Campello no imaginário nacional ainda era estimulada pela imprensa quando meu segundo disco, *Quero você*, foi lançado. Eu era uma das cotadas por conta de sucessos como "Me apeguei com meu santinho", "Exército do surf" e "Meu bem Lollipop". Com um pouco mais de experiência, me adaptei definitivamente ao rock. A *Revista do Rádio*, principal publicação musical do país, fez um perfil meu na seção "Buraco da Fechadura", me apresentando como "cantora da CBS". Era a consagração máxima.

Viajei o Brasil inteiro a pedido da gravadora, que investiu em mim como a cantora jovem da companhia. Em sintonia com Seu Evandro, Othon também queria que eu ocupasse a lacuna deixada por Celly, mas só fui saber disso muito tempo depois. Essa história de substituir alguém era incômoda e nunca tive essa intenção; sempre acreditei na minha própria personalidade.

Além de cuidar da minha agenda, Othon fechava shows com bons cachês e agendava aparições em programas de TV como *Astros do disco*, da TV Record, comandado por Randal Juliano, e *Festival da juventude*, tendo à frente Antonio Aguillar, um grande incentivador de novos talentos, na TV Excelsior — ambos em São Paulo.

A atração que mais tinha prestígio na época era *Noite de gala*, da TV Rio, com apresentação de Murilo Néri. Os intérpretes iam para o estúdio em traje de gala, descendo uma imensa escada para interpretar suas canções ao vivo, com acompanhamento de grande orquestra de cordas e naipe de metais. Fui escalada para várias de suas edições. Era uma enorme responsabilidade estar ali porque era uma vitrine importante, onde todo artista gostaria de estar.

Em meio às frequentes aparições na TV, a Record fez um convite para que eu participasse de um programa de música jovem criado às pressas para tapar um buraco nas tardes de domingo, já que a transmissão dos jogos de futebol do campeonato paulista foi cancelada pela Federação Paulista de Futebol, preocupada com os estádios vazios. Sendo a cantora jovem de maior exposição na mídia, meu nome era uma escolha natural para a emissora. Assinei o contrato junto com Erasmo. Roberto já estava com tudo acertado e imaginei que seria bem divertido estar ao lado dos meus amigos todos os domingos.

No início da tarde do dia 22 de agosto de 1965, cheguei ao Teatro Record, na rua da Consolação, para a estreia de *Jovem Guarda*, transmitido entre 16h30 e 17h30. Confesso que a lembrança desse programa se perdeu na memória.

"Quem assistiu ao programa no Teatro Record não tinha mais de 20 anos. A maioria era de meninos e meninas usando calças Lee e botinhas que subiam e desciam no compasso dos rocks e outras bossas. Tudo transcorreu normalmente (para um programa deste gênero) e os diretores da TV Record acreditam que *Jovem Guarda* será um dos programas de maior sucesso da emissora", escreveu Narciso Kalili na revista *Intervalo*.

Os diretores da TV Record podiam ter essa certeza, mas para nós aquele era um programa como os outros que já fazíamos, sem nada especial. Posso garantir que eu, Roberto e Erasmo, quando fomos contratados para o *Jovem Guarda*, não tínhamos noção de que aquilo teria status de movimento, nem que se tornaria um símbolo para a cultura de massa no Brasil. Era uma continuação natural da nossa trajetória como cantores jovens. Porém, não posso dizer que estava despreparada para o que viria com uma força avassaladora.

Ter sido cantora infantil em rádio e televisão me ajudou a entender desde cedo como o sucesso funciona, lembrando sempre que ele pode ser passageiro. Sempre tive a consciência de manter os pés no chão, sem soberba. Um dia podemos estar por cima, e no outro podemos não ser nada. Hoje sei que naquela época eu era uma pessoa ingênua e simples — não confundir com simplória. Características que podem ser tidas como defeitos, mas essenciais para eu não me deslumbrar, nem me incomodar com os efeitos negativos da exposição.

Quando o programa começou, já contávamos com um repertório poderoso, o que garantia boa audiência. Na estreia, cantei "Exército do surf". Eu havia acabado de lançar "Ternura" e "É tempo do amor", músicas estrangeiras que ganharam versões de Rossini Pinto. Erasmo se destacava com "Festa de arromba" e "Minha fama de mau". Roberto cantava "Splish splash", "O calhambeque" e uma composição recente chamada "Quero que vá tudo pro inferno". Essa música deu o pontapé inicial na rebeldia da juventude brasileira e chamou definitivamente a atenção do Brasil para a Jovem Guarda. Ainda que fosse uma canção de amor, era forte e provocadora para a época, como um grito de guerra.

Era um tempo em que a repressão familiar nos incomodava demais. Os jovens haviam sido criados por meio de convenções bobas, onde havia mais "não pode" do que "pode". A regra era obedecer sem nenhum tipo de questionamento. Filho não tinha vontade nem voz própria e devia aceitar ordens de cabeça baixa. Vivi isso com meu pai e creio que, se tivesse acatado tudo o que ele determinou para a minha vida, havia a possibilidade de eu não ter sido feliz e o ato de cantar talvez tivesse ficado restrito ao chuveiro.

Cleide Alves, Demétrius, Ed Wilson, Fevers, Golden Boys, Jerry Adriani, Joelma, Leno e Lilian, Martinha, Renato e seus Blue Caps, Trio Esperança, Wanderley Cardoso e a maior parte dos artistas que fizeram o rock da época passaram por lá e reforçaram a construção da nova identidade da juventude brasileira. Boa parte deles também era do Rio de Janeiro e ficava hospedada no Lord Palace Hotel, no bairro de Santa Cecília, onde praticamente passei a morar.

Jorge Ben é personagem importante desse período. O Bidu da Jovem Guarda foi um dos poucos, talvez o único, a também frequentar *O fino da bossa*, programa apresentado por Elis Regina e Jair Rodrigues, com artistas ligados ao que começava a ser chamado de MPB. Jorge é um pioneiro, dos compositores mais criativos de nossa música. No início da minha carreira, eu estava divulgando meu primeiro disco na Rádio Guanabara quando ouvi sua "Mas que nada". Gostei de imediato daquele balanço inovador que não era samba nem rock. Ao aderir à guitarra elétrica, era natural que estivesse conosco.

Ainda que cantássemos para uma plateia que pagava ingressos, *Jovem Guarda* era um programa de TV visto por todo o Brasil. Pensei que deveria fazer algo especial para quem estava em casa. Em frente ao espelho do meu quarto de hotel, comecei a bolar coreografias para cada música. Na semana seguinte, a dança que eu tinha inventado era uma febre em boates de todas as capitais e cidades do interior. As meninas queriam ser Wanderléa, o que eu achava bem divertido. Aquela garota cujo pai não queria deixar ser cantora e que tinha de obedecer a imposições da gravadora queria criar uma linguagem.

O desafio era lidar com a precariedade. Não havia monitores para vermos nossa imagem no vídeo ou retorno de voz. Era na base do "vai que dá certo". Vale lembrar que nem os Beatles, quando se apresentavam em ginásios na Inglaterra ou nos Estados Unidos, tinham equipamento adequado. Nosso início no *Jovem Guarda* foi complicado. Tivemos que batalhar para ter um amplificador Fender e um bom som no palco para nos apresentarmos com qualidade satisfatória.

Eu já sabia que a repercussão do programa e de nossas músicas era grande, mas só fui ter a real dimensão do fenômeno que a Jovem Guarda havia se tornado durante um aniversário de Roberto, em abril de 1966, quando ele completou 25 anos. A Record decidiu fazer um programa especial no Cine Universo, no bairro do Brás, para celebrar a data. Havia milhares de pessoas lá dentro e uma multidão do lado de fora.

Chegando ao cinema, vi toda aquela movimentação na avenida Celso Garcia. As pessoas tentavam entrar a todo custo no local. Ali, percebi que ninguém mais segurava os jovens brasileiros, que nos deram o direito de representá-los, cantando o que queriam ouvir e falando sua língua, repleta de gírias. "É uma brasa", "barra limpa" e "carango" eram palavras que qualquer pessoa podia ouvir nas esquinas e nos apropriamos delas. Logo vieram os apelidos: Roberto era o Brasa, depois coroado Rei da Juventude; Erasmo, o Tremendão; e eu era a Wandeca ou Ternurinha, uma alusão ao sucesso "Ternura".

Roberto representava o homem novo, com gestos largos, gírias inusitadas, expressões fortes, roupas extravagantes e cabelos longos. Era o artista mais ousado da turma, dando a seu modo uma resposta a todas as patrulhas conservadoras, sem esquecer que o mais importante na realização da felicidade é o encontro com o amor verdadeiro. Sua mensagem despertou o instinto maternal nas senhoras que se renderam enternecidas ao encanto do intérprete de olhar triste. As mais jovens, por outro lado, queriam ter por perto aquele amante sensível e apaixonado. E as crianças o viam como o herói do "Calhambeque, bi-bi".

Por seu porte e tamanho, Erasmo assumia o papel de roqueiro rebelde com fama de mau que gostaria de ser, com seu chapéu de caubói, botas surradas e casacões de couro. Fazia o tipo machão que algumas garotas adoravam. E eu, a principal figura feminina do grupo, inovava na maneira de cantar, dançar e vestir, trazendo uma nova identidade para a jovem brasileira.

Algumas fãs idealizavam Roberto e Erasmo como grandes partidos. Outras os viam como figuras públicas que poderiam lhes dar status e um passaporte para a fama. Algumas meninas mais "papo-firme" vinham me procurar para que eu tentasse arranjar encontros. Ficar com um dos dois inflava o ego delas, que confundiam o homem com o mito.

Enquanto isso, eu tentava escapar daquelas conversas, mas acabava ouvindo suas histórias, analisando toda a ilusão que aquilo envolvia.

Roberto e Erasmo eram até discretos em suas conquistas, ao contrário daquelas mulheres que se diziam apaixonadas sem medo de que alguém escutasse. Mesmo com minha disposição de ajudar em alguns casos, me incomodava a posição de conselheira amorosa. Talvez eu estivesse sentindo o mais puro ciúme dos dois moçoilos sedutores. Como diz uma música que os dois fizeram na época, "não ponho argola na mão, pois casamento não é papo pra mim". E as meninas lá, caidinhas, a cada vez que um deles cantava no programa, esperando os príncipes encantados com quem elas sonhavam.

Curtindo a vida

Em junho de 1966, comemorei meu aniversário no palco do programa ao lado de Erasmo, em uma edição especial. Meus pais e meus irmãos estavam lá naquela tarde. Fui recebida com os parabéns da plateia. No palco, Roberto deu a nós dois Calotas Calhambeque. Eu tinha acabado de me dar de presente um Karmann Ghia verde da loja de Ubirajara Guimarães, amigo de Roberto.

Depois do programa, saímos todos para uma festa de arromba na casa que Erasmo dividia com Jorge Ben e a divulgadora Edy Silva, no bairro do Brooklin. Ao sair com o carro pelas ruas de São Paulo, tinha uma sensação inédita para mim, de liberdade plena. Foi o primeiro bem comprado com meu próprio dinheiro. Papai era contra mulher no volante e não gostou muito. Teve de se conformar com a independência que conquistei.

De certa maneira, um carrão simbolizava a minha ascensão social, já que vim de família simples. Roberto e Erasmo também deveriam sentir isso. Quando começamos nossa trajetória profissional, andávamos de ônibus, em trajetos longos e desconfortáveis, indo ou voltando de shows e rádios. Estávamos em um momento novo de nossas vidas; agora éramos astros pop, jovens e cheios de energia.

Gostava de disputar com eles quem tinha o melhor carro. As revistas da época sempre faziam matérias dos dois mostrando suas novas máquinas, e Geraldo Alves, meu empresário da época, estimulava a competição. Ele também administrava a carreira de Roberto e tinha um enorme senso de marketing para dar visibilidade a seus artistas. Vivia dizendo que eu precisava de um veículo que chamasse a atenção:

— Roberto e Erasmo estão toda hora aparecendo com carrões nas revistas. Precisamos arranjar para você um carro que impressione. Você também merece, não acha?

Geraldo teve a ideia de trazer um Ford Mustang, branco de capota preta, o primeiro que entrou no Brasil. Roberto tinha uma Ferrari e Erasmo, um Rolls Royce. Pensei que aquela seria uma excelente maneira de provocar meus amigos machões. Sim, eu podia ser poderosa também. O carro veio dos Estados Unidos e fomos buscá-lo no porto de Santos. Claro que foi notícia. A vontade de ter o melhor possante deu lugar ao constrangimento, pois o carro chamava muita atenção nas ruas.

Dirigindo por São Paulo, parei atrás de um caminhão de lixo e os lixeiros me viram. Na hora fizeram a maior festa, gritando meu nome e acenando. Aqueles trabalhadores que faziam um serviço nobre e árduo estavam ali vibrando pela minha presença dentro de um Mustang, o que me fez pensar que eu estava errada em ostentar. Ali, constatei que, em um país desigual como o nosso, um carro daquele porte era desnecessário. Por isso o vendi.

Também gostava de andar de motocicleta. Comprei uma Honda 125 cilindradas e ia para o Guarujá, onde moravam os amigos Marivaldo Fernandes, conhecido automobilista, e sua esposa Vera, para andar com ela pela orla. Ser motoqueira e mulher chocava as pessoas, o que me fazia receber alguns olhares de desaprovação. Depois comprei uma Ducati, que eu usava em São Paulo no pouco tempo livre que tinha. Uma vez tentei subir a rua Augusta com ela, mas a moto era muito pesada e não consegui. Passei o maior sufoco, me desencantei e a dei de presente para Wanderley, que a usou durante um bom tempo.

Ganhei bastante dinheiro. Antes de comprar carros e motos, adquiri um apartamento nos Jardins com a ajuda do empresário Marcos Lázaro, que cuidava dos artistas da Record e depois seria meu agente. Todo o elenco da emissora confiava em sua palavra, pois era um homem bastante honesto. Eu queria um local moderno e arejado para receber os amigos, sem nenhuma caretice. Os arquitetos Jairo Flores, José Luís e o mestre de obras Pepe foram contratados e decidiram que o imóvel não teria ângulos retos, um belo exercício de criatividade. Montamos um sistema de som projetado por Roberto Suplicy, igual ao que ele havia feito para a boate Tonton Macoute, a mais descolada do momento. O hall de entrada tinha uma parede em várias cores que, com luz negra, dava um efeito psicodélico bem ao espírito da época.

O apartamento foi considerado o mais moderno de São Paulo. Todo o meio artístico comentava e queria frequentá-lo. Minha família e o pessoal da equipe do programa compareceram em peso à festa de inauguração. Considero "The More I See You", de Chris Montez, a trilha sonora desse momento tão feliz. Comprar um apartamento daquele era o máximo para uma mulher que tinha 20 e poucos anos. Sim, eu tinha dinheiro, era famosa, mas já havia perdido algo mais precioso: a liberdade de ir e vir. Sem conseguir circular normalmente, tentava me disfarçar usando óculos e perucas. Mesmo assim, as revistas ficavam sabendo e tiravam fotos. Nem ser discreta eu poderia.

Solicitações de entrevistas, aparições na TV Record, shows e gravações na CBS ocupavam meu tempo sem parar, e eu precisei de uma pessoa para organizar minha agenda. Conheci Necy na casa da cantora Célia Vilela, com quem trabalhava. Vi sua dedicação e empenho como secretária de Célia e achei que ela era a escolha perfeita.

Ditando moda

Ainda criança, minha mãe fazia roupas especiais para eu cantar em público. Em uma ocasião, ela inventou uma anágua de tela de náilon para substituir as engomadas que eu usava por baixo, dando mais volume às saias dos vestidos. Foi um sucesso e todas as meninas cantoras aderiram à invenção, poupando o trabalho de ter que engomar anáguas para obter o mesmo efeito. Era divertido acompanhar a confecção dos plissês, nervuras e laçarotes que ela incrementava nos modelitos.

Era uma forma de ela dar vazão a seu lado criativo, pois desenhava muito bem. Ao vencer o concurso *A mais bela voz infantil*, montamos um guarda-roupa de palco com anáguas de tela sintética, para armar as saias. Já como *crooner* de Jaime e Astor, comprei uns casacos sob medida e comecei eu mesma a montar alguns looks.

Quando o *Jovem Guarda* foi criado, a agência de publicidade Magaldi, Maia & Prósperi, que cuidava da conta da TV Record, não conseguiu vender anúncios para o programa. Para viabilizar nossa contratação, os três decidiram criar as grifes Calhambeque, de Roberto, Tremendão, de Erasmo, e a minha, Ternurinha, licenciando-as à indústria de roupas Staroup mediante pagamento de royalties para nós. Hoje, considero essa iniciativa o marco zero do mercado consumidor jovem no Brasil, ocorrendo paralelamente a uma revolução comportamental que veio na esteira do sucesso dos Beatles, em quem os meninos se inspiravam visualmente. Tive que criar um estilo, pois não havia nenhuma cantora com quem eu me identificasse nesse quesito. Aí Bill veio morar em São Paulo sob as bênçãos de papai, que queria alguém da família perto de mim. Se já compartilhávamos afinidades, agora viveríamos grudados.

Meu irmão era o desenhista mais talentoso da família. Em nossa infância e adolescência, tivemos conversas em que o estimulei a aprimorar esse dom. Ele desenhou um vestido todo bordado em tons de violeta, curto na frente e com uma pequena cauda atrás, para eu cantar "Ternura" no programa *Astros do disco.* Dorian, bordadeiro que trabalhava com Denner, um dos grandes estilistas brasileiros, foi quem confeccionou. Era um modelo completamente diferente do que eu estava acostumada a usar, unindo glamour com um toque de ousadia.

Depois de terminar o colegial, Bill se matriculou na Pan-Americana Escola de Arte e Design. Criei minha referência de modernidade a seu lado, com base na contemporaneidade pop e suas múltiplas facetas. A música dos franceses Serge Gainsbourg e Françoise Hardy, a extravagância sensual da atriz Brigitte Bardot e as arrojadas coleções do estilista Paco Rabanne serviram de referência.

Nossas versões eram mais audaciosas. Enquanto a minissaia criada por Mary Quant ficava a um palmo do joelho, a minha era quatro dedos abaixo da pélvis. Bill acreditava que eu devia usar roupas transgressoras como a música jovem do momento, talvez para fugir um pouco do aspecto ingênuo imposto pela mídia e pelo público. Um amigo dele, Cury Maroun, excelente costureiro, juntou-se a nós.

Assim que o desenho ficava pronto, Bill se reunia comigo e Maroun para expor suas ideias. Com uma máquina de costura a tiracolo, Maroun fazia a peça na minha frente e ali mesmo eu provava. Outros amigos também vieram nos ajudar. O pai de Manito, grande músico que integrou a banda Os Incríveis, vendia sapatos de cromo alemão para clientes especiais em uma loja na avenida São João. Antenado com a moda londrina, Bill desenhava botas alongadas e botinas de cano alto, que não existiam no Brasil, e passava a ideia para ele.

Algum tempo depois, ficamos amigos da artista plástica Regina Boni, que criou peças importantes para o meu guarda-roupa. Nosso ponto de encontro era sua loja Ao Dromedário Elegante, na rua Bela Cintra, onde ficávamos a par das últimas tendências. Foi com Regina que o pessoal da Tropicália encontrou seu estilo. O envolvimento de meu irmão nesse universo foi tão profundo que ele percebeu que já sabia tudo na prática e largou o curso da Pan-Americana.

Bem próxima da rua da Consolação, onde ficava o Teatro Record, a rua Augusta era o *point* dos jovens e, por extensão, da moda contemporânea, com suas lojas chiques. A direção do programa poderia escolher as músicas que eu cantaria e a ordem de entrada dos convidados, mas no meu figurino ninguém dava opinião. De repente, para surpresa geral, começamos a ver nossa influência nas esquinas. Os rapazes imitavam Roberto e Erasmo, desfilando suas madeixas soltas sem gel Gumex, vestidos com calças Saint-Tropez de boca de sino, camisas de gola rulê, cinturões e botinhas carrapetas.

As meninas passavam pela Augusta à Wandeca: microssaias de couro pretas, botas altas, cabeleiras sem laquê, *pancakes* e cílios postiços, forjando uma imagem rebelde que contrastava com as pudicas anáguas e combinações usadas anteriormente por baixo dos vestidos compridos e rodados da década anterior. Os anéis e pulseiras com os quais aparecíamos no *Jovem Guarda* se tornavam a moda da semana.

Senti de perto que essa ruptura promovida por nós não foi aceita pela sociedade. Certa tarde, fui ao escritório de Magaldi, Maia & Prósperi, justamente na Rua Augusta, resolver algum assunto trajando uma calça justa e calçando uma bota. As moças daquele tempo não usavam nada disso, então entrar em um banco ou ir ao cinema vestida assim era uma subversão. Quando desci do táxi que me levou até lá, dei de cara com três meninas que sorriram para mim; percebi que eram fãs. A mãe estava com elas e as afastou com a mão, cuspindo no chão enquanto eu passava. Até mesmo Roberto achava que minhas roupas eram um pouco exageradas. Erasmo pensava diferente; ele gostava dos meus looks excêntricos e incentivava minha audácia.

Com saias, calças e chapéus feitos para crianças e adolescentes, a grife Ternurinha tomou o Brasil. Admito que nunca usei uma roupa da marca, pois não fazia meu estilo. Seu logotipo era uma florzinha que virava um W, inspirado em um desenho que eu fiz no meu papel de carta. Para divulgá-la, fui à Feira Nacional da Indústria Têxtil (Fenit) de 1966, com Erasmo. O evento era a São Paulo Fashion Week da época. Naquele momento, nós já éramos responsáveis pela expansão da indústria cultural no país e alguns aproveitavam para tirar sua casquinha. A Estrela fez a boneca Wandeka, que todas as meninas tinham. Nunca cobrei royalties, pois para mim isso era uma homenagem.

Soube, de fonte segura, que os donos da Staroup ficaram ricos com nossas grifes e que nossa remuneração não era proporcional ao lucro. Éramos jovens, despreparados e, dentro dessa estrutura incipiente, não nos interessamos em procurar nossos direitos. Ao mesmo tempo, sentia uma grande alegria em saber que alguém, de forma despretensiosa, me desenhava, botava em estampa de camisa e ia vender na feira. Era tudo tão amador que os jornaleiros vendiam fotografias nossas em bancas, tiradas e copiadas por pessoas comuns, ao lado de álbuns de figurinhas com a turma da Jovem Guarda.

Quando o programa estava para acabar, a confecção Vigotex passou a patrociná-lo. A marca investia em tecidos sintéticos, que eu não gostava de usar, pois era algo que se enquadrava no padrão da época, bem industrial. Bill também queria fugir disso. Porém, aquele material servia para renovarmos nossas criações, acompanhando o público que amadurecia junto conosco. Fizemos roupas atrevidas, inspiradas na Mulher Gato e em Barbarella. Acabou que fiquei muito amiga de Abraão Terkins e Mikel, donos da Vigotex.

O trabalho de Bill se estendeu para outros artistas. Gal Costa e Ney Matogrosso foram alguns dos amigos para os quais desenhou modelos.

Ele chegou a abrir uma butique na Praça Saens Peña, no início dos anos 1970, e continuou a fazer figurinos para mim durante toda a sua vida. Nunca deixei de me vincular à moda. Por conta dessa contribuição, o publicitário Lívio Rangan me chamou para participar do espetáculo *Charme 74*, ao lado de Jô Soares, Rogéria e Eliana Pittman, em maio de 1974. Lívio havia revolucionado os desfiles de moda nos anos 1960 por seu trabalho com a marca Rhodia e dizia que meu estilo fez a diferença para o mercado.

O show tinha texto do próprio Jô e visava promover a Ducal, conhecida rede de vestuário, tendo como eixo o poder da mulher. Eu interpretava Jean Harlow, Marlene Dietrich, Judy Garland e outras grandes estrelas. Foi um desafio interessante, pois, desde o início da minha carreira, a moda foi uma maneira que encontrei de encarnar um personagem, um prolongamento da minha imaginação de menina.

Dois meses antes da estreia de *Charme 74*, fiz um ensaio para a revista *O Cruzeiro* inspirado no espetáculo, com fotos de Indalécio Wanderley, texto de Jorge Segundo e figurino de Menezes. O resultado me agradou bastante. Em 1975, participei de outra sessão de fotos de que também gostei muito: "Wanderléa na Idade da Pedra", para a *Revista Pop*, com cabelos revoltos e cara de selvagem. A locação era próxima à Pedra do Itanhangá e vesti roupas inspiradas na pré-história.

Sempre me diverti criando moda e, até hoje, gosto de inventar meus looks. Ainda procuro seguir a estética que aprendi com Bill, buscando modelos que alonguem meu porte. Sou pequena, mas tenho pernas compridas, e isso favorece meu visual. No dia a dia, fora do palco, prefiro ser básica. É absolutamente necessário que as roupas escolhidas por mim sejam confortáveis.

Acho uma delícia a liberdade que temos hoje de podermos nos vestir da forma que acharmos melhor, transmitindo nosso estado de espírito. A escolha de um visual pode ser um estímulo criativo e divertido e, por isso, estou sempre recorrendo ao meu antigo baú de roupas. Guardei várias delas ao longo de minha vida e, quando quero buscar algo especial, sempre encontro alguma peça que, para minha surpresa, ainda permanece muito atual.

Cabelos

Tenho a sorte de ter cabelos fortes, herança de minha mãe. Longos e loiros, eles simbolizam minha rebeldia, e por isso os mantenho assim há mais de cinquenta anos. Muitas vezes, essa imagem foi à frente da voz. Lembro até de um ex-goleiro do Cruzeiro, Raul Plassmann, apelidado de Wanderléa pela torcida do rival Atlético Mineiro, só por ser loiro de olhos verdes.

Morro de preguiça de ir ao salão de beleza. Faço cortes sutis, pinto com os melhores profissionais e faço uso de bons produtos. Em viagens, eu mesma retoco a raiz. Escova está fora de cogitação; já alisei bastante o cabelo nos tempos de Jovem Guarda. Prefiro secá-los ao natural, com bons produtos e *leave-in*. Adoro assumir o cacheado natural hoje em dia. É mais confortável e dá menos trabalho. Posso até cortá-lo no futuro, quem sabe? O de mamãe era bem curtinho e ela ficava ótima. Por enquanto, deixo como está.

Vaidade exposta

Na adolescência, tive algumas insatisfações com meu corpo. Olhava para minha imagem no espelho e pensava o que poderia melhorar. As imperfeições no rosto eu conseguia disfarçar com maquiagem. Chato era me sentir despeitada ao ver as colegas de ginásio com seios grandes. Elas pareciam moças feitas, e eu, uma menininha. Passei a usar sutiã de cone com revestimento de espuma, mas durante um abraço era preciso ter cuidado. A ponta encolhia e a pessoa, ao encostar em mim, percebia algo estranho. Passei a disfarçar colocando uma meia fina de náilon como enchimento do bojo.

No meio da Jovem Guarda, chegou ao Brasil a técnica do implante de silicone. Era uma intervenção cara, feita por profissionais de excelência. Eu já havia feito um tratamento estético no início de 1965, quando diminuí o dorso do nariz com o cirurgião plástico Francisco Pinheiro. Ele era amigo do saudoso radialista Irapuan Lima, que levava artistas para cantar no auditório da Rádio Iracema, em Fortaleza. Virei sua atração fixa e me hospedava na casa que dividia com a esposa, Áustria, e seus três filhos. Fazíamos uma grande farra pela cidade, passeando pelas praias.

Em uma noite de festa, dr. Francisco apareceu na casa de Irapuan. Conversamos, marcamos uma data e fui a Fortaleza operar sem dizer a ninguém. Pouco adiantou, já que a cidade inteira ficou sabendo e os fãs ocuparam a porta do hospital para fazer serenata. Com o nariz cheio de suturas, ia para a janela ouvi-los. Quando voltei ao Rio, já sabendo o que eu havia feito, mamãe nem disse nada. Sou grata ao dr. Francisco, que teve todo o cuidado de não deixar meu nariz como o do Michael Jackson. Ufa!

Escolhi o dr. David Serson para colocar as próteses de silicone, pedindo a ele para manter a operação em segredo. Meu corpo, que era tipo moringa, cheinho na parte de baixo e fino em cima, ficou em harmonia. Fiquei parecidíssima com Jane Fonda, acreditando ser uma verdadeira Barbarella tropical e abusando dos decotes. Os homens, curiosamente, não reparavam tanto. Os comentários vinham de mulheres, às vezes um tanto maldosos. Quando alguém da imprensa perguntava se eu havia feito cirurgia, eu negava.

Foi na estreia de *Cidinha 70*, comandado por Cidinha Campos na TV Record, que o público soube do implante de um jeito inesperado e absolutamente equivocado. Um dos quadros da atração, dirigida por Carlos Manga, consistia em um psicodrama. Cada um assumiu seu papel: eu, Cidinha, Cynira Arruda, Paulo Azevedo, Moacyr Franco e a modelo Maria Stella Splendore, ex-assistente do dr. Serson. Diziam que ela se parecia comigo. Durante o programa, Maria Stella me provocou de várias formas. Em um determinado momento, a apresentadora perguntou se eu havia colocado silicone. Na minha cabeça, aquilo não interessava a ninguém, portanto neguei. Foi quando Maria Stella se virou contra mim e, alterada, disse que eu estava mentindo.

Pediu para eu confessar que havia aumentado os seios, como se isso fosse um grande pecado. Nervosa diante das câmeras, admiti o que havia feito. Poucas vezes me senti com a intimidade tão exposta. Toda a mídia ficou alvoroçada. Fui a primeira celebridade brasileira a usar próteses de silicone, e isso causou curiosidade, espanto e interesse.

As revistas e jornais deitaram e rolaram em cima da polêmica. Fui defendida por colegas como Maysa, que falou do assunto em sua coluna na revista *Intervalo*.

> Wandeca querida, "negó seguin": não vai ficar na fossa não, porque não pode, né, minha filha. Eu nem estou falando da coisa artística porque para isso está o povo aí que te prestigia e você sabe. Estou falando do lado humano. Não vai dar colher de chá de humanidade para quem não merece, Wanderléa. Eu te conheço há muito tempo, sei que você não gosta de agredir. Mas nem por isso vai aguentar frustração dos outros em cima de você, né! Olha, Wandeca, dá uma de Maysa e se lixa!

Operei apenas nariz, seios e fiz um pequeno *lifting* com o dr. Pedro Albuquerque. Hoje, sou mais medrosa e cautelosa com uma intervenção cirúrgica. O único incômodo é que as próteses precisam ser trocadas de dez em dez anos. Com o tempo fui constatando que não adianta nada a pessoa recorrer a todo tipo de reparação externa sem cuidar da sua essência. Para me manter em forma, sou adepta da medicina preventiva, com tratamento ortomolecular, pilates, caminhadas. Além disso, cuido da minha alimentação, que é bastante saudável. Recebo toda semana produtos agrícolas naturais do seu Joaquim, vendedor de frutas e legumes sem agrotóxicos. Adoro essa minha rotina de suco verde com couve, limão, cenoura, beterraba, gengibre e maçã. É assim que venho me cuidando há décadas. Tem dado certo.

O leprosário

No último ano que passei em Lavras, presenciei um fato que me deixou desgostosa em relação à Igreja Católica tradicional. Minha mãe e eu fomos a uma novena e nela houve um pedido explícito para que uma velha senhora saísse de sua casa, dando lugar à sobrinha recém-casada que ocupava metade do confortável imóvel. Eu ainda era bem pequena, mas já tinha discernimento para perceber que isso era errado. Alguns dos tais beatos viam meus pais como desmiolados só porque eles costumavam socorrer e às vezes acolher em nossa própria casa os andarilhos necessitados que vinham do interior da cidade.

Nossa casa ficava um pouco afastada da rua e, na frente, havia enormes troncos de árvores antigas cortadas que serviam de bancos para os transeuntes. Vez por outra paravam velhinhos pedindo água e comida. Chegavam tão cansados e doentes à nossa porta que tinham de ser recolhidos. Ficavam conosco até que aparecesse algum familiar ou, em casos mais graves, fossem levados para o hospital local, dirigido pelos meus primos Damina e Armando.

Dadá, como ela era chamada, admirava a generosidade dos meus pais e levava os necessitados para os devidos tratamentos no hospital, mas alertava sobre os perigos de contaminação por doenças a que ficávamos expostos. Mamãe justificava que tinha cuidado, mas não sabia fazer diferente. Muitas vezes atendíamos os portadores de hanseníase, à época chamados de leprosos. Quando chegavam à cidade em suas carroças puxadas por burros, vinham tocando sinos, advertindo a população de sua passagem. Janelas e portas eram fechadas. Os doentes paravam em nossa porta e pediam água, no que eram atendidos prontamente por minha mãe e por nossa fiel empregada, Márcia. Eu assistia de longe. Em uma ocasião, após ser alimentado, um homem voltou ao alpendre, onde minha mãe e Márcia o aguardavam, e pediu licença para quebrar a louça, alegando que ela estava infectada. Levantou a capa que o cobria e mostrou o braço enfaixado, corroído pela doença.

Essas cenas de solidariedade aos leprosos, e também à dor deles, ficaram muito presentes na minha memória. Por isso aceitei, sem nenhum tipo de imposição, me apresentar em um grande leprosário de Fortaleza. Irapuan Lima me contratou para uma temporada na cidade e, ao lado de Áustria, sugeriu um show beneficente. Ela disse que era muito difícil levar algum artista àquele local e pediu para eu não abraçar as pessoas, nem encostar nas paredes e utensílios. O público seria formado pelos familiares daqueles que estavam em tratamento. Alguns doentes também estariam na plateia.

Compareci ao local, uma antiga fazenda, em um domingo de manhã. Cantei e foi uma bonita festa, que alegrou a todos. No final da apresentação, Irapuan me chamou para uma conversa. Ele disse que na fazenda havia um local completamente impenetrável, uma caverna onde habitavam os doentes terminais. Não suportavam a luz do dia e viviam submersos na escuridão. Quando a doença se agravava, eles se retiravam e nunca mais tinham contato com o mundo exterior. Foi quando Irapuan perguntou:

— Você teria coragem de cantar para eles?

Sem medo, fui. O violonista do grupo não fez nenhuma objeção e aceitou ir comigo. Entrei naquelas sombrias ruínas subterrâneas e fiquei embaixo de um ponto no teto onde se projetava um pequeno facho de luz. Comecei a cantar músicas que eles talvez conhecessem. Pouco a pouco, aqueles espectros humanos enrolados em farrapos iam se aproximando, mas não a ponto de que eu pudesse vê-los perfeitamente. Alguns deles cobriam toda a cabeça. Outros surgiam dos cantos, falando frases gentis. A alma daqueles homens e mulheres perseguidos por um triste destino precisava de música.

Fiquei firme, cantei e conversei com eles, que riam e se descontraíam. Outros cobriam e descobriam os rostos para perguntar alguma coisa ou pedir mais uma canção. Saí de lá como quem sai de uma situação extrema, quando se vivencia algo que infelizmente não é apenas um pesadelo: em estado de choque. Até hoje, quando penso naquela experiência, me parece algo nebuloso, irreal, como se fosse uma alucinação.

Essa situação ocorreu em meio a uma fase em que eu não tinha tempo suficiente para analisar os acontecimentos de cada dia. Fazia muitos shows pelo Brasil e o cansaço era constante, com uma viagem após a outra. Aquilo ficou no meu inconsciente. Dez anos depois, estava ensaiando na casa de Egberto Gismonti quando comecei a sentir uma emoção fortíssima, envolvida em uma melodia que ele acabara de compor. A sensação era tão profunda que não me dava conta do que estava me causando aquele aperto no coração. Precisei me sentar, relaxar e mergulhar fundo naquele sentimento.

Esvaziei minha mente e deixei fluir por alguns momentos o que me incomodava. Foi uma catarse. Explodiu no meu peito aquela dor e chorei convulsivamente tudo o que havia vivenciado naquela caverna e que havia ficado silenciosamente em mim. O flagelo humano, a vulnerabilidade da carne e toda a impotência do homem me fizeram cair em prantos e compreender melhor o valor da vida e da solidariedade ao próximo.

O filme que não aconteceu

Cinema e música são artes irmãs. Nos anos 1950, era comum ver os cantores brasileiros do momento participando de chanchadas da companhia de filmes Atlântida, interpretando seus sucessos em uma era pré-videoclipe. Quando surgiu a Jovem Guarda, os Beatles já haviam estourado mundialmente e o filme *Os reis do iê, iê, iê,* estrelado por John, Paul, George e Ringo, era um sucesso de bilheteria. Produtores e cineastas perceberam que nós, como artistas identificados com a juventude brasileira, também poderíamos atrair um público maciço para as salas de exibição. Nesta primeira fase do programa, vários projetos cinematográficos para os quais fui escalada estavam em fase de negociação e foram divulgados pela imprensa, mas não chegaram a ser concretizados.

O mais importante deles era *SSS contra a Jovem Guarda.* No início de 1966, eu, Roberto e Erasmo fomos convidados pelo diretor Luiz Sérgio Person para estrelarmos a produção com argumento e roteiro de Person, Jô Soares e Jean-Claude Bernardet. A história tinha tons de comédia mesclados a elementos da nascente cultura pop brasileira. A tal SSS era uma organização secreta que queria acabar com a Jovem Guarda. Seus membros se reuniam para assistir ao programa pela TV, chegando à conclusão de que aquilo era "abominável", como diz o chefe do grupo em trecho extraído do manuscrito do roteiro original.

> Os senhores todos que formam a elite pensante da SSS devem estar convictos de que urge pôr um ponto final a esse movimento que hoje assola o país. Podíamos pensar que a juventude, os nossos filhos que educamos com tanto carinho e dedicação, fossem a fortaleza cujo idealismo defenderia as nossas mais genuínas e legítimas tradições. A juventude, esta é a lastimável verdade, se entrega completa e desvairadamente a essa música, o iê-iê-iê.

As atrizes Débora Duarte, Karin Rodrigues e Vera Viana estavam confirmadas no elenco, em papéis de vilãs. Person chegou a rodar algumas cenas durante o programa que celebrava os 25 anos de Roberto no Cine Universo, com a participação de vários colegas. Em meio a leituras de roteiro e testes de câmera, o filme foi suspenso. Não me lembro dos motivos que levaram à sua interrupção. Bernardet diz no documentário *Person*, de Marina Person, que houve uma divergência entre Roberto e a Magaldi, Maia & Prósperi, que financiava o longa, por causa de um cinto do figurino. E, como nossos contratos haviam sido malfeitos, houve o cancelamento definitivo. Teria sido ótimo estrear no cinema em uma produção cujo pano de fundo era a própria Jovem Guarda.

Eles contra nós

A Jovem Guarda, já como um movimento, virou um assunto nacional, levantando questões que extrapolavam a música. Começamos a ser estudados por universitários, e eles pareciam não entender o poder de comunicação do programa, o que me motivou a escrever um artigo para a *Intervalo* em maio de 1966, em que eu tentava explicar nossa essência.

> Os sociólogos começaram a nos procurar, pesquisar e talvez não tenham encontrado em nós fenômeno algum: os jovens têm energia a despender. Como querem que a gaste? Talvez, como antigamente — é o que me contam —, voltando de noitadas alegres e atirando tijolos em vidraças para se obrigarem a correr. Ou rasgando, numa agressividade mal controlada, estofamentos de ônibus e cadeiras de cinema... Nós gastamos nossa energia, hoje, de modo muito mais racional e humano, sem destruir coisa alguma: cantamos e dançamos (...). Não temos culpa das guerras que antecederam nossa geração, nem queremos saber delas. Nosso mundo é um mundo novo, tem de ser um mundo novo. É nele que queremos viver. E prepará-lo para o futuro. Para a criança que hoje canta conosco.

Uma parcela do público e da própria classe artística, mais intelectualizada, começou a nos chamar de americanizados e alienados. Tudo isso por usarmos guitarras elétricas, instrumento desprezado pela MPB, e por não falarmos de política. Nenhum de nós entendia essa constatação, pois éramos absolutamente verdadeiros no que fazíamos. Que mal havia em tocar guitarra na TV e cantar canções de amor? Além disso, eu não sabia exatamente o que se passava no Brasil da Ditadura Militar. Minha vida era de dedicação exclusiva ao trabalho. Era raro ler jornais, mal tinha tempo de dormir. Vivia dormindo no avião, vivia dormindo no carro, usava todo o tempo livre que tinha para dormir. Ficava sabendo pelos outros de que os formadores de opinião estavam batendo na Jovem Guarda. Quanto mais nós tomávamos conta do país, maior era a cobrança, porque eles queriam que adotássemos um discurso questionador e politizado. Fazíamos isso à nossa maneira, buscando uma identidade que representasse toda a juventude, incompreendida pelos mais velhos. A ditadura que escolhemos enfrentar era a familiar.

Nenhum de nós tinha experiência em lidar com esses confrontos e tampouco contávamos com uma assessoria adequada para nos proteger. Portanto, éramos alvos fáceis para exploradores invejosos que desejavam tirar uma casquinha e aparecer às nossas custas. Sofremos com esse patrulhamento sem termos referencial para medir seu alcance. Também não aceitaríamos ensaiar um discurso oportunista para parecermos engajados.

Nós tínhamos amigos na classe musical bem mais preparados e verdadeiros em suas considerações, o que aplaudíamos e respeitávamos. Também havia aqueles que, com pouca sinceridade, usavam frases e clichês apenas para projetar uma imagem de comprometidos e politizados. Entretanto, nossa família percebeu que o momento era grave quando Bill foi preso pela polícia durante um protesto político no Rio. Papai teve que ir à prisão libertá-lo. Depois ele chamou todos os filhos, proibindo que fôssemos a manifestações públicas.

Enquanto os patrulheiros não nos davam sossego, tentávamos fazer a nossa parte de uma outra forma. Começamos a preparar a primeira campanha assistencialista feita no Brasil, que teve grande visibilidade: "Quero que você me aqueça nesse inverno", em junho de 1966. O público ia ao Teatro Record doar agasalhos e cobertores para a população de rua. Ficamos em cima de um caminhão por mais de vinte horas seguidas, recolhendo o que chegava. Todos faziam questão de entregar suas doações em nossas mãos.

No Natal daquele ano, houve a campanha "Não quero ver você triste". Pedimos brinquedos para as crianças carentes e, mais uma vez, nos mobilizamos. Por causa dessa iniciativa, fiquei em São Paulo e perdi a ceia de Natal na casa de minha família, no Rio. Mas o que importa é que a partir daí inspiramos novas campanhas solidárias em nível nacional.

Aos poucos, conquistamos o respeito de artistas de outras turmas. Ataulfo Alves, compositor de "Ai, que saudades da Amélia", foi homenageado no nosso programa. Caetano Veloso, sempre à frente do seu tempo, também participou, percebendo que nossa atuação poderia servir de parâmetro para aprofundar a renovação da MPB, forjando a semente da Tropicália. Créditos para Maria Bethânia, que nos via toda semana e lhe deu essa dica. Nara Leão, a musa da Bossa Nova, adorava a gente e conversava bastante comigo nos bastidores do *Show do Dia 7* enquanto fazia crochê. Também me lembro de uma menina bem branquinha que apareceu no meu camarim, muito tímida, em início de carreira. Sua banda, que ainda nem tinha o nome de Os Mutantes, só cantava em inglês. Por se chamar Rita Lee, achei que minha futura amiga era americana.

Problemas

Fazer o programa tinha suas complicações. Nós viajávamos praticamente a semana inteira fazendo shows, além de estarmos comprometidos com a edição carioca do programa, exibida pela TV Rio, às segundas-feiras. Voltávamos para São Paulo no domingo. Muitas vezes, cansada, fui direto do aeroporto para o teatro. Carlos Manga, que sucedeu Marcelo Leopoldo e Silva e Solano Ribeiro no cargo de diretor do programa, exigia que as músicas fossem trocadas a cada programa, para que não ficasse repetitivo. O ideal era chegar cedo para combinarmos o que iria ao ar. Era uma loucura conseguir entrar no teatro, com a calçada abarrotada de fãs que rasgavam nossas roupas e puxavam nossos cabelos. Alguns, mais exaltados, até furavam com grampos a lataria dos carros em que estávamos para escrever seus nomes.

O processo de maquiagem durava uma eternidade. *Pancake* era um produto pesado, o que exigia o maior cuidado em manusear para não manchar o rosto. Os cabelos, enrolados em bobs, demoravam quase duas horas para secar embaixo de secadores imensos. Os cachos eram presos em grampos e enrolados em uma touca para ficarem levemente ondulados, em um tempo em que ainda não existia a escova progressiva. Ao lado, ficava o camarim dos meninos. Eles haviam feito um furinho para ver as meninas se arrumando. Só fui saber disso depois e achei engraçado. Eles até podiam nos ver trocando de roupa, mas fico pensando no tédio deles enquanto preparávamos nossas maquiagens.

Roberto e Erasmo pediam emprestado meus pares de meias de náilon para fazer uma touca que alisasse o cabelo. Quem não precisava disso era Ronnie Von. Ele não chegou a participar do programa, mas o apresentador de *O pequeno mundo de Ronnie Von*, também exibido pela Record, matava os meninos de inveja com suas madeixas lisas.

Houve, sim, intrigas de bastidores. Erasmo foi receber um prêmio de melhor compositor no programa *Show em Simonal*, de Wilson Simonal, e o nome de Roberto não foi citado. Houve um disse me disse para o lado de Roberto e os amigos de fé, irmãos camaradas, acabaram brigados por quase um ano. O programa seguiu normalmente, mas nesse período eles mal se falavam. Músicas novas a quatro mãos, nem pensar.

Havia orgulho dos dois lados em pedir desculpas. Fiquei de fora da confusão com receio de botar lenha na fogueira, torcendo silenciosamente para que eles voltassem às boas. Por achar aquilo uma bobagem de fácil resolução, sofri por ambos, mesmo intuindo que os dois não conseguiriam manter distância por muito tempo. "Eu sou terrível", lançada em 1967, marcou o retorno da grife Roberto-Erasmo.

Também não fiquei imune às fofocas. Ser a principal cantora da Jovem Guarda não era fácil. Jornais e revistas passaram anos afirmando em notinhas maldosas que eu vetava as colegas, exigindo que elas não aparecessem no programa. Em uma ocasião, quando fui à redação da revista *Intervalo* entregar um material, soube que o pai da cantora Meire Pavão mandou uma carta à publicação dizendo que sua filha estava proibida de aparecer no programa por ordem minha.

A verdade é que ninguém do elenco do programa tinha poder para influenciar na escalação dos artistas, feita exclusivamente pela direção da emissora e do programa. Na maioria das vezes, a gente só ficava sabendo os nomes de quem seria chamado ao palco no próprio domingo. Não havia tempo hábil para um possível boicote. Quase sempre eu chegava em cima da hora e ia para lá cantar, não para barrar qualquer pessoa.

Quem foi barrada no *Jovem Guarda* fui eu, em meados de 1967, quando a recém-lançada "Prova de Fogo" estourou e minha agenda de shows ficou ainda mais intensa. Em um domingo, eu estava no Rio e o plano era pegar de manhã um avião para estar em São Paulo no início da tarde. O voo atrasou e pousei em São Paulo em cima da hora. Decidi ir para casa comer. Quando cheguei no teatro, dei de cara com Manga completamente alterado, dizendo que eu estava fora do programa. Ele ficou com tanta raiva que deu um soco na porta de um dos camarins e quebrou os dedos da mão. Nem tive como pedir desculpas ou argumentar diante daquela cena que me deixou assustada.

Fiquei ausente por dois domingos. Não foi fácil. O público sentiu minha falta e exigiu que eu retornasse. Manga tinha seus rompantes, mas era um profissional rigoroso que queria o melhor das pessoas com quem trabalhava. Também era bem-humorado, apelidando a mim, Roberto e Erasmo, de Trio Maravilhoso Regina, nome de uma linha antiga de talco, colônia e sabonete, que era anunciada em um comercial de rádio:

> Nós três, o trio maravilhoso,
> Quer no calor ou no frio,
> Com tempo bom ou chuvoso,
> Somos o trio Regina

Um homem que parecia simpático circulava pelos bastidores do *Jovem Guarda*. Sérgio Paranhos Fleury era um policial sorridente, de olhos azuis, e dono de uma firma contratada pela TV Record para cuidar da segurança dos artistas da emissora. Era ele quem supervisionava nossa chegada e saída do programa. Nunca houve assunto entre nós, até que um dia ele abusou do próprio poder. Eu estava entrando no carro para sair do teatro, e Necy vinha atrás de mim. Fleury lhe deu um forte empurrão, e ela caiu. Vi o que ele fez e saí do carro, esbravejando:

— Por que você fez isso? Ela é minha secretária!

O segurança achou que Necy era uma fã e pediu desculpas. Não era a primeira vez que eu enfrentava uma autoridade. Quando fui divulgar um disco na Rádio Nacional, com Renato e Seus Blue Caps, eles começaram a ser agredidos na entrada, confundidos com baderneiros, e quase voei no pescoço do policial. Depois, durante uma final do concurso Favoritos da Nova Geração, no Rio, Bill foi comigo ao Teatro João Caetano e ficou para trás. Vi os policiais cercando-o e fui até lá para resgatá-lo. Foi um choque saber que Fleury, tempos depois, coordenou a serviço da ditadura militar a ação que matou o guerrilheiro Carlos Marighella, em novembro de 1969, a poucos metros do meu apartamento.

É tempo do amor

Depois que acabava o *Jovem Guarda* em São Paulo, o elenco do programa saía para se divertir em lugares da moda. Um deles era a boate Cave, que ficava na rua da Consolação, alguns quarteirões abaixo do Teatro Record, na esquina com a rua Nestor Pestana. A Cave era uma balada de primeira linha com um lado barra-pesada. Lá se misturavam boêmios tradicionais, personalidades, políticos e belas meninas da noite, que também marcavam ponto na boate La Licorne, localizada ali perto, na rua Major Sertório.

Em um domingo do início de 1966, a turma da Jovem Guarda saiu do teatro e foi à boate Cave para jantar e assistir à apresentação do cantor Prini Lorez. Ele era nosso amigo e fazia uma versão arrasadora de "La Bamba". No meio do show, me levantei e um rapaz alto e elegante esbarrou em mim com o cigarro aceso. Meu vestido começou a pegar fogo e, às gargalhadas, apagamos a pequena chama. De maneira cortês, o moço me pediu desculpas e se apresentou como Armando. Seu jeito gentil me chamou a atenção.

Naquela noite, a Cave havia preparado uma mesa para recepcionar a turma da Jovem Guarda. Convidei Armando para se juntar a mim e meus colegas, mas ele recusou meu convite. Tempos depois, me confessou que se sentiu constrangido por achar que eu era namorada de Roberto e poderiam vê-lo como um "bicão" querendo se enturmar em nossa mesa. "Bico" ou "bicão" eram gírias usadas quando alguma figura desagradável ou oportunista se aproximava a fim de levar vantagem. Não era, definitivamente, o caso do Armando. Mesmo assim, continuamos a conversar na Cave e não nos desgrudamos.

Passamos a nos ver regularmente e começamos um namoro discreto, que a imprensa não demorou a descobrir. Em maio de 1966, a *Intervalo* publicou uma matéria de capa com o título "Vanderléia tem amor secreto": "Vanderléia (sic), a Ternurinha, está amando. É coisa recente e não há casamento à vista. Um namoro, apenas, mas namoro firme, com a presença dele todo domingo nos bastidores da *Jovem Guarda*." Em cima, uma foto de Armando com Erasmo, seu companheiro de noitadas, com a legenda: "'Cuidado com o fotógrafo, Armando!', avisa Erasmo. Mas já era tarde."

O público se surpreendeu, pois havia criado a fantasia de que eu era namorada de Roberto ou de Erasmo. Com os holofotes em cima do discreto Armando Lara Nogueira, 23 anos, estudante de Direito, e neto do conde Lara, ele logo se tornou queridinho de jornais e revistas.

Armando convivia bastante com Erasmo. De Roberto, ele tinha um ciúme além do normal. Todos os domingos me acompanhava ao programa, fazendo questão de ir comigo até a coxia do Teatro Record para monitorar os encontros de bastidores com meu amigo. Uma implicância exagerada e que me incomodava. Jamais passou por sua cabeça que seu rival era mesmo Erasmo, que continuava a me paquerar, ainda sem saber se nosso namoro iria para a frente. Em algumas de nossas conversas, ele sutilmente insinuava que meu namorado não era santo, mas eu fingia não ouvir.

Meu respeito e carinho por Armando aumentaram quando ele conheceu meus pais. Papai viu nele um homem digno, e minha mãe caiu de amores. Ele sempre ia comigo ao Rio e ficávamos com eles no apartamento da Tijuca. Era uma pessoa com a qual eu podia contar, pois tinha todo tempo disponível para mim.

Aos poucos, seu jeito de ser foi driblando minha desconfiança de mineira. Era do signo de Escorpião, passional, e aquela sua mistura de jovem *Doutor Jivago* e amante apaixonado me fascinava. Todos do meio artístico passaram a gostar muito daquele playboy quatrocentão e queridinho das noites paulistanas. Ele tinha amigos ricos e pobres, desde gente da alta sociedade a travestis e prostitutas — coisa que seu pai abominava.

Não foi fácil conquistar sua simpatia. Como Armando era seu filho mais velho, devia "dar o exemplo" namorando uma moça da alta sociedade, e não uma cantora de rock.

Durante uma apresentação que fiz no Jockey Club de São Paulo, fui ao toalete. Enquanto estava no banheiro, ouvi duas moças comentando sobre o nosso namoro. Uma delas disse algo que me intrigou:

— Pois é. A Wanderléa, tão jovem, numa vida assim.

Mesmo sem entender o que ela quis dizer, achei melhor não tirar nenhuma satisfação. Quando se é uma personalidade cuja vida está exposta, é natural que as pessoas façam comentários. Apesar dos preconceitos, eu era feliz com Armando. Nosso namoro era o mais próximo que eu tinha de uma vida normal naquele tempo de Jovem Guarda, viajando e saindo com ele e alguns amigos quando minha agenda atribulada permitia. Armando gostava de automobilismo e me apresentou aos pilotos José Carlos Pace, Marivaldo Fernandes e Emerson Fittipaldi, na época chamado de Ratinho.

Saí do Lord Hotel e fui morar no Hotel Normandie, na avenida Ipiranga, junto com Necy, em uma confortável suíte de dois quartos e duas salas. Por não me acompanhar mais em todos os jantares e eventos especiais, ela se sentia preterida. Quando ficava vendo TV com Armando até mais tarde, Necy nos cercava feito um cão de guarda, só nos deixando a sós para dormir. Certa vez, ela trouxe más notícias. Disse que minha família estava preocupada com aquele namoro dentro do hotel e que meu pai e Wanderley haviam lhe confidenciado que iriam a São Paulo acabar com toda aquela intimidade. Fiquei uma fera, porque eu já me sentia independente e não gostava que ninguém, mesmo sendo da família, controlasse minha vida.

A verdade é que Necy falou com meu pai sobre o namoro, dizendo que a relação estava passando dos limites. Como meu pai e meu irmão conheciam bem Armando, nem se importaram. Só fui saber desse fato depois. Já morando em meu próprio apartamento, ouvi uma discussão entre ela e Wanderte. Era manhã e eu havia acabado de acordar. Minha irmã veio fazer uma visita e queria usar uma roupa minha. Necy disse para ela não mexer em minhas coisas, que eu não permitia. Achei aquilo muito estranho e a confrontei.

— Necy, como você diz isso pra Detinha? Ela é minha irmã, pode fazer qualquer coisa dentro da minha casa.

Foi aí que Detinha me contou que ela já havia dito uma série de coisas para minha família, limitando o acesso a mim. Foi uma decepção. Necy me servia com muito profissionalismo, mas havia passado dos limites. Apesar de gostar dela, tive que dispensá-la.

Correndo perigo

Todo domingo, antes do programa, eu tinha o desafio de passar pelos fãs que tomavam a porta do Teatro Record para chegar a um imenso portão de grades onde entravam os artistas. A garotada chegava mais cedo e ficava na calçada. Alguns eram gentis e só queriam pegar na minha mão; outros, mais exaltados, gritavam e puxavam meus cabelos. Em uma dessas ocasiões, a capota do meu carro foi furada por um objeto cortante. Não me machuquei, mas o susto serviu de alerta.

Toda essa euforia estava no pacote de participar da Jovem Guarda; nenhum de nós se sentia intimidado. Mas alguns casos de assédio me atingiram diretamente. Naquela época, casas superluxuosas em São Paulo foram invadidas por um ladrão em busca de joias. Sua figura era contraditória. Dizia a lenda que ele roubava dos ricos para entregar aos pobres, mas logo foi acusado de cometer estupros e assassinatos. A cidade estava tensa, pois havia um bandido cruel à solta podendo atacar qualquer um. Os jornais, que divulgavam retratos falados com suas supostas características, lhe deram o apelido de Bandido da Luz Vermelha. No dia 8 de agosto de 1967, João Acácio Pereira da Costa, seu verdadeiro nome, foi preso em Curitiba.

Em depoimento à Justiça, o criminoso afirmou ter tentado invadir os locais nos quais eu morava — primeiro o Hotel Normandie, depois meu apartamento. Ele também revelou que chegou perto de mim no Aeroporto de Congonhas com o objetivo de me sequestrar. Foi um grande susto. Com aquela vida repleta de compromissos, eu não tinha noção do risco que corria.

Heloísa Helena Pires, fã que contratei como secretária depois de Necy, me mostrou várias cartas enviada por "Luz", escritas com canetas coloridas. Uma delas tinha mais de quinze páginas. Com uma caligrafia miúda e caprichada, quase infantil, afirmava docemente que eu era sua "menina de tranças" e que um dia sairia da cadeia para me buscar. Três anos depois, ao saber que eu estava noiva, ele me escreveria novamente, dizendo que eu não devia me casar porque ainda era muito nova e tinha muito o que aprender. Soube que ele gostava de música e mandei um violão de presente para ele. Trinta anos após ser preso, Acácio foi libertado e morto pouco depois. Nunca nos vimos pessoalmente.

O caso do fã perseguidor me atingiu mais diretamente. Um indivíduo, que se vestia de maneira semelhante à de Roberto Carlos, se hospedou por uma longa temporada no Normandie. Ele passou a observar minhas entradas e saídas, sabendo a hora que eu tomava café, almoçava e jantava. No restaurante, ficava me encarando. Fazia questão de pedir o mesmo prato que o meu. Os garçons achavam graça. Cada vez mais assustados, eu e Armando pedimos providências à gerência do estabelecimento.

A polícia foi chamada e deu uma geral no seu quarto, onde encontrou drogas. Ele acabou sendo preso em flagrante. Por ser de uma família de posses do interior de São Paulo, deu um jeito de sair da cadeia. Ao voltar do *Jovem Guarda* para o Normandie com meu Mustang branco, ele reapareceu. Antes de o manobrista assumir o volante para guardar o veículo na garagem, o rapaz veio com seu carro na contramão, a toda velocidade, praticamente encostando no meu. Fiquei apavorada e fui retirada dali, não me lembro por quem.

Com medo e abalada, cancelei alguns shows. Geraldo Alves era o meu empresário na época e imediatamente entrou em contato com a

Polícia Militar de São Paulo, solicitando algum tipo de proteção para mim. Naquela noite, ficamos sabendo que a polícia estava à procura do homem, que entre a saída da cadeia e sua reaparição no hotel cometeu um assassinato. Foi preso e condenado.

Também ocorreu uma situação que poderia ser trágica, mas no fim foi cômica. Um rapaz de óculos, usando camisa de gola rulê, ficava sempre no saguão perguntando por mim aos funcionários do hotel, querendo falar comigo. A insistência com os funcionários era tamanha que um dia decidi atendê-lo. Desci e o olhei com firmeza.

— Oi, o que você quer?

Ele gaguejou e nem conseguiu falar nada, engolindo em seco. Depois disso, com a entrada no local devidamente proibida, desapareceu.

Por conta dessas situações, contratei um segurança. A Polícia Militar me indicou Laurão, que passou a me acompanhar em tempo integral. Era também meu motorista particular. Ele foi importante, especialmente durante uma situação que ocorreu na Praça da Sé, no Centro de São Paulo. Estava passeando com Armando em um belo final de tarde quando acabou a gasolina do Mustang. Laurão foi em busca de um posto para abastecer e ficamos sozinhos esperando em uma calçada próxima à igreja. Aquele Mustang conversível novo e lindo chamou muito a atenção dos transeuntes. Acabaram me descobrindo lá dentro, mesmo estando com capota fechada e os vidros suspensos. Os curiosos começaram a fechar o cerco ao redor do carro, me fazendo sentir um peixe preso dentro de um aquário. Temi por nossa integridade física.

Finalmente, Laurão chegou com a gasolina, mas aquela pequena multidão o impedia de se aproximar para abastecer o carro. Ele tentava, sem sucesso, abrir passagem, gritando para espantar as pessoas. De repente, parecendo querer responder aos gritos, a multidão começou a balançar o carro. Como Laurão era policial e costumava portar arma de fogo, em um ímpeto, apelou para o revólver, tirou-o da cintura e efetuou três disparos para o alto.

De repente... *blem, blem, blem*. Um dos tiros atingiu o sino da igreja. Como um milagre, todos sumiram. Fomos embora da Sé e o sino continuava tocando. A polícia convocou Laurão para que ele explicasse seu ato. Foi autuado e ficou detido, sendo liberado em seguida. Ele continuaria trabalhando comigo por muitos anos e seríamos amigos até sua morte, em fevereiro de 2004. Um verdadeiro anjo em minha vida.

O tempo foi passando e as abordagens perigosas ficaram cada vez mais raras. Hoje, quando as pessoas vêm falar comigo, me tratam com muito respeito e carinho. Tenho orgulho de perceber que são pessoas das mais diversas idades. E todos parecem me ver como uma amiga próxima, ou um membro de sua família.

Minha banda

Com a atribulada rotina de shows, percebi que havia chegado a hora de montar minha própria banda. Era incomum nos anos 1960 que cantores tivessem músicos fixos. Quando eu viajava, ensaiava com um grupo local. Certa vez, a turma da Jovem Guarda fez um show em Salvador no estádio da Fonte Nova, patrocinado pelo refrigerante Fratelli Vita. Quem nos acompanhou foi a banda Raulzito e Seus Panteras, liderada por Raul Seixas, excelente guitarrista.

Raul e o grupo foram extremamente profissionais diante da precariedade da apresentação. O palco foi montado em cima de um caminhão eletrificado que rodeava o campo. Não sabíamos que aquilo era o histórico trio elétrico de Dodô e Osmar. Os microfones adaptados balançavam na carroceria do caminhão, dando choques em nossas mãos e bocas. O trio rodeava o estádio e só quem estava muito perto conseguia ouvir o que a gente cantava, porque não havia amplificadores. Em cada volta era uma música diferente.

Para ter uma sonoridade coesa e poder chegar ensaiada em qualquer lugar do país, decidi montar Os Wandecos. Vicente de Paula (piano e órgão), Olmir Stockler, o Alemão (guitarra), Newton (baixo) e Victor Manga (bateria) foram os músicos escolhidos para a formação fixa inicial. Depois, no saxofone e na flauta, entrou Carlos Alberto. Além de *gentlemen*, eram excelentes músicos. Todos já tinham trabalhado em grupos de jazz e Bossa Nova, com experiência nas noites do Rio e de São Paulo. Com eles, viajei o Brasil inteiro, de Quixeramobim, no Ceará, até o interior do Rio Grande do Sul. Eram grandes companheiros.

Aborto

Aos 22 anos, fiquei grávida. Isso ocorreu logo depois de eu ter conhecido Armando, na euforia de nossa paixão. Nenhum de nós tinha a convicção de um relacionamento a longo prazo. Para nossos pais, seria algo inaceitável. O meu teria problemas em me ver como mãe solteira, condição que causava certa reprovação da sociedade. O dele, que não aceitava nosso namoro, jamais admitiria ser avô de um filho de artista. Poderia ter enfrentado a intransigência deles se quisesse ter o bebê. Mas, ainda jovem, tinha a percepção de que era cedo demais para assumir uma tarefa dessa magnitude. Naquele momento, minha carreira estava a todo vapor, com vários compromissos já estabelecidos, e não tinha a intenção de interrompê-la no auge. Depois de ponderar prós e contras, optei pelo aborto, sem que ninguém da minha família soubesse.

Minha geração foi a primeira a experimentar a revolução sexual, que teve início com a introdução da pílula anticoncepcional — ainda que eu, como todas as mulheres brasileiras, não tivesse orientação efetiva de como utilizá-la. O uso de preservativos era incomum. Confiávamos na chamada "tabelinha" para não engravidar. Mesmo assim, fomos bastante beneficiadas com essa nova realidade, sentindo prazer sem culpa, experimentando novas sensações e tomando para si o controle de nosso corpo, após séculos de patriarcado austero. Nessa quebra de paradigma, ficamos todas mais conscientes em relação aos nossos desejos.

Ainda que a decisão de abortar pudesse ser exclusivamente minha, conversei com Armando sobre essa possibilidade. Ele também achou que era o melhor a se fazer, me apoiando firmemente diante daquela situação tão delicada. Mais tarde, também sem o conhecimento de minha família, fiz um aborto quando me relacionava com José Renato. Como não poderia deixar de ser, foi uma decisão difícil, mas contei com o suporte do meu parceiro. A natureza é bela e generosa, mas também é triste e sofrida com nossas perdas e nossos equívocos. Às vezes, é inevitável sofrermos com certas escolhas. Apesar das minhas convicções, passar por dois abortos, aos 20 e poucos anos, foi difícil. Não fiquei imune aos conflitos pessoais e psicológicos, que, admito, se tornaram mais presentes na maturidade que adquiri ao passar do tempo, por valorizar mais a existência humana e a espiritualidade.

Infelizmente, no Brasil do século XXI, a pauta do aborto permanece como um tabu que precisa ser quebrado. É importante tomar uma posição. Fiz esse procedimento em condições favoráveis com assistência médica adequada, ao contrário de muitas mulheres que, sem nenhum amparo da Justiça, continuam recorrendo a clínicas ilegais — e boa parte delas morre na mesa de cirurgia. A decisão de abortar envolve muitos aspectos de segurança, saúde física e psicológica, que podem ser agravados por conflitos familiares, religiosos e financeiros. É difícil administrar sozinha, sem nenhum apoio, a criação de uma vida. Por isso não cabe a ninguém discriminar essa atitude. Devemos apoiar e respeitar essa escolha, pois a própria mulher é a que mais sofre. A legislação deve ampará-las sem que elas sejam julgadas por esse ato. É a mulher que gera dentro de si, como por um milagre, o ser que virá. O homem contribui com essa concepção, mas a máquina dessa criação é o corpo feminino, que dá à luz e amamenta. Portanto, se ela optar por tal alternativa, deve ser protegida, respeitada e amparada por nossas leis.

O filho adotivo

Waldir Nascimento era um menino pobre que chorava na porta do Teatro Record querendo estar na plateia do *Jovem Guarda*. Passei a vê-lo todos os domingos ali, esperando a gente, e pensei em realizar seu desejo. Se havia um que eu poderia realizar, era o de assistir ao nosso programa. Um dia, chegando ao teatro, falei com ele e o coloquei para dentro.

O menino era comunicativo e conseguiu a simpatia de todos da nossa turma, que lhe deu o apelido de Pelezinho. Ele andava desarrumado e não estudava nem trabalhava. Ao mesmo tempo em que consegui um emprego para ele no escritório de Marcos Lázaro, sugeri que voltasse a estudar, ficando em meu apartamento quando fosse preciso. Prometi que eu, Armando e Bill cuidaríamos dele. Pelezinho tinha uma família que morava longe e praticamente morava conosco.

Eu o ensinei a escovar os dentes e tomar banho da forma correta. Com Lázaro, fez uma pós-graduação em show business. Mas Pelezinho tinha um defeito: sumia sem avisar onde ia, voltando dias depois. Penso que ele ia visitar a mãe. Passamos algumas noites preocupados com ele. Em uma de suas ausências, Pelé, o verdadeiro, ligou para minha casa. Eunice, nossa cozinheira, atendeu. Ao se apresentar, levou uma bronca politicamente incorreta para os dias de hoje.

— Seu neguinho safado, onde você anda? Dona Wanderléa está te procurando.

Pelé, sem entender, respondeu que estava estudando, ocupado.

— Até parece, desde quando você estuda?

Desfeito o mal-entendido, Eunice ficou sem graça. Acho que, no mesmo dia, Pelezinho reapareceu e demos uma bronca nele. Hoje, ele se emendou; no outro dia, passou pela minha rua com um carrão. Ele se tornou agente de artistas, levando alguns deles para se apresentar no *Programa do Ratinho*, de quem é amigo. Pois é, meu filho virou gente grande e não desapareceu mais.

Juventude e ternura

Em meados de 1967, comecei a rodar *Juventude e ternura*, a primeira superprodução brasileira em cores. O roteiro era assinado por Aurélio Teixeira (também diretor), além de Braz Chediak e Fernando Amaral. A história era inspirada em *Nasce uma estrela*, filme americano de 1937 que ganhou uma refilmagem com Judy Garland em 1954. Coube a mim o papel de Beth, cantora iniciante que era vista em uma apresentação pelo contrabandista de bebidas Estênio, interpretado pelo saudoso Anselmo Duarte, premiado com a Palma de Ouro por *O pagador de promessas*. Estênio pede a Guy (Ênio Gonçalves) que faça músicas para ela, formando um triângulo amoroso. Também estão no elenco Bobby Di Carlo — cantor do sucesso "O tijolinho" —, Jorge Dória e Roberto Maya, além dos Wandecos.

Chediak relata em seu livro *Fragmentos de uma vida* que quem batizou o filme foi o cineasta mais politizado da época, Glauber Rocha. Irmão de Chacrinha, o produtor Jarbas Barbosa encontrou o diretor no bar Amarelinho, na Cinelândia, no centro do Rio de Janeiro. Os dois haviam trabalhado juntos no clássico *Deus e o Diabo na Terra do Sol*. Enquanto conversavam, Jarbas contou que não havia escolhido um nome para sua nova produção.

— Jarbas, o filme não é para a juventude? E o apelido da Wanderléa não é Ternurinha? Taí o nome, *Juventude e ternura.*

Em um acordo com Jarbas, me tornei produtora associada, ganhando 25% dos lucros. Assinei o contrato ao vivo, no programa do próprio Chacrinha. Mesmo sem nunca ter atuado profissionalmente, aceitei o desafio de ser protagonista, com uma equipe que me incentivou o tempo inteiro. Houve gravações no Rio, em Salvador e em Recife. Lembro-me de uma curiosa sequência filmada na capital pernambucana. Minha personagem chega à cidade de avião, sendo recepcionada por fãs e pela TV Jornal do Commercio. Só que quem estava pousando não era Beth. Era eu, que estava com show marcado na cidade. Foi um recurso usado por Aurélio para mostrar que Beth, depois do auxílio de Estênio, colhia os louros da fama.

Pela primeira vez, o público do *Jovem Guarda* me viu vestida de um jeito mais discreto. Os roteiristas quiseram dar um ar mais simples à personagem Beth, em sua caminhada rumo ao sucesso. É curioso notar que eu encarnava uma outra pessoa, mas as músicas que cantava eram os meus sucessos. Estão lá "Ternura", "Prova de fogo", "Te amo" e "Foi assim (Juventude e ternura)", composta por Renato e Ronaldo Corrêa a pedido da produção. Fiquei meses no topo das paradas com ela. Quem gostava da canção assistia ao filme; e aqueles que saíam do cinema se dirigiam a uma loja de discos para comprar o compacto simples com a faixa.

Lamento não ter tido tempo de me dublar em *Juventude e ternura.* Depois das cenas prontas, os atores foram para um estúdio e colocaram suas vozes, pois não houve som direto. Eu estava com a agenda lotada de shows nessa etapa de pós-produção e, nas minhas falas, ouve-se a atriz Norma Blum, o que até hoje me causa estranhamento. Por conta disso, toda vez que assisto ao filme, sinto que é outra pessoa na tela. *Juventude e ternura* estreou em março de 1968, com pré-estreias em várias capitais. De passagem pelo Rio, a atriz Ann-Margret, parceira de Elvis Presley em *Amor a toda velocidade*, foi nossa convidada especial.

A crítica não gostou. "O que surpreende é esta nova [película] vir com a chancela 'recomendada para a juventude'. Isso é o que não compreendemos: a censura recomendar para o público juvenil uma fita onde a mocinha começa sua carreira em uma 'boîte' em meio a um grupo de dançarinas, vai à praia de biquíni e cujo protetor é um contrabandista. Será que a censura, não satisfeita em mutilar filmes nacionais e estrangeiros e proibir peças para adultos, está querendo corromper a juventude?", escreveu Carlos M. Motta, em *O Estado de S. Paulo*. O tempo se encarrega de deixar as coisas em seu devido lugar. Em 2014, a crítica Andrea Ormond, do blog *Estranho Encontro*, reavaliou o longa. "*Juventude e ternura* é um patinho feio, mas sobreviveu bem ao peso implacável das décadas. Se o leitor, como eu, prefere secretamente Wandeca a Roberto, pode assistir que é papo-firme."

Quando a Rede Globo começou a implantar sua programação em cores, no início dos anos 1970, o filme foi usado como teste, o que muito me honrou. No Rio de Janeiro, as pessoas paravam para vê-lo nas vitrines de lojas especializadas em eletrodomésticos, fascinadas com o colorido da fotografia psicodélica de José Rosa. Cinquenta anos depois, acredito que *Juventude e ternura* conserva um frescor juvenil, com todos os seus erros e acertos. Fomos bem de bilheteria, mas, por um vacilo, os royalties que eu deveria receber nunca chegaram às minhas mãos. Papai sugeriu a contratação de um advogado, vizinho de nossa família no Rio, para administrar a percentagem acordada com Jarbas. Eu disse que meu empresário já estava encarregado disso, mas ele insistiu e acabei concordando. Passei para o advogado uma procuração, dando-lhe plenos poderes.

Esse advogado nunca me passou o dinheiro devido e entrei na Justiça para reaver meus direitos. Perder essa causa foi uma das grandes injustiças que ocorreram comigo em mais de cinquenta anos de carreira. Ficou a lição, pois oportunistas e interesseiros estão sempre dispostos a usar o artista para proveito pessoal. Depois disso, decidi fazer filmes sem a opção de royalties, apenas com bons cachês fixos. Logo após terminar *Juventude e ternura*, fiz uma curtíssima aparição ao lado de Erasmo em *Agnaldo, perigo à vista*, estrelado pelo nosso amigo Agnaldo Rayol.

Fim de romance

Apesar de eu garantir que Roberto era apenas um amigo, meu namorado continuava a não permitir que eu ficasse sozinha com ele. Se eu tentasse argumentar ou atenuar algum aspecto de suas impressões, Armando se irritava. Roberto percebia o que estava acontecendo e mantinha uma distância respeitosa. Certa noite, a coisa piorou quando uma "amiga noturna" de Armando, presença assídua no La Licorne, falou com ele que ouviu do próprio Roberto a história do nosso namorico juvenil e que nossa relação era mal resolvida. Foi o bastante para Armando ir direto ao Normandie e aprontar um escândalo na minha frente. Ele deixou a pose de lado e, nervoso, ligou para Roberto, convidando-o a ir ao hotel. Um grande mico. Eu dizia a Armando que Roberto nunca seria capaz de um comentário vulgar daqueles, que éramos amigos havia muitos anos e essa moça não merecia o menor crédito. Diante da minha argumentação, ele foi enfático:

— Vou provar que o Roberto não merece toda essa consideração sua. Você vai ver.

Roberto disse a Armando que iria ao hotel. Duvidei dessa possibilidade, mas ele surpreendentemente apareceu. Roberto subiu ao quarto, visivelmente embaraçado, e eu morrendo de vergonha. Optei por deixá-los a sós no contexto daquela retórica infantil, onde o que estava em pauta era um sentimento de ciúme e posse machista que me decepcionava muito. Depois de conversarem, Armando constatou que nossa amizade era verdadeira, mas deixou o Normandie sem se despedir de mim. Fui falar com Roberto e notei seu olhar acanhado. Fiquei ali parada, sem clima para dizer qualquer coisa. Ele me abraçou carinhosamente e se despediu. No dia seguinte, Armando se desculpou e acabei aceitando aquele episódio como se nunca tivesse ocorrido.

Logo em seguida, fui convidada para ser a protagonista de *Juventude e ternura*. Foi uma fase cansativa, gravando com Erasmo nosso seriado semanal, *Ternurinha e Tremendão,* além de estar no *Jovem Guarda* aos domingos, em São Paulo, e no Rio, às segundas. Passei a viver em uma intensa roda-viva. Quase não conseguia parar para pensar nas minhas mazelas pessoais, nem mesmo namorar. Mas sempre que podia Armando ficava por perto, dando apoio. Em outubro de 1968, estava trabalhando no Rio e fui com Erasmo conhecer a Sucata, boate de Ricardo Amaral na Lagoa Rodrigo de Freitas, onde Caetano Veloso, Gilberto Gil e Os Mutantes se apresentavam. Ao lado do palco, havia uma bandeira de Hélio Oiticica com os dizeres "Seja marginal, seja herói". Por conta disso, Caetano e Gil foram presos em dezembro e exilados no ano seguinte.

A noite, que poderia ter terminado bem após o belo espetáculo de nossos amigos, acabou mal. Erasmo me deu carona até minha casa e, quando já me despedia dele, estendemos o papo. Ele me contou que soube de uma escapada de Armando na Cave, na noite anterior. Meu namorado havia ficado com Esmeralda, uma modelo morena de olhos verdes. Fiquei irritada com a atitude de Armando, e também com a postura de Erasmo. Ao me contar da pulada de cerca, o Tremendão parecia querer dizer algo do tipo: "Olha só, vem pro meu time que você vai ser a titular." Com uma fúria que faria corar quem me chamava de Ternurinha, saí do carro e joguei na rua as flores que ele gentilmente havia me trazido. Nossa relação era assim. Brigávamos e depois fingíamos não ter acontecido nada.

Chegando a São Paulo, confrontei Armando sobre o ocorrido com Esmeralda e o clima esquentou. Depois, acabamos nos acertando. Sentia que a relação ainda poderia dar certo.

O namoro durou mais alguns meses, enquanto estávamos planejando nosso casamento. Aceitei o convite do cineasta Roberto Farias para filmar *Roberto Carlos e o diamante cor-de-rosa* ao lado de Roberto e Erasmo. Quando li o roteiro, achei a história superinteressante e não perderia por nada a oportunidade de viajar para o Japão e Israel trabalhando com meus amigos. Esperava que Armando entendesse. Porém, ele foi contra e dessa vez nos desentendemos pra valer. No fundo, ele não havia superado o ciúme de Roberto, já casado com Nice há mais de um ano. Por conta dessa obsessão, terminei o namoro definitivamente, depois de quatro anos juntos. Foi uma separação em que houve muito sofrimento, ainda que amenizado um pouco pelo ritmo frenético de trabalho.

Duas décadas depois, reencontrei Armando em um show de seu amigo-rival Erasmo, no Palace, casa de shows paulistana hoje extinta. Após a apresentação, ele veio falar comigo, acompanhado de seu filho Armandinho.

— Filho, quero te apresentar o grande amor da minha vida.

Foi uma afirmação impactante, mas que me fez sorrir.

— Ah, o que é isso, Armando? Você dizer isso pro seu filho?

Ele disse para eu não me preocupar, que entre ele e Armandinho tudo era dito. Em 1984, quando morreu Leonardo, meu primeiro filho, Armando foi me visitar em casa e prestou suas condolências. Lá, ele viu meu marido Lalo, tocando violão, e me disse uma coisa comovente.

— Sabe, eu acho lindo você e o Lalo. Ele é uma pessoa muito íntegra, um cara iluminado. Gostaria de ser como ele.

Entendi tudo. Aprisionado por sua tradição familiar, Armando admirava aquela liberdade que não tinha. Ao menos, tive uma felicidade que poucas pessoas têm. Ver um homem que amei muito expressar, sem pudor, a admiração pelo pai dos meus filhos.

Armando morreu jovem, aos 43 anos, após uma parada cardíaca. Quando começamos a namorar, eu era uma jovem com muitos sonhos, no meio de um sucesso avassalador, e ele soube respeitar isso, além de ter enfrentado o próprio pai para ficar comigo. Pena que seu ciúme tenha sido mais forte. Nosso romance, mesmo com as turbulências, teve momentos inesquecíveis, guardados para sempre. E sua integridade permanece como um exemplo.

Enfrentando a fera

Erasmo declarou algumas vezes que "seu Salim era uma fera". Era mesmo. Meu pai me ensinou a fazer sua barba com a navalha de estimação quando eu era adolescente. Adorava ter aquele privilégio que nenhuma das minhas irmãs tinha. Para mim, era uma honra ser a escolhida. Mas passei o maior sufoco por causa dessa navalha. Tive a infeliz ideia de usá-la para recortar um desenho em uma folha de cartolina grossa, quebrando sua ponta.

Acompanhei minha mãe até uma cutelaria da praça Tiradentes, perto da sede da CBS, para que fizessem um conserto e disfarçassem o estrago da ponta quebrada. Foram alguns dias de expectativa e noites maldormidas na espera de sua restauração. Diante daquele mal-estar, eu me escondia na caixa-d'água toda vez que papai chegava, temendo que ele perguntasse onde estava a navalha.

Após o conserto, notei que apenas haviam lixado a ponta. Mesmo com a navalha fechada, faltava um pedacinho que deixava evidente o estrago. Por sorte, ele nunca desconfiou do ocorrido. Se descobrisse, sua reação poderia ser violenta. Era assim que acontecia quando meus irmãos homens infringiam suas determinações. Eu era uma pequena atrevida, mas muito delicada. Aqueles seus métodos rigorosos de impor ordem em casa me assustavam muito, fazendo com que volta e meia minhas bochechas ficassem avermelhadas e eu arregalasse os olhos de gato que herdei da minha mãe para encará-lo, enfurecida. De todas as suas filhas, eu era a única que ousava enfrentá-lo.

A história da navalha é apenas um dos exemplos do misto de amor, respeito e receio em relação a meu pai. Quando comecei a fazer sucesso, convenci minha mãe a sair de Cordovil para um enorme apartamento na Tijuca. Essa mudança foi terrível para ele, que se via distante do posto de provedor da família, por anos ocupado com honra e rigor. Eu tentava amenizar aquela nova divisão de poder, administrando as finanças ao lado de mamãe. Ele sofreu muito com isso, por estar acostumado a dar as ordens sem aceitar questionamentos. Acabou indo para o seu sítio em Xerém, e de vez em quando aparecia trazendo ovos e verduras que ele mesmo cultivava.

A partir daí fui conquistando a liberdade que minha profissão de artista proporcionava. Não queria que ele sofresse com isso, mas nunca pensei em deixar de curtir minhas conquistas, passando a fumar socialmente (nunca na sua frente), dirigir carros e ousar com atitudes e roupas extravagantes que lançava no *Jovem Guarda* aos domingos. Isso tudo o chocava, assim como a outros pais severos que insistiam para que suas filhas ficassem em casa, longe de tais modernidades. Preferiam vê-las vestidas com saias quase na canela e batendo bolo na cozinha esperando seus futuros maridos. Já eu considerava uma vitória descobrir que minhas fãs saíam dos colégios e enrolavam as saias do uniforme na cintura para ficarem curtas como as minhas. Ah, se meu pai ficasse sabendo que a culpa dessa juventude estar "perdida" era minha!

Certa vez, dei à minha irmã Wanderte um vestido importado, bem curtinho, com o qual ela compareceu em uma festa familiar. Ao chegar, meu pai ordenou que ela trocasse de roupa, de um jeito bastante rude. Se fosse comigo, ele não teria feito isso por eu já ter, de alguma maneira, conquistado seu respeito. Meus irmãos ainda tinham que obedecê-lo.

Eu não tirava sua razão, mas achei que ele havia sido grosseiro com Detinha, sem a menor necessidade. Tentei em vão convencê-lo de que não havia nenhum problema em relação à roupa. O diálogo era algo que os pais daquela época pareciam desconhecer.

Um dia paguei pela minha ousadia. Eu havia levado Belinha até a maternidade para o nascimento de minha sobrinha Andréa. De lá, fui gravar a edição carioca do *Jovem Guarda*, na TV Rio. Papai e mamãe não foram vê-la de imediato. Fui para casa e reclamei com minha mãe, elevando o tom de voz.

— Vocês tinham que estar com Belinha! E se ela estiver precisando de alguma assistência?

Constrangida, ela justificou que estava preparando tudo para aguardar Belinha em casa com o bebê. Meu pai não gostou da minha postura e me apontou o dedo, dizendo para eu parar. Continuei a discutir. Subitamente, ele veio para cima de mim. Levei um tapa que me jogou em um canto da sala. Levantei vermelha e atordoada com aquela atitude desmedida. Encarei-o silenciosamente e levei outro tapa. Caí de novo, atrás de um móvel da sala. Provavelmente, ele descontava sua fúria em relação à minha independência. Diniz, marido de Belinha, providencialmente chegou e estancou aquele acesso de raiva. Também não gostei da reação dos meus irmãos que, rindo, assistiram a tudo atrás da porta. Lá em casa não tinha essa história de estrela. Eu ainda era filha do seu Salim.

Nada disso me fez deixar de amá-lo, mas o desafiava sempre que tinha uma oportunidade. Quando comprei meu primeiro carro, convenci-o a dar uma volta, na tentativa de me exibir como boa motorista. Com muito custo, ele aceitou o convite. Subimos a estrada do Alto da Boa Vista e, na descida, ele gritou para que eu tirasse o pé do acelerador. Dizem que os filhos precisam desafiar os pais para se autoafirmar, e só para provocá-lo afundei um pouquinho mais o pé no pedal. Essa nossa saída foi um desacerto, e ele voltou para casa muito chateado com minha afronta.

Passado algum tempo, quando já havíamos esquecido aquele episódio, precisei ir a São Paulo e pedi a ele que me levasse até o aeroporto para trazer de volta meu Mustang. Estava filmando *Juventude e ternura* e os produtores do filme me pediram o carro emprestado para fazer alguns *takes* com o grande ator Anselmo Duarte, na praia de Ipanema. Durante a ida para o aeroporto, fui dirigindo com meu pai do meu lado. Ele olhou o ponteiro do velocímetro e, com aquela insegurança que lhe era peculiar quanto às minhas habilidades ao volante, pediu que diminuísse a velocidade. Preocupada com meu horário de voo, ignorei-o solenemente e continuei conversando com ele, tentando mudar de assunto. Pausadamente, ele disse:

— Se você continuar a andar nessa velocidade, eu salto agora.

Continuei pisando no acelerador. Dito e feito! Ele abriu a porta do carro no primeiro sinal fechado, quando passamos pela Praça da Bandeira. Simplesmente foi embora, me deixando ali sozinha, com o carro na mão, sem saber o que fazer.

Tive que dar meia-volta e retornar rapidamente para casa, deixando o carro na garagem. Chamei um táxi e avisei mamãe que papai iria chegar possesso da vida. Quando estava indo para o aeroporto, vi meu pai na rua, pisando duro na calçada com semblante abatido. Ele marchava parecendo um gigante determinado. Morri de remorso e pedi ao motorista que parasse. Saltei com pressa ao seu encontro sem perceber que já começava a saída dos alunos de um colégio na rua Almirante Cochrane, próximo de onde morávamos. Corri tentando alcançá-lo. Quando cheguei perto, pedi perdão baixinho. Papai era alto e sequer se curvou para me ouvir. Continuei pedindo desculpas, e ele acabou abrindo a guarda, me abraçando afetuosamente. Só não contávamos com a plateia que formamos ao nosso redor. A garotada ficou por perto aplaudindo aquela cena comovente, sem acreditar que a Wanderléa estava ali. No meio do alvoroço, meu pai ainda teve tempo de me acompanhar até o táxi. A fera também podia ser mansa.

No estúdio da CBS

Os cinco álbuns feitos para a CBS entre 1963 e 1968 estabeleceram minha imagem perante o público. Astor era um excelente arranjador, mas ele e seus músicos não conseguiram se adaptar ao rock. Minha interpretação está dividida entre duas escolas, a do vozeirão e a da emissão lisa. Até aquele momento, eu me escorava na primeira, pela influência das cantoras do rádio. Tinha segurança para gravar em um único *take* boleros e blues. Com os rocks, não fiquei satisfeita.

A maior parte do repertório foi composta originalmente em português. Nos trabalhos posteriores, as versões ocupam no mínimo metade das faixas. Nunca tive preconceito em relação a isso. Se a versão era boa, gravava feliz. Há bons momentos nesse primeiro disco. "Goody goody" é um deles. Esse estandarte do jazz integrava as apresentações que eu fazia com Astor. "Dá-me felicidade" é a música que mais gosto; fico emocionada ao ouvir. Um amigo meu, Luiz Antônio, formaria com Rolando Faria a dupla Les Étoiles. Ele me contou que decidiu ser cantor por causa dessa música. Durante sua adolescência, ele era carteiro e, subindo a rua Augusta enquanto trabalhava, escutou em uma loja de rádios o "tum-tum" da introdução. Sentiu aquilo como um chamado. Quando canto essa música, me lembro dele. As crianças adoravam

"Picada da pulguinha", de Gilberto Lima e Dora Lopes. Minha filha Yasmim, que trabalha em oficinas de artes, já a usou em atividades pedagógicas e seus alunos a acharam muito engraçada.

Depois de brigarmos, Seu Evandro percebeu que deveria tomar cuidado na escolha do repertório, convidando músicos jovens para gravar comigo. O segundo disco, *Quero você*, é bem melhor que o primeiro. Renato e seus Blue Caps gravaram todas as faixas, imprimindo um frescor jovem que me fez gostar do resultado. O público também aprovou. "Me apeguei com meu santinho" e "Meu bem Lollipop" saíram antes em compacto. O divulgador Carlinhos Tlinta e Tlês, que ganhou esse apelido do pessoal da CBS por conta de sua língua presa, me pegava na casa da minha avó em Vila Isabel às 4 da manhã para que fôssemos pedir para tocar o compacto nas emissoras de rádio.

Das doze músicas do álbum, apenas "Sem amor ninguém vive", de Rossini Pinto, não é versão. "Meu bem Lollipop" era hit original de Millie Small, com letra de Gerson Gonçalves. "Exército do surf" e "Capela do amor" foram lançadas, respectivamente, pela cantora Catherine Spaak e pelo grupo The Dixie Cups. As duas vertidas para o português por Neusa de Souza, uma mulher que nunca existiu. Era um pseudônimo usado por Rossini para ele não aparecer com tanta frequência nos créditos de autoria. Ele assina a versão de "Me apeguei com meu santinho".

Na capa, em que estou de cabelo bem curtinho, vejo na minha feição uma menina cheia de sonhos. No meu dedo anelar há um anel dado por Toni, amigo que me paquerava, com a inscrição "Toni e Leinha". Nunca houve nada entre nós, mas ele insistiu para que eu usasse o anel, que achei bonito. Na época do *Jovem Guarda*, entrei no palco com vários anéis-calhambeque nas mãos para jogar ao público. Tirei todos dos dedos e, sem querer, o presente de Toni foi junto.

A fase de sucesso maciço começa com "É tempo do amor", lançado quando o *Jovem Guarda* estava indo ao ar. "Aí vai um LP para jovens. Para jovens de idade. Para jovens de espírito. Espírito fiel de mocidade sadia. De mocidade vibrante. De mocidade que ama a vida. É alegria!

É ardor! É energia! É ritmo! É, acima de tudo, sinceridade. Sinceridade de uma geração que criou algo de seu, contaminando a tudo e a todos. Assim é Wanderléa. É tudo. É também o seu ídolo", escreveu Russo na contracapa.

Sete faixas foram gravadas com o grupo The Youngsters e cinco com os Blue Caps. A faixa-título, deliciosa de cantar e de ouvir, anunciava coisas boas: "Já chegou, já chegou, novamente a bonança." A bonança chegaria com uma versão de Rossini para "Somehow It Got To Be Tomorrow (Today)". "Ternura" ganhou um belo arranjo e, por meio dela, o Brasil passou a me conhecer definitivamente. Seu Evandro, que até então achava que eu só deveria gravar canções pop ingênuas, passou a apostar no romantismo devido à repercussão da música. Até hoje me impressiono com a comoção das pessoas ao ouvi-la.

Outra faixa que adoro é o gostoso roquinho "Um quilo de doce", presente de Roberto e Erasmo. Eu já havia gravado músicas dos dois, mas nunca em parceria. Rossini também fez uma especialmente para o disco, "Vivendo sem ninguém". Tenho boas lembranças de "Um beijinho só", que cantei bastante nos primeiros meses do *Jovem Guarda*. Mesmo gravada às pressas, "É tempo do amor" foi especial na minha carreira.

Tenho algumas ressalvas quanto ao terceiro disco, *A ternura de Wanderléa*. O título é óbvio demais e, para a capa, Armando Canuto tirou várias fotos. Escolheram justamente a que eu não queria. Eu estou de lado, deixando evidente uma espinha no canto esquerdo do rosto, perto do queixo. Naquela era pré-Photoshop, o jeito seria fazer tudo de novo.

Bati no escritório de Seu Evandro e pedi a ele para refazermos a capa. Expliquei que não havia gostado da maquiagem, que o ângulo da foto era ruim e que ainda por cima dava para ver minha espinha. Seu Evandro disse que não poderia fazer nada; o disco já estava na fábrica. A foto seria aquela. Tive de engolir esse sapo.

"Pare o casamento" estourou logo que chegou às rádios. A versão de "Stop The Wedding", gravada pelo trio feminino The Charmettes, foi feita por Luiz Keller, amigo e colega de orquestra de Jaime e Sua Música, que fora contratado pela CBS como cantor. A gravação foi feita rapidamente. Mas quem iria ser o padre da introdução? Othon Russo foi chamado às pressas e gravou o texto. Também fiz minha estreia como compositora, ao lado do meu futuro compadre Renato Corrêa. Um dia ele me visitou em casa e começou a assoviar. Renato contou que aquela era uma melodia composta recentemente e eu disse que tinha uma letra perfeita para ela.

Eu tinha um diário no qual escrevia alguns poemas e reflexões, que não mostrava para ninguém. Lá estava a letra de "Imenso amor". O final era diferente, para baixo. Disse a Renato que queria terminar de um jeito positivo e escrevi:

Mas sei que em breve voltará
E para sempre há de ficar
Comigo melhor porque
Só você meu bem me fez
Humilde confessar assim
O meu imenso amor

Também fiz uma versão, ao lado de Lilian, da dupla Leno e Lilian, para "When I'm Alone", do grupo inglês The Dave Clark Five. Era originalmente instrumental. Lilian namorava o blue cap Renato Barros e fizemos "Em meus sonhos" rapidamente no estúdio. "Boa noite, meu bem", "Esta noite eu sonhei" e "Não vai, baby" são músicas de que gosto bastante, até hoje pedidas em shows. *A ternura de Wanderléa* foi o disco que solidificou minha carreira.

O álbum seguinte, que levou apenas meu nome, me satisfez totalmente. A capa é linda. Enquanto fazia o trabalho de divulgação em São Paulo, fui a uma rádio e a vi na parede ampliada. Fiquei morrendo de vontade de pedir para levar comigo. Aquele foi um disco muito bem-tocado e arrojado para a época, puxado por "Prova de fogo". Curiosamente,

Erasmo não me deu essa música em mãos, foi escolha do pessoal da gravadora. "Horóscopo", de Carlos Imperial, também foi direto pra eles. Quando Roberto Corrêa e Sylvio Son mandaram "Te amo", constatei que estava diante de uma belíssima canção romântica. "Gostaria de saber", "Vou lhe contar" e "Você tão só" são excelentes versões.

No final de 1968, saiu meu último álbum pela CBS. *Pra ganhar meu coração* foi o primeiro gravado após o fim da Jovem Guarda, dividido entre seis versões e seis músicas originais. Acho bem diferente dos anteriores, um trabalho que reflete meu amadurecimento musical. "Estou com raiva de você", "Quem muito fala pouco acerta" e "Toque pra frente" têm influências da música negra americana. Também gosto de "Pra ganhar meu coração", de Eduardo Araújo e Chil Deberto, "Eu já nem sei", novo presente de Roberto e Sylvio, e "A menina", escrita por Regina Corrêa, integrante do Trio Esperança e irmã de Roberto. Com esse repertório, vi que poderia investir em caminhos diferentes.

Destaco também duas gravações, incluídas nos filmes de que participei e lançadas em compacto. Adoro "Foi assim (Juventude e ternura)", tema principal do filme *Juventude e ternura*, escrita por Ronaldo e Renato Corrêa, meu último sucesso de Jovem Guarda. E, apesar de ter gravado poucas parcerias de Roberto e Erasmo, o ano de 1969 terminou com "Você vai ser o meu escândalo", que os dois me deram para cantar na trilha de *Roberto Carlos e o diamante cor-de-rosa*.

Com o passar do tempo, fui aprendendo a gostar desses discos. Fiquei anos sem ouvi-los e me reencontrei com eles quando minhas filhas se interessaram pela minha carreira. Todos têm uma vibração jovem e verdadeira, retratando minha alegria de viver para cantar. Renato Kramer, fã e amigo, me contou que viaja e enfrenta o trânsito ouvindo essas gravações. Quando está triste, elas levantam seu astral.

A CBS nunca me deu nenhuma satisfação sobre meu desempenho em termos de vendagem. Por isso, nunca soube qual trabalho dos anos 1960 vendeu mais, nem pedi prestação de contas. Mas agora isso pouco importa. Ficaram as canções na memória do público que me acompanha até hoje, e elas são minha maior riqueza.

A Irmãzinha Noiva

Entre um compromisso e outro naqueles tempos de Jovem Guarda, eu cuidava do meu cabelo no salão de Carlos Jambert, frequentado por atrizes, cantoras e mulheres da sociedade paulistana. Foi no Jambert que conheci dona Jacy, senhora de posses que também era cliente assídua do cabeleireiro. Comentávamos amenidades típicas de um salão de beleza. Sua filha havia morrido e ela tomou para si a responsabilidade de criar os netos ao lado do genro. Um dia, ela foi ao estabelecimento e veio falar comigo com uma fisionomia séria:

— Tenho um convite pra você. Você já ouviu falar do espírito da Irmãzinha Noiva?

Respondi que não, nunca tinha ouvido falar. Ela explicou que a Irmãzinha Noiva era uma entidade que, em suas encarnações, ocorridas em intervalos de sete anos, ficava noiva mas morria em seguida, sem nunca consumar o casamento. Segundo dona Jacy, era um espírito evoluído, cuja materialização ocorria em sessões espíritas uma vez por ano.

— Ela pediu, através de mim, que você fosse a uma sessão para falar com ela.

Não sabia que dona Jacy era ligada ao espiritismo. Com a Jovem Guarda no auge e as pressões do sucesso ainda jovem, eu procurava alguma forma de me conhecer melhor. Queria saber o sentido do que eu era, do que eu fazia e qual era o meu propósito. No Rio, eu costumava frequentar a seara de São João Batista, um centro de mesa branca. Lá, conheci Nana Caymmi e ficamos amigas. Até fizemos shows com seu pai, Dorival, com o intuito de arrecadar fundos para a instituição, dirigida pela amada Neuza. Meus pais eram católicos, mas vovó Geraldina era aberta a outras religiões e, quando criança, ela até me levou para tomar passe. Fiquei interessada com o convite de Jacy, porque materialização era algo inédito para mim.

Jacy me levou até o centro, em uma casa simples de um bairro distante. Ela me apresentou à médium e à sua filha, que pediram para eu sentar na cadeira que estava no canto da pequena sala. Ao lado, havia um móvel com um velho gramofone. Pouco depois, um casal de idosos, que estava sofrendo pela morte do neto em um acidente de avião, juntou-se a mim. Portas e janelas foram vedadas com panos escuros para que as luzes da rua não entrassem. A médium foi amarrada pela filha em uma cadeira à minha frente, a um metro de distância.

Na sala escura, a filha começou a fazer orações. De repente, ouvi barulhos, como se a sala fosse invadida por seres invisíveis. Odores diferentes tomavam conta do cômodo e se sobrepunham uns aos outros, enquanto algo que parecia uma saia grossa se chocava com minhas pernas. O disco do gramofone começou a girar e a agulha desceu, tocando imediatamente a "Marcha nupcial", de Mendelssohn. Com a médium desfalecida na cadeira, apareceu um foco de luz na nossa frente, se expandindo devagar. Era uma projeção fosforescente de uma figura muito pequena, vestida de noiva. Parecia que seu corpo não estava ali por inteiro. Era a Irmãzinha Noiva. Ela se dirigiu primeiro ao casal de idosos e disse algumas palavras.

Quando a entidade chegou perto de mim, encostou sua pequena mão no meu corpo, pedindo que eu segurasse sua trança. Não tive medo e senti seus cabelos grossos, como se ela fosse uma pessoa de carne e osso.

— Há uma pessoa que quer entrar em contato com você.

Sua fisionomia continuava ali. No escuro, surgiu uma voz.

— Le-i-nha!

Eu conhecia aquela voz de algum lugar, mas a ficha não caía.

— Le-i-nha, sou eu. Le-ni-nha!

Era a voz de Leninha, minha irmã que havia morrido assassinada. Comecei a chorar compulsivamente, sem saber o que dizer. Sua voz, um pouco mais ágil, continuava a sussurrar.

— Estou acompanhando você, papai, mamãe e nossos irmãos. Estou olhando por vocês.

Suas palavras me emocionaram. Retribuí sua presença cantando "Estrada do bosque", música que ela adorava. Acredito que minha irmã apareceu por meio dessa entidade por morrer doze dias antes de ficar noiva. Um dos cheiros que eu havia sentido era o mesmo odor que eu sentia em casa e que, na minha cabeça, representava a presença da minha irmã. Saí de lá acreditando totalmente no que tinha visto e ouvido. Eram associações concretas demais para eu ter testemunhado algo irreal.

Por algum tempo, não disse a ninguém da minha família o que eu havia visto. Alguns meses depois, visitando meus pais no Rio, tomei coragem e contei para Wanderley toda a história, querendo saber sua reação antes de dizer a meus pais. Talvez eles se sentissem reconfortados com a mensagem de Leninha. Achei que ele não só acreditaria em mim, como também compartilharia da minha comoção. Que nada. Deu gargalhadas.

— Ah, Léa, para de ser ingênua. Até parece que isso é possível. Foi tudo encenação, você participou de uma armação.

Ainda tentei argumentar com Wanderley. Ele ria sem parar e dizia para eu parar de ser boba. Por seu descrédito, não comentei sobre esse fato com ninguém por cinquenta anos. Ainda mantive contato por muito tempo com dona Jacy, com quem continuei a conviver. De um jeito bem generoso, ela chegou a cuidar de mim durante uma febre.

Jamais questionei sua seriedade em relação ao espiritismo, o que me faz manter a opinião sobre o que vi. Recentemente, falei sobre isso com meu marido, Lalo. Ele também duvida do que aconteceu naquela tarde. Mas tenho certeza de que falei com Leninha, cuja alma pura continua a nos proteger lá de cima.

Perto do fim

A concorrência entre as emissoras de televisão era grande. Cheguei a receber várias propostas da TV Tupi para comandar o meu próprio programa, com um cachê extremamente vantajoso. Não aceitei. Eu gostava de estar com Roberto e Erasmo, e seria difícil alcançar uma vibração como a do *Jovem Guarda*. Nunca me arrependi, mesmo sabendo que naquele fim de 1967 seu formato começava a se desgastar. Cabia a nós, como representantes da juventude, renová-lo. E a melhor maneira de manter o interesse era fazer música boa. Acho que estávamos evoluindo artisticamente, descobrindo, por exemplo, a música negra americana e incorporando-a em nossos trabalhos. Éramos instigados a criar, a fazer diferente.

Até que Roberto foi participar do Festival de San Remo, cantando "Canzone Per Te". A música foi a grande campeã do evento e ele voltou ao Brasil triunfante, decidido a investir em uma carreira internacional. A equipe soube que ele sairia do programa na virada de 1967 para 1968. "Tenho muitas dívidas para com o *Jovem Guarda*, mas acho que sem o Roberto não será possível fazer o programa. O lugar de Roberto ficará vago. Onde é que vão arrumar outro artista com o jeito dele para continuar o *Jovem Guarda*?", indaguei à revista *Intervalo*. Afinal, ele era o grande ícone, para nós e para o público.

Roberto participou pela última vez do programa em 17 de janeiro. Erasmo chorava sem parar, e eu tentava me conter, sem sucesso. No palco, um filme se passava em minha cabeça, ao perceber que um ciclo iniciado no final de 1961, quando conheci Roberto e Erasmo, chegava ao fim. Nós três ficamos extremamente emocionados naquela despedida, embalada justamente pela tradicional "Valsa da despedida". Em seis anos de convivência cotidiana, desenvolvemos uma coisa além do companheirismo. Não sei definir o que é. É algo muito forte dentro da gente e, se somos lembrados por aquilo que fizemos juntos, devemos agradecer ao povo brasileiro por manter essa memória viva em corações e mentes.

Eu e Erasmo ficamos com a missão de dar sequência ao programa, sem termos o menor entusiasmo para prosseguir. Roberto já estava seguindo um caminho diferente e era a hora de procurarmos o nosso. Em maio de 1968, ocorreu na França uma rebelião jovem. Ao lado de diversos setores da sociedade, universitários lutaram por uma renovação de valores sociais e sexuais, dando início a uma greve geral reprimida pela polícia. É simbólico perceber que o *Jovem Guarda* acabou nesse mês, sendo exibido pela última vez no dia 26, como se toda uma era de pureza, espontaneidade e inocência chegasse ao fim. Disseram a nós que aquela seria a última edição quando estávamos prestes a entrar no palco, sem maiores satisfações. O término, sem Roberto, era questão de tempo.

Eu já estava cansada daquela maratona de programas havia algum tempo e nem me interessei em saber qual havia sido o fator determinante para o fim. Foram quase três anos em que minha liberdade esteve cerceada. Eu não conseguia um domingo livre para visitar minha família no Rio ou namorar sem a preocupação de chegar à rua da Consolação com antecedência. A Jovem Guarda deixou saudade, isso é inegável, mas acabou no momento em que precisava acabar. Terminamos essa história de uma maneira bonita. Muitas pessoas me perguntam se eu presenciei algum caso engraçado durante o programa. Mas acho que quem se divertia de verdade era o nosso grande público. Para nós, era trabalho duro, ainda que feito com amor e prazer.

Legado

A imprensa vivia declarando que o programa e o movimento Jovem Guarda seriam passageiros. Nós também pensávamos assim, o que nos fazia viver aquela alegria como se não houvesse amanhã. O programa não completou três anos no ar. Mas tudo foi tão intenso que para mim pareceram cinco anos ou mais. As sementes brotaram e os frutos estão aí. A Tropicália, os Secos e Molhados, os Dzi Croquettes e o rock dos anos 1980 apareceram porque abrimos os caminhos. A referência é sempre importante e reveladora, pois nos dá condições de efetivar nossos propósitos de outro jeito, norteando os erros passados e viabilizando acertos. Chegar na frente, do jeito que fizemos, é barra-pesada.

Presumo que muitos daqueles críticos que não gostavam da gente, alguns deles ainda vivos, sintam a nossa falta, pois trouxemos uma contribuição construtiva e um charme especial àqueles tempos. O comportamento do jovem brasileiro evoluiu, as mulheres se empoderaram e a indústria cultural e fonográfica brasileira nunca mais foi a mesma.

Quando a Jovem Guarda começou, a representação da CBS em São Paulo ficava em um pequeno escritório no bairro da Liberdade. Aos poucos, a filial foi crescendo e a gravadora tornou-se a maior vendedora de discos no país. Com muita humildade, creio que eu e Roberto somos responsáveis por essa expansão. Os músicos, que antes eram mal remunerados, conseguiram equiparar seus cachês aos nossos. Os artistas brasileiros, que despontariam nos anos 1970, deixaram evidente em seus trabalhos a influência do que fizemos. Alguns deles me disseram que decidiram seguir o caminho da música porque tinham o desejo de ser como a gente. A cantora Simone, por exemplo, me contou que se via como o par ideal de Erasmo, só por ser alta como ele.

O preconceito da MPB em relação a nós ficou para trás e também nos tornamos MPB. Eu, Roberto, Erasmo e tantos outros colegas de Jovem Guarda continuamos a traçar nossos caminhos porque somos populares e, acima de tudo, brasileiros. Participei de projetos que comemoraram os 30 e 40 anos do movimento e, quando estou ao lado dos colegas, um filme se passa na minha cabeça. Velhos tempos, belos dias.

O diamante cor-de-rosa

O diretor Roberto Farias quis juntar Roberto, Erasmo e eu na telona em *Roberto Carlos e o diamante cor-de-rosa*. Era um filme ambicioso, com locações no Japão e em Israel, em que interpretávamos nós mesmos. Com perseguições, disfarces e muita música, a história tinha início em Tóquio. Na companhia dos dois, eu comprava uma estatueta, que o misterioso vilão interpretado por José Lewgoy também desejava. Começava aí uma caça ao tesouro envolvendo um gênio protetor e samurais, pois, em seu interior, o objeto guardava um mapa cifrado que levava ao diamante cor-de-rosa do título.

O que aconteceu por trás das câmeras valeria um filme à parte. Houve uma escala em Nova York antes de seguirmos para o Japão. Lá pude conhecer melhor Nice, esposa de Roberto, mulher cheia de alegria e personalidade. Toda a turma se reuniu para assistir a um show da cantora Gladys Knight, na boate Copacabana. A apresentação foi excelente e decidi esticar a noite com Erasmo para conhecermos outras baladas. Vestidos com roupas excêntricas, entramos em um lugar frequentado só por negros, que nos encararam furiosos. Aquela era uma época de conflito racial extremo nos Estados Unidos, e brancos não eram permitidos naquele espaço. Vieram nos perguntar o que fazíamos ali e acho que só saímos ilesos porque deu tempo de pedir desculpa dizendo que éramos turistas.

No dia seguinte, às vésperas da viagem para a Terra do Sol Nascente, saí com Nice para fazer compras na Quinta Avenida. Andamos tanto com nossos saltos altos que, chegando ao hotel, mal conseguíamos ficar em pé. Nós duas estávamos contentes de poder caminhar sem nenhuma preocupação com assédios agressivos ou flagrantes da imprensa, ao contrário do que acontecia no Brasil. No avião, dormi mal. Ao pousar, tudo o que eu queria era ir para o hotel descansar, depois de doze horas de voo.

Quando chegamos ao Japão, fizemos o check-in e descobri que ficaria em um quarto ao lado do que acomodaria Erasmo, bem separado do resto da equipe. Estava na cara que a produção tinha resolvido dar uma de cupido, já que éramos os únicos solteiros do grupo. Com os pés inchados e cansados, doía andar pelos largos corredores sob aqueles intermináveis tapetes vermelhos. Um empolgado Erasmo vinha ao meu lado tentando puxar assunto.

Gentilmente, ele se ofereceu para abrir a porta do meu quarto. Pegou a chave e sorrateiramente entrou junto. Em um pulo, se esparramou na minha cama, cruzando os braços atrás da cabeça, sorrindo de uma forma bem sacana. Aquela era mais uma cena do meu amigo para tentar me conquistar. Eu não achei graça.

— Qual é, Erasmo? Acabamos de chegar, estamos cansados, deixa de brincadeira. Vai pro seu quarto, vai. Amanhã a gente tem gravação cedo e precisamos descansar.

Pedindo para eu deitar ao seu lado, ele continuou na cama. Irritada, eu só dizia não e insistia para que fosse embora. Erasmo se divertia com meu mau humor, brincando de gato e rato enquanto eu tentava pegar a chave escondida em uma estante atrás de sua cabeça. Estava determinado a viver uma inesquecível noite de amor comigo em Tóquio. O Tremendão era um baita homem para nenhuma Madre Wandeca de Calcutá botar defeito, mas era difícil de acreditar naquela pegadinha, após tantas horas de voo.

Como Erasmo já havia tirado a camisa, me lembrei que ele faria uma cena do filme cantando "*Vou ficar nu para chamar sua atenção*". Então, antes que isso de fato ocorresse, peguei um travesseiro e um lençol que estava a seus pés e rapidamente fui para o banheiro, trancando a porta. No ofurô, improvisei uma cama, o que me valeu outra noite maldormida. Ao acordar, liguei para Nice comentando o ocorrido. Ela riu muito e disse que, como eu havia me separado de Armando recentemente, ele estava aguardando uma oportunidade certeira para se aproximar.

Nice ficava esperando a filmagem terminar para ir comigo à sauna do hotel, que oferecia banhos orientais e massagistas. O jovem cônsul do Brasil era nosso acompanhante fixo nas baladas noturnas e tivemos um flerte que só acabou porque precisávamos continuar as filmagens em Israel. Lá, gravamos algumas cenas e, subitamente, Roberto precisou voltar ao Brasil para fazer shows e terminar seu disco, com a promessa de retornar o mais rápido possível. A equipe permaneceu em Tel Aviv, em um hotel de frente para a belíssima praia de Jaffa.

Sem ter o que fazer, ia com Nice mergulhar todas as manhãs depois do café. Um dia, no meio de um bronze na areia, apareceu um homem na sacada de um dos quartos do nosso hotel, vestindo um robe e com um copo na mão. Ele olhou e apontou para nós, dando a entender que queria falar com a gente. Pouco depois chegou, tentando puxar assunto em inglês, que há tempos eu não praticava. Mas ele se virou bem no espanhol e fomos nos entendendo assim.

O americano de ascendência judaica Richard Donner estava prestes a completar 40 anos e acompanhava as filmagens de *Crepúsculo de um ídolo*, protagonizado por Richard Harris e Romy Schneider, a eterna princesa Sissi. Gostei do bom humor daquele moreno bonito e cheio de classe que se apresentou como Dick. No dia seguinte, voltamos à praia e lá estava ele, nos convidando para jantar com a equipe de seu filme. À noite, sob os olhares de aprovação e cumplicidade de Nice, o clima de paquera ficou claro entre nós. Só não viu quem não quis.

Erasmo ficou sabendo de Dick e não gostou. Por várias noites, Nice e eu convidávamos o Tremendão para jantar com a equipe de *Crepúsculo*, e ele sempre recusava. O ciúme, aliás, foi geral. O pessoal que trabalhava no nosso filme nos tratava como traidoras, incomodadas com o fato de a turma de Dick ter à disposição várias câmeras de última geração, enquanto *Diamante* era rodado com apenas uma, operada pelo próprio Farias. Nesse meio-tempo, Roberto retornou a Tel Aviv e rodamos as cenas que faltavam. A passagem final, antológica, foi feita na volta ao Brasil. Descemos a avenida Niemeyer em um jipe cantando "É preciso saber viver", símbolo de uma amizade que durará para sempre.

Londres

Já havia combinado de me encontrar com Richard em Londres, para onde ele tinha viajado dias antes. Roberto e Nice foram para lá pouco depois. Ficamos hospedados no antigo Londonderry Hotel, na Park Lane. Richard veio nos buscar em um antigo Rolls Royce marrom e bege para assistirmos a *Uma dupla em ponto de bala*, filme que ele havia acabado de dirigir, com Sammy Davis Jr. no papel principal. Richard também nos levou à badaladíssima estreia de *Sem destino*, estrelado por Dennis Hopper, Peter Fonda e Jack Nicholson. Terminamos a noite jantando todos juntos, esticando depois em sua casa em uma vila tipicamente londrina.

Tínhamos como prioridade visitar dois velhos amigos. Caetano e Gil moravam com Dedé e Sandra, suas respectivas esposas, em uma casa na Redesdale Street, no bairro de Chelsea. Nosso encontro foi maravilhoso, com muita música. No meio da cantoria, Roberto disse que tinha uma canção nova para mostrar: "As curvas da estrada de Santos". Caetano ouvia com atenção, emocionado. Talvez ele tenha se identificado com versos como "Preciso de ajuda/ Por favor, me acuda/ Eu vivo muito só", pois acho que ele se sentia assim naquele momento do exílio.

Roberto e Nice voltaram para o Brasil, e eu continuei mais alguns dias em Londres, hospedada em uma pensão. Guilherme Araújo, empresário de Caetano e Gil, com quem havia tido algum contato nos bastidores da TV Record, foi meu fiel escudeiro durante minhas andanças pela cidade, me levando às butiques da King's Road, a rua da moda. Trouxe de lá umas fardas iguais às que os Beatles usaram na capa do clássico disco *Sgt. Pepper's Lonely Hearts Club Band*. Bastante antenado com as novidades da Swinging London, e circulando com desenvoltura pelas mais variadas formas de arte, Guilherme era uma pessoa interessantíssima. Aprendi muito com ele e plantamos uma semente de amizade que seria fundamental para minha carreira.

Minha aproximação com os baianos e com Guilherme, carioca da gema, deixaram em minha memória momentos inesquecíveis. Caetano e Gil me chamaram para acompanhá-los em uma visita à casa de um produtor musical inglês, cujo nome não me recordo. Segundo Caetano, pode ter sido Ralph Mace ou Lou Reizner, que produziram seu primeiro disco em Londres. Chegando lá, Gil tocou violão e Caetano cantou uma canção em inglês, de melodia triste, que eu não conhecia. Era a ainda inédita "London London". Até hoje, quando a ouço, me transporto para aquele momento com eles, em que a música lhes dava esperança para suportar o exílio forçado.

Quando voltei ao Brasil, a imprensa ficou sabendo do meu envolvimento com Richard e o procurou em Londres para falar a respeito. Ele foi receptivo e comentou do nosso encontro com muito carinho. De volta ao Rio para dublar *Diamante cor-de-rosa*, que assim como *Juventude e ternura* havia sido feito sem som direto, descobri que Erasmo estava namorando a querida Narinha. Linda morena que veio a ser o grande amor de sua vida, ela já havia invadido seu coração. Desse amor, nasceu o meu lindo afilhado Leonardo.

Depois de *Diamante*, que estreou em julho de 1970 e levou 2,64 milhões de espectadores ao cinema, nunca mais atuei profissionalmente, pois preferi deixar a carreira de cantora em primeiro plano. De vez em quando algum amigo me telefona e fala "Léa, estou vendo *Juventude e ternura* no Canal Brasil" ou "Liga a TV, está passando *Diamante cor-de-rosa*". Pego o controle da TV, me sento na poltrona e, ao ver aquela menina jovem e loiríssima de tantos anos atrás, me divirto ao lembrar daquelas passagens que vivemos nos sets de filmagem, ao lado de companheiros que marcaram minha vida para sempre, dentro e fora das telas.

Nanato

Voltei para o Brasil após as filmagens de *Roberto Carlos e o diamante cor-de-rosa* completamente apaixonada por Richard Donner. Queria vê-lo de novo em breve. Poucos dias depois de desembarcar, recebi em meu apartamento em São Paulo dois representantes de Chacrinha: sua secretária Nalígia e seu filho José Renato Barbosa, carinhosamente chamado de Nanato, que conheci três anos antes, quando fui ao programa do Velho Guerreiro assinar o contrato para participar do filme *Juventude e ternura*. Nessa ocasião, houve uma troca de olhares entre nós.

Naquele início de 1970, Chacrinha soube que meu contrato de exclusividade com a TV Record havia terminado. Ele queria que eu participasse dos programas *Buzina do Chacrinha* e *Discoteca do Chacrinha*, ambos exibidos pela já poderosa Rede Globo, e pediu que Nanato e Nalígia fossem ao meu encontro para fazer o convite. Durante a conversa, contei que iria ao Rio terminar a dublagem do filme e que, por ora, seria difícil me comprometer, pois isso me tomaria um bom tempo.

Durante minha estadia no Hotel Glória, voltei a recebê-los várias vezes e os dois continuavam insistindo para que eu comparecesse aos programas. Comecei a achar estranha tamanha persistência. Em uma noite, Nalígia abriu o jogo. Disse que Nanato estava interessado em mim.

As visitas eram uma forma de ele ficar por perto. Fiz pouco-caso porque, apesar de bonito, achei-o muito jovem por ter apenas 20 anos. E eu ainda suspirava de saudade do cineasta americano.

Não demorou muito para que Nanato me convidasse para ir ao cinema com ele. Como eu passava o dia inteiro fazendo o trabalho de dublagem, sem nenhum tipo de diversão, achei que seria uma boa oportunidade para espairecer. Fomos ao Cine Capri ver o faroeste *Butch Cassidy*, com Paul Newman, de quem sou grande fã, e Robert Redford. Por ser filho de artista famoso, Nanato sabia todos os macetes de sair em público com celebridades sem chamar atenção. Compramos os ingressos com antecedência, entrando na sala já escura e saímos assim que os letreiros finais começaram a subir. Depois da sessão, fomos tomar sorvete.

Charmoso e agradável, ele me conquistou de tal maneira que me esqueci da paquera anterior. Nosso início de namoro foi ótimo; eu queria ficar perto dele sem desgrudar. Quando vinha de São Paulo, ia direto para seu apartamento em Ipanema e telefonava para minha mãe dizendo que só depois pegaria a ponte aérea.

Chacrinha e sua esposa, dona Florinda, souberam que nossa relação era para valer e me receberam de braços abertos. Estivemos juntos no casamento de seu filho mais velho, Jorge Abelardo, com Verônica, na Igreja Santa Margarida. A imprensa, que soltava notinhas aqui e ali sobre o namoro, ainda não assumido publicamente, fez algumas fotos minhas com Nanato e confirmou a história. No tempo livre, frequentávamos shows, entre eles o de Elis Regina no Canecão; cinemas em Copacabana — sempre chegando com o filme começando e saindo assim que os letreiros subiam na tela —; a praia de São Conrado, onde havia poucos banhistas em comparação a outras praias cariocas; e restaurantes da moda, como o La Mole, em Ipanema, indo de um lugar para o outro a bordo do Fusca que ele dividia com seu irmão gêmeo, Leleco.

Minha vida seguia um rumo novo no Rio e voltei a morar em terras cariocas. Além de participar dos programas de Chacrinha, a TV Globo me contratou para estar no time de apresentadores de *Alô Brasil, aquele abraço*, uma gincana televisiva entre estados, em que eu representava Minas Gerais. Também estava em fase de produção o espetáculo *Rosa de areia*, escrito por Chico Anysio para mim e Grande Otelo. Chico havia visto um número do *Alô Brasil* em que eu e Otelo cantávamos "Boneca de piche". Sem conseguir espaço em minha agenda, tive que sair do projeto. De vez em quando me pego pensando no que *Rosa de areia* poderia ter representado para minha carreira.

Nanato me pediu em casamento em julho de 1970. Trocamos alianças, compradas na rua Augusta, em animada festa com nossos familiares. Chacrinha nos levou a seu programa, anunciando que o casamento estava próximo. Houve quem achasse que aquilo era sensacionalismo, mas quem conhecia bem o homem que iria se tornar meu sogro sabia que ele pouco se importava com a opinião alheia. Algum tempo depois, meu pai morreu. Nanato foi compreensivo com a minha dor e fez o que pôde para eu superar aquela perda tão profunda.

Fomos juntos ao Maracanãzinho durante o V Festival Internacional da Canção, em 1970, em que participei com a música "A charanga", uma parceria com Dom, da dupla Dom e Ravel. Convidei a cantora Marinês para subir comigo ao palco do Maracanãzinho. As sanfonas, zabumbas e triângulos do arranjo feito pelo tropicalista Rogério Duprat ressaltavam a influência nordestina. Em um momento de transição da minha carreira, começando a explorar ritmos tipicamente brasileiros, a presença e o incentivo de Nanato foram decisivos. Ainda que "A charanga" não tenha levado nenhum prêmio do festival, foi a concorrente que vendeu mais discos. Portanto, as perspectivas para a minha vida e carreira depois da explosão da Jovem Guarda eram as melhores possíveis.

A morte de papai

Depois que fui morar em São Paulo, passei a ter pouco tempo para visitar minha família. Sentia falta de todos e fiquei muito tempo sem ver meu pai. Consegui tirar uns dias de folga para lhe fazer uma visita surpresa em Xerém. Eu já havia ido para lá com a família algumas vezes, mas essa seria a primeira em que eu estava sem companhia. Anotei algumas informações para não errar o caminho e peguei a estrada. Porém, querendo chegar o mais rápido possível, tomei um atalho e me perdi.

Enquanto tentava achar o caminho que levaria ao sítio, me embrenhei em um matagal que na verdade me parecia uma floresta. O carro caiu em um buraco e atolou. Eu acelerava e o motor fazia o maior barulho, soltando terra por todos os lados. Era fim de tarde e fiquei com medo de escurecer sem ninguém por perto para ajudar. Já estava decidida a permanecer dentro do veículo para esperar o dia nascer. De repente, surgiu a visão de um homem montado a cavalo em minha direção. Seria um bandido vindo me assaltar? O John Wayne está por aqui? Ele não é parecido com o Roy Rogers? Nada disso. Era papai Salim!

Talvez avisado pelos moradores da região, que espionando às escondidas deduziram ser eu a filha do seu Salim, ou talvez pelos sinais emitidos por algum pigmeu ou duende da floresta, papai veio me salvar.

Meu herói me resgatou e ainda conseguiu tirar o carro do atoleiro. Todo o seu amor encheu o meu coração de alegria e alívio. Passei três dias com ele, cozinhando em fogão a lenha como era o nosso costume em Minas. A gente colhia verduras cultivadas em sua horta e dormia em sua casa de taipa. Eu ainda tinha dúvidas quanto à sua opinião sobre meu trabalho. Ele havia comparecido a alguns programas *Jovem Guarda*, mas tinha a impressão de que era mais para se fazer presente do que por ter entendido e concordado com o que eu fazia.

O questionamento acabou quando entrei em seu quarto. As paredes estavam forradas com cartazes e fotos de *Juventude e ternura*. Ali percebi que ele havia compreendido plenamente o valor do meu trabalho, razão de tantos embates entre nós. Fiquei comovida e vi, sobre uma cômoda já desgastada pelo tempo, uma foto de papai e mamãe com os filhos. Wanderlene, minha irmã que havia morrido, se destacava na imagem com seu sorriso.

Quando fui pedida em casamento por José Renato, papai ficou eufórico. Seu sonho de me levar ao altar iria se concretizar em poucos meses. No dia do noivado, mamãe inventou de pintar seu bigode grisalho para ele ficar mais bonito. Não sei por quê ela misturou água e tintura Tablete Santo Antônio, fazendo com que o bigode ficasse preto-azulado. Estávamos acostumados com sua cabeleira e bigode grisalhos, que lhe davam um charme especial. Ficamos uma fera com nossa mãe, que se desculpava enquanto papai achava graça do escândalo que fazíamos ao seu redor.

Ele ficou com o bigode parecido com o do ator Carlos Alberto, na época fazendo a novela *Simplesmente Maria*, da TV Tupi. Acabou sobrando para a noiva resolver aquela situação. Peguei água oxigenada e misturei com amônia para descolorir. Foi difícil porque a mistura das substâncias sufocava papai, que tinha de prender a respiração. Consegui deixar seu bigode vermelho-acaju, depois de um tremendo esforço. Ficou horrível, mas tínhamos que ir para a festa.

Chegamos juntos ao apartamento de Chacrinha e dona Florinda, pais de Nanato, onde ocorreu a troca de alianças. Papai sorria o tempo todo, descontraído ao lado do anfitrião, conhecido por sua irreverência. Mal sabia que aquele seria o último momento alegre que viveríamos juntos. Dias depois, eu estava com minha mãe no apartamento da Tijuca quando soube que papai havia sofrido um acidente vascular cerebral que o deixou com um lado do corpo paralisado. Ele foi levado para casa e, de lá, seguimos com ele para o Hospital da Lagoa. Antes, ele havia tido um infarto andando a cavalo, mas nada que o comprometesse. Com seus 56 anos, mantinha a força de sempre.

Naquele período de internação, ficou muito debilitado. Ao visitá-lo, Nanato e eu dávamos banho nele, sem que saísse da cama. Depois o vestíamos. Apesar de toda nossa luta e apoio, papai não resistiu. Fui até o setor do hospital onde estava seu corpo. Chorando a sua partida, prometi a ele que cuidaria de mamãe e dos meus irmãos. Um completo ato de prepotência da minha parte. Arrasada com sua morte, não tinha condições emocionais para assumir esse compromisso. Emagreci muito e tentei me recolher. Minha mãe tentava me acalmar, dizendo que em breve eu iria me casar para formar uma bela família. Três meses depois, um acidente fez com que essa possibilidade ficasse cada vez mais distante e consumisse grande parte da minha força interior.

O acidente

Amigo de Chacrinha, Venâncio Veloso era o dono das Casas da Banha, grande rede de supermercados que patrocinava a *Buzina do Chacrinha*. Ele e sua esposa, Idalena, convidaram a família Barbosa para passar a Semana Santa de 1971 em uma de suas fazendas, em Petrópolis, região serrana do Rio. Marcamos de ir para lá no dia 8 de abril, uma quinta-feira. O combinado com Chacrinha e dona Florinda era encontrá-los no tradicional Hotel Quitandinha, às 10 horas. O Velho Guerreiro só não foi conosco pois, por superstição ou promessa, precisava percorrer cinco igrejas católicas naquele dia.

Naquela manhã acordei de mau humor, o que era incomum, e com uma tremenda dor de cabeça. Nanato veio me buscar no apartamento em que morava com mamãe, na avenida Atlântica. Ele chegou às 7 horas, enquanto ainda me trocava. Achei melhor irmos no meu carro, um BMW conversível com banco reclinável. Queria viajar deitada, descansando, sentindo o cheirinho da maresia. Nanato tirou a capota e ficamos vendo os raios de sol do amanhecer que invadiam as areias de Copacabana. Imediatamente me lembrei de "Copacabana", clássico interpretado pelo grande Dick Farney.

Copacabana princesinha do mar,
Pelas manhãs tu és a vida a cantar...

Amarrei um lenço na cabeça, coloquei meus óculos escuros e seguimos viagem. Subimos a estrada Rio-Petrópolis com Nanato feliz e animado, enquanto eu me sentia cada vez pior. Uma sensação estranha e sem motivo aparente. No meio do trajeto, bateu um vento e meus óculos caíram para fora do carro. Nanato parou no acostamento e saltou para resgatá-los. Quando voltou, eu estava fora de mim. Dizia sem parar que não queria ir, batendo os pés no piso do carro. Ele ficou tão assustado com aquela cena que concordou em voltar.

À medida que íamos descendo em direção ao Rio, eu melhorava. Chegamos ao pé da serra rindo e conversando normalmente. No meio de algum assunto, Nanato se virou para mim.

— Que tal se voltássemos? Mamãe e papai vão ficar preocupados se não chegarmos a tempo, e eles estão nos esperando. Agora não temos como avisá-los da nossa mudança de planos.

Como não sentia mais nada desagradável, disse que tudo bem. Mas a subida da serra voltou a desencadear meu mal-estar, me incomodando muito. Dessa vez, fiquei calada.

No hotel, encontramos toda a família Barbosa e contamos o que havia ocorrido. Chacrinha me deu um dos seus calmantes, além de comprimidos para enxaqueca. Seguimos em caravana para a fazenda. Uma verdadeira saga, porque a família Veloso tinha várias propriedades na região e não conseguíamos achar a fazenda certa. Quando chegamos, fomos muito bem-recebidos por eles e almoçamos todos juntos.

Desde a entrada na fazenda, Nanato insistia que fôssemos para a piscina. Eu não estava a fim e arranjava motivo para fazer outra coisa. Até dei uma volta a cavalo, mas ele foi atrás de mim. Queria porque queria entrar na água comigo. Na volta, passamos por uma sala de jogos do casarão com uma enorme mesa de bilhar. Ao ver que Jorge estava lá, tentei fazer com que ele desistisse do mergulho, espalhando as bolas coloridas no pano verde. Felizes, os dois ficaram lá escolhendo seus tacos.

Caminhando um pouco mais, me encontrei com Florinda, que papeava na varanda com Idalena ao redor daquela imensa piscina. Comecei a conversar com elas quando ouvi a voz de Nanato:

— Tchu!

Era assim que ele me chamava. Olhei para trás e, sorridente, Nanato corria rumo à água. Ele sorria, flexionando os braços que nem Tarzan. Foi quando ele pulou.

Não o vi mais. Caminhei até a borda da piscina. Vi a água vermelha de sangue cobrindo seu corpo submerso. Nessa hora Jorge veio e pulou dentro d'água, trazendo Nanato à superfície. Nanato saiu falando, lúcido, pedindo cuidado com seu pescoço. No impacto do mergulho, ele bateu a cabeça em uma barra de ferro que dividia a piscina entre a parte rasa e a funda.

Providenciamos um carro para levá-lo ao hospital mais próximo, que ficava em Três Rios, município vizinho. Jorge estava ao volante, Verônica no banco do carona, e nós ocupamos o banco de trás. Eu fiquei na beirada, dando espaço para Nanato esticar o corpo. Tentava segurar seu braço que caía a todo instante.

— Tchu, não sinto meus braços, nem minhas mãos.

Chegando ao hospital, entrei com Nanato em uma sala para acompanhar os primeiros socorros. Jorge e Verônica ficaram aguardando do lado de fora. Nanato estava na maca, e eu, ainda sem perceber a gravidade do ocorrido, pedi aos médicos para não cortarem os cachos de sua bela cabeleira durante a assepsia no ferimento. A tensão veio quando começaram a espetá-lo com uma espécie de agulha, em um exame interminável. Um dos médicos perguntou:

— Está sentindo algo aqui?

Confuso, Nanato respondeu:

— Não sinto nada.

A agulha ia subindo pelo corpo. O médico continuava a perguntar se ele sentia algo e ouvíamos apenas "não". Eu ficava mais angustiada a cada negativa. Quando a agulha chegou ao abdômen, começaram a riscar sua pele com uma caneta. Daí para a frente houve uma grande correria para providenciar exames e radiografias. Com seus olhos negros, Nanato via tudo aquilo assustado. Seu olhar procurava o meu o tempo todo.

Ainda sem saber da gravidade do acidente, passei algumas informações para Jorge e Verônica. Os dois já suspeitavam que a coluna havia sido fraturada. Chacrinha e dona Florinda foram direto para o Rio procurar o dr. Nova Monteiro, referência em ortopedia. Saímos de Três Rios em uma ambulância, com destino à Casa de Saúde São Miguel, em Botafogo. Na estrada, o motorista nos informou que passaria em sua casa.

Completamente atordoada, não entendi bem as intenções do motorista, sequer o questionei. Pensei que, precisando estar no Rio tão rapidamente, essa parada deveria ser algo relevante. Nanato batia o queixo de frio. Desajeitadamente, eu o agasalhava com o cobertor da maca tentando protegê-lo dos solavancos da estrada tortuosa em que o motorista se arriscava.

Paramos em um local pobre, de gente muito humilde. De repente, fui surpreendida: o motorista abriu a porta da ambulância e convocou família e vizinhos para nos ver, nos exibindo cheio de orgulho. Afinal, éramos o casal do momento: Wanderléa, a Ternurinha da Jovem Guarda, e José Renato, filho de Chacrinha, o maior comunicador do Brasil. Foi desumano. Logo estávamos descendo a serra e eu ainda não sabia que minha batalha ao lado de Nanato estava apenas começando. E seria dura.

Dias difíceis

Já na São Miguel, o dr. Monteiro disse que a situação era praticamente irreversível. Houve fraturas em três vértebras cervicais e na espinha dorsal, por isso Nanato precisava ser submetido a uma tração ortopédica. Atordoada, eu o vi ser operado através de um visor no andar de cima da clínica, enquanto me culpava por não ter insistido em voltar depois do meu mal-estar. Quantas e quantas vezes me perguntei se teríamos conseguido mudar os rumos da nossa história ficando no Rio.

Anos depois de me separar de Nanato, conversei sobre isso com um amigo músico. As tentativas de rejeitar aquela viagem a Petrópolis e afastá-lo da piscina me intrigaram por muito tempo. Deduzi que meu mal-estar no carro era um sinal premonitório. Para meu amigo, minha alma já sofria naquela subida da serra não apenas por ele, mas pelo que aquele acontecimento exigiria de mim. Acho que ele está certo.

Nanato permaneceu imobilizado por um mês e meio. Como ele não se mexia, suas pernas incharam. Sem sentir os membros do pescoço para baixo, ele estava tetraplégico. Passei dias e noites a seu lado na clínica. Fui praticamente uma enfermeira, revezando os cuidados com dona Florinda. Nós duas nos apoiamos uma na outra naqueles dias. Foi nesse ambiente de consternação que escrevi uma versão em português para a música "Sing, Sing, Barbara", do francês Michel Laurent. Encostada na cama de Nanato, peguei papel e caneta e coloquei para fora o que sentia, tentando ser otimista com o que viria.

De repente acordei
Vi que o sonho acabou para mim
De repente eu só sei
Adeus

De repente acordei
Vi que o sonho terminou
De repente eu só sei
Adeus

Bye, Bye, Bye, Bye, Bye
Sing, sing, bye, bye, bye
Digo pra tristeza bye
Que a vida reservou pra mim

Não vou repartir com ninguém
Não existem alegrias
Sem tristezas grandes também
A vida me ensinou ser valente
E não temer o presente
Sublimar tristezas, ter fé
Estou aí pro que der e vier

Lançada em compacto em julho de 1971, "Bye Bye" era a melhor demonstração de força que eu podia dar. O Brasil ficou comovido com a história e torcia para que tudo desse certo, por meio de cartas e manifestações na mídia, que cobriu o caso com assiduidade. Ao sair do hospital, Nanato começou um tratamento na ABBR (Associação Brasileira

Beneficente de Reabilitação), onde ficava de segunda a sexta, e ia para o apartamento dos pais no fim de semana. Acreditando na recuperação plena, ele tinha uma impressionante força de vontade.

Participei novamente do Festival Internacional da Canção para alegrá-lo, pois ele queria me ver no palco. Naquela edição, defendi "Lourinha", que Chacrinha havia conseguido com os compositores, Fred Falcão e Arnoldo Medeiros. Fomos com sua família para o Maracanãzinho, naquela que foi a primeira aparição pública de Nanato depois do acidente. Imitei Carmen Miranda e fiquei feliz com a participação de Altamiro Carrilho e sua flauta mágica nesse maxixe. Lembrei de quando eu era cantora-mirim na rádio Mayrink Veiga e cantava acompanhada pelo Regional do Canhoto, do qual ele fazia parte.

Com fé de que tudo ia melhorar, continuei trabalhando. Era o único jeito de não sucumbir. Nosso casamento, marcado para novembro, foi cancelado, na certeza de que a cerimônia ocorreria depois, quando Nanato estivesse bem. Ele fazia questão, embora eu não me importasse tanto. Aceitei casar na igreja por força de nossas famílias tradicionais. Para mim, o que importava era estarmos juntos, mesmo em um momento difícil. Quando a gente ama, não há como ser diferente.

Entre a angústia e a maravilha

Senti que era o momento de experimentar outros sons na virada para os anos 1970. Após o fim da Jovem Guarda, cada um seguiu seu caminho e decidi investir nos ritmos tradicionais brasileiros. Falei com Evandro Ribeiro sobre o meu desejo. Ele, irredutível, disse que o que eu cantava estava dando certo, era bastante satisfatório em termos de vendagem e que não via motivo para adotar uma nova postura artística. Pedi a rescisão do contrato e deixei a CBS.

Ciente da minha busca por uma nova linguagem, André Midani, então diretor da CBD Phonogram, hoje Universal Music, me ofereceu um contrato. Lá estava a nata da MPB, muitos deles grandes amigos: Elis, Gil, Caetano, Gal, Jorge Ben e Erasmo, que entrou na gravadora praticamente junto comigo. Comecei a gravar no selo Polydor, de caráter mais popular.

Depois das animadas "A charanga" e "Lourinha", gravei um compacto para o Carnaval de 1972 com "Chuva, suor e cerveja", presente que Caetano Veloso mandou de Londres por Guilherme Araújo, e "Pula pula (Salto de sapato)", de Jards Macalé e Capinan. Com arranjos de César Camargo Mariano, as faixas foram produzidas por Nelson Motta. Chacrinha achou interessante eu ter gravado o frevo de Caetano.

O ritmo era discriminado na mídia do sul por ser considerado tipicamente nordestino. Fui várias vezes a seu programa cantar a música, com a plateia composta por amigos, familiares e chacretes dançando e levantando sombrinhas. Quando Caetano retornou ao Brasil com Gil, em janeiro de 1972, a música estava estourada.

Havia chegado a hora de gravar um novo trabalho que seria a síntese da minha nova fase. Daí nasceu *Wanderléa Maravilhosa*, título dado por Guilherme, que chegou às lojas em outubro de 1972. Eu deveria ter entrado em estúdio meses antes, mas o atraso ocorreu devido ao que se passava com Nanato. Sob a produção dos queridos amigos Jairo Pires e Mazzola, com direção de estúdio de Nelson Motta, *Maravilhosa* é um trabalho incrível. Os três ficaram encarregados de montar o repertório para mim. Lancei Jorge Mautner, com a gravação de sua "Quero ser locomotiva". "Back in Bahia", de Gilberto Gil, chegou às minhas mãos ainda inédita. Hyldon, que a gente chamava de Dum Dum e no ano seguinte lançaria seu clássico "Na rua, na chuva, na fazenda", veio com "Vida maneira". Regravei os choros "Casaquinho de tricô" e "Uva de caminhão", homenageando Carmen Miranda.

Essas faixas estabeleceram o conceito brasileiro, moderno e atemporal que eu desejava para aquele álbum. Mas havia ecos dos anos 1960. A transição para uma nova Wanderléa, segundo a gravadora, deveria ser feita aos poucos. Rossini Pinto me entregou a balada "Mata-me depressa", última música que ele fez para mim. Afinal, seu estilo tinha pouco a ver com o que eu faria a partir de então. No entanto, sua composição acabou puxando o disco.

Das gravações, as lembranças mais vivas são angustiantes. Quis gravar aquele repertório alegre em péssimas condições psicológicas. Ao contrário da música de Hyldon, minha vida não estava nada maneira. Fui morar com Nanato, em uma espaçosa casa alugada na Barra da Tijuca, onde ele ficaria mais confortável e daria sequência à sua recuperação. Enquanto eu entrava de cabeça na missão de salvá-lo, com minha família e a dele nos assistindo como podiam, precisava cumprir o contrato com a Phonogram e os compromissos de carreira.

Durante uma sessão de gravação comandada por Nelsinho, não consegui colocar voz em determinada música. Naquele dia, estive com Nanato no hospital. A fim de descomprimir a quinta vértebra cervical, que esmagava a medula de Nanato, o dr. Monteiro adaptou às suas têmporas dois ferros dependurados por enormes pesos que atuavam como mecanismo de tração. Se o processo desse certo, ele não seria operado, mas a cirurgia acabou sendo inevitável. Eu, Chacrinha e dona Florinda ficamos em choque com aquela cena.

Era início de noite, e os Novos Baianos tinham um horário de gravação marcado após o meu. Eles chegaram com antecedência e viram minha tentativa de concentração para cantar. Minha situação emocional parecia fechar a garganta. Nada saía. Baby Consuelo percebeu que havia algo errado e se ofereceu para me acompanhar até o banheiro. Chegando lá, tirou de sua bolsa um cigarro de maconha e, prontamente, acendeu.

— Fuma um pouco para se acalmar, vai te ajudar a terminar a gravação.

Fumei, tive um acesso de tosse e começamos a rir. Baby me ensinava.

— Puxa um pouco mais, mais forte!

Voltamos para o estúdio e eu estava diferente. Coloquei a mão em cima da mesa de gravação e Bill, sempre a meu lado, viu que eu não estava bem. Uma explosão tomou conta da minha mente. Vieram todas as emoções de uma vez só: a morte do meu pai, o acidente de Nanato e o sentimento de impotência diante do que vivia. Entrei em colapso. Meu irmão me puxou imediatamente e fomos embora. Descemos o elevador e, quando entramos no carro, comecei a gritar e espernear. Walter, namorado de Bill, e Nalígia também estavam no estúdio e tentavam me acudir.

Saímos rodando o Rio de Janeiro enquanto eu tinha essa crise emocional, que durou uma noite inteira. Botei a cara na janela do carro e comecei a reclamar com Deus. Passei em frente ao Hospital da Lagoa, onde meu pai ficou internado, dizendo as maiores barbaridades, lembrando que havia me comprometido com ele, pouco antes de sua morte, de cuidar dos meus irmãos. Já era manhã quando o efeito da droga passou, após um copo de leite em uma padaria de Copacabana. Com alguma tranquilidade, voltei para o hospital.

Por conta da situação em que minha vida se encontrava, quase estourei o prazo de entrega do disco. Mazzola fez às pressas a letra de "Tempo de criança", versão de "I Hear Those Church Bells Ringing", sucesso do trio feminino americano Dusk. A música fecha *Maravilhosa* e só entrou porque eu precisava de uma faixa para completar as doze que devia gravar. Nem em show eu apresentei essa canção.

Muito se falou na imprensa que com *Maravilhosa* eu havia mudado. A começar pela capa, feita pelo fotógrafo Antonio Guerreiro, com cara séria, cabelo black power, ombros nus e maquiagem. Para mim, não era uma ruptura, mas sim uma evolução, depois de tanto viajar e ter assimilado referências de música e comportamento em meio à explosão da contracultura brasileira. Nada armado, apenas amadurecimento. Na contracapa, há espaço para um momento fofo: uma foto minha sorrindo ao lado de Floyd, cachorro da raça Weimaraner e xodó de Nanato.

Maravilhosa, um show para entendidos

Guilherme Araújo me convidou para fazer um show com o novo repertório no Teatro João Caetano, e estreei em 26 de novembro de 1972, com abertura de Jorge Mautner. Chacrinha não perdeu a oportunidade de comentar sobre a apresentação em sua coluna no jornal *O Fluminense*:

> Quem assistiu, no João Caetano, domingo passado, o show que Wanderléa fez, levou um susto. É isso mesmo: ela conseguiu evoluir musicalmente, sem perder sua autenticidade. Conseguiu se transformar, sem perder suas características. Conseguiu amadurecer, sem deixar de ser jovem. O show mostrou uma nova artista. Elétrica, vibrante e sobretudo atualizada.

Pela boa repercussão, decidi fazer uma temporada no Teatro Tereza Rachel. Para realizá-la, criei com Nanato e meu irmão Wanderley uma empresa para gerenciar minha carreira, a Puma Produções Artísticas. O empreendimento deu tão certo que logo começamos a trabalhar com Elza Soares e o próprio Chacrinha, promovendo suas apresentações pelo Brasil. A estreia ocorreu em 26 de janeiro de 1973, com Guilherme produzindo mais uma vez. O anúncio nos jornais dizia: "Um espetáculo para entendidos." A gíria designava o público gay, que começava a frequentar assiduamente meus shows ao lado da garotada desbundada do Píer de Ipanema, no Posto 9. A direção musical era de José Roberto Bertrami, e a banda era composta por Hyldon (guitarra), José Luís (piano), Alexandre Malheiros (baixo), Mamão (bateria), Hermes (tumbadora) e As Gatas nos vocais. Além de músicas do disco, eu interpretava grandes sucessos da carreira e inéditas como "Rock da Barata", de Mautner, e o blues "Segredo", de Luiz Melodia, ainda em início de carreira. Como o Carnaval estava para chegar, terminava as apresentações com clássicos carnavalescos e aproveitava para lançar "Sem se atrapalhar", outra marchinha que ganhei de presente de Caetano, parceria com Moacyr Albuquerque.

O cenário de Rodrigo Argolo vestia o teatro com corações de cetim salpicados de purpurina e babados de filó. Bill desenhou uma roupa de filó transparente, com uma saia evasê repleta de aplicações em brilho e enormes rolotês nas bordas dos babados sobrepostos. Foram feitos sete modelos de cores diferentes, que eu alternava a cada show. Sandálias de plataformas altíssimas, boás de plumas arrastando pelo chão do palco e muitos cílios postiços compunham o restante daquele *look*, resultando em uma extravagante performance, que a crítica adorou. Gal Costa, presença constante na plateia durante aquelas noites, me contou que Guilherme sempre quis que ela fosse como eu. Logo depois ela faria o histórico show *Índia*, com flor no cabelo e pernas de fora, para a alegria do nosso querido amigo.

Curioso lembrar que ninguém achava viável uma estreia em janeiro, período no qual as pessoas iam aos ensaios das escolas de samba. Mas a casa ficava lotada todas as noites, porque o Rio estava cheio de turistas de todas as partes do Brasil e também do exterior. Entre uma música e outra, ouvi gritos de "maravilhosa", "absoluta", "necessária" e até o hilário "Pombinha de Oxalá". Era um show caloroso, em todos os sentidos. Afinal, o Tereza Rachel não tinha ar-condicionado.

Houve uma apresentação inesquecível de *Maravilhosa* no Terezão, não por um bom motivo. Duas mulheres que estavam na primeira fila, evidentemente namoradas, passaram o show me provocando. Elas falavam e incomodavam a mim e a plateia, que fazia "psiu" pedindo silêncio. Tentei levar numa boa e comecei a cantar olhando para elas, o que só piorou a situação. Ambas passaram a fazer gestos obscenos com a língua ao redor da boca. O espetáculo prosseguia, e as duas me desconcentravam com seus gracejos desagradáveis. Comecei a cantar "Segredo", uma música dramática em meio às outras que contagiavam o público.

De joelhos, eu me sentei no chão ao ritmo do blues, em um dos poucos momentos em que o público deixava de se manifestar. Durante uma marcação do baixo, eu me ajoelhei e, quase sentada com a cabeça baixa, esperava o acorde para voltar a cantar, quando ouvi um "gostosa" de uma das moças. Aparentando tranquilidade, me levantei decidida a acabar com aquilo. Resolvi descer do palco em direção a elas. O teatro estava às escuras, restava apenas um canhão de luz em cima de mim. Fui descendo os degraus cantando os versos do blues do Melodia:

> Eu tenho um recado
> Um ódio interno guardado
> Pregado, fincado, lacrado

A luz me acompanhava. Cheguei tão perto que o foco se concentrou em nós três. Uma delas, esparramada na poltrona, proferiu em voz alta e pastosa, com cara de tesão.

— Gostosa!

Não suportei. Quando ela me fitou firme, lambendo maliciosamente os lábios, quase teve que engolir de novo a língua, tamanho o bofetão que lhe dei. O microfone reverberou o som do tapa. Houve um espanto geral da plateia, seguido de um curto silêncio. A sensação que tive ao dar as costas às moças e voltar ao palco era de que uma delas iria me puxar os cabelos e, fatalmente, a apresentação iria terminar.

Subi a escada de cabeça erguida, enquanto o público aplaudia minha atitude e jogava flores. Só então me dei conta do que fiz. Uma forte emoção tomou conta de mim, tremendo dos pés à cabeça. Com muito esforço, prendi o fôlego para sair do palco com alguma dignidade, como se fosse possível após aquela inadequada descarga de adrenalina. Fui tirada de lá ao mesmo tempo em que as moças eram expulsas do teatro. Era o fim do primeiro ato.

Quem esteve no Tereza Rachel naquela noite não se esquece desse bafafá. Quando o show acabou, o comentário foi geral. Chacrinha, que estava presente, achou sensacional o ocorrido e acreditou que a cena fazia parte do espetáculo. Ao saber que não, afirmou que eu deveria inserir aquele número no show, tamanho o impacto no público. Só a imaginação do Velho Guerreiro para sugerir uma coisa dessas. Se fosse uma cena ensaiada não teria causado esse frisson. Refletindo melhor sobre o que aconteceu, creio que o tapa foi mais uma forma de reagir ao que me afligia. Após o fim da temporada, participei de uma sessão do célebre grupo de trabalho da Phonogram, no qual os diretores da gravadora e alguns intelectuais traçavam um perfil psicológico dos artistas. Midani e sua equipe tentavam entender como eu conseguia fazer um show tão louco, com o astral lá em cima, vivendo um momento pessoal dramático. Para mim, *Maravilhosa* foi uma fuga da minha realidade. No palco, eu esquecia de tudo.

O álbum *Maravilhosa* é considerado *cult* por uma geração que nem era nascida na época de seu lançamento. Sua edição original em sebos vale muito dinheiro. Em 2012, ele foi relançado pelo pesquisador Marcelo Fróes em caixa com meus discos dos anos 1970. Em maio do ano seguinte, tive a alegria de subir no palco do Theatro Municipal de São Paulo, durante a Virada Cultural, para interpretar músicas de *Maravilhosa*. A apresentação ocorreu às nove da manhã e gerou CD e DVD, produzidos por meu marido, Lalo Califórnia — também responsável pela adaptação dos arranjos originais e direção musical —, e Thiago Marques Luiz. Contamos com o apoio de Carlos

Wanderley, do Canal Brasil, e a distribuição da Coqueiro Verde. O crítico musical Mauro Ferreira o considerou um dos melhores shows daquele ano. No Rio de Janeiro, lancei o projeto em abril de 2014, no Theatro Net Rio, atual nome do Tereza Rachel. A vida dá voltas e é, sim, maravilhosa.

Baianos e Croquettes

Apesar de a ditadura ter chegado ao auge de sua repressão no sentido político e comportamental no início dos anos 1970, o público brasileiro recebeu muito bem o trabalho vanguardista de dois coletivos que surgiram naquele período: os Novos Baianos e os Dzi Croquettes. Um grupo musical de cabeludos e outro de artistas andróginos era o bastante para escandalizar a moral e os bons costumes em vigor. Os caminhos da contracultura nacional foram abertos pela Jovem Guarda e as estruturas caretas que restavam foram abaladas pelo Tropicalismo, influências importantes para ambos. Pude conviver com eles ao mesmo tempo, frequentando os locais nos quais viviam em comunidade, duas usinas permanentes de criação. Ainda acreditavam no sonho hippie, sem se importar com dinheiro, e me recebiam como se eu fosse parte deles.

Conheci os Novos Baianos em 1972, durante as gravações do álbum *Maravilhosa*. Moraes Moreira e Galvão, compositores do grupo, me deram uma música para cantar no show do disco, "Três letrinhas", que ninguém nunca havia gravado até 2007, quando Marisa Monte a recuperou. Eu estava morando no Itanhangá com Nanato e fui visitá-los algumas vezes no sítio Cantinho do Vovô, que ficava em Jacarepaguá, na zona oeste do Rio. Cheguei lá e vi aquele monte de jovens cabeludos, fazendo música o tempo inteiro. Almoçamos todos juntos, em uma área externa. Era uma vibração muito positiva e dava pra perceber que eles estavam aprontando algo interessante. Logo viria o disco *Acabou Chorare*, cheio de sucessos. "Preta pretinha", "Brasil pandeiro" e "Mistério do planeta" fizeram a cabeça de muita gente, para lembrar uma gíria da época.

Eu adorava aquele clima e fui vê-los outras vezes. Era um pouco difícil chegar ao sítio, assim como era complicado sair do local, por uma estrada de chão batido. Acho que a turma gostava de ficar escondida para não ser incomodada, pois cabeludos vivendo juntos poderiam ser enquadrados pela polícia. Uma vez eles precisaram ir à zona sul e não me recordo de alguma condução passar ali perto. Dei carona e vieram todos espremidos no meu carrinho. Em uma outra visita, bati em um paralelepípedo. Nem me lembro de que maneira consegui sair dali.

Em 1973, decidi ir para os Estados Unidos com Nanato e acabamos perdendo um pouco o contato. Sempre que reencontro algum deles é uma alegria, ainda mais por ver que suas carreiras solo deram certo. Apesar de termos convivido menos tempo do que eu gostaria, é bom saber que os jovens de hoje reverenciam os Novos Baianos, que até se animaram a voltar a fazer shows juntos depois de tantos anos separados, com boa repercussão. Continuam com a mesma energia e entusiasmo de quando os conheci, o que é impressionante.

Quem me aproximou dos Dzi Croquettes foi Paulo Bacellar, o Paulette, que me adorava desde menino e se tornou um artista de raro talento. Ele matava as aulas para ficar esperando minha chegada no aeroporto Santos Dumont junto a outros fãs. Impressionado com o tamanho dos meus cílios, em um de nossos encontros ele me perguntou o que eu fazia para aumentá-los. Achei engraçado e, percebendo que Paulette nunca tinha visto cílios postiços, o aconselhei a usar óleo de rícino para fazer crescer os seus. Eu mal sabia que aquele adereço seria usado por ele de maneira profissional dentro do grupo. A estreia deles ocorreu na boate de Luiz Carlos Miele e Ronaldo Bôscoli, a Monsieur Pujol, em uma noite na qual eu celebrava o lançamento de *Maravilhosa* no mesmo local. Fiz um *pocket show* e eles se apresentaram depois de mim.

Foi Paulette quem me ajudou na minha preparação corporal do show *Maravilhosa*. Passávamos tardes e tardes ensaiando as mesmas coreografias que ele havia aprendido com Lennie Dale, dançarino mentor do grupo. Ficávamos encharcados de suor, mas também nunca estive tão em forma. Nosso trabalho servia de terapia para Nanato, que se divertia assistindo ao nosso ensaio. Paulette era engraçado, criativo e não me deixava parar, com alongamentos e exercícios de ombro e quadril. Quando estreamos, todos os Dzi compareceram. Eles me viam como uma "mulher viada", cheia de brilhos e maquiagem. Houve uma identificação imediata.

Os rapazes moravam na "Embaixada de Marte", o casarão de Wagner Ribeiro, que também exercia liderança sobre eles ao lado de Lennie, no bairro de Santa Tereza. Na prática, era um ateliê. Bill se enturmou e foi até lá antes de mim, por ter achado interessante a dinâmica de produção de bijuterias, cenários para espetáculos e figurinos. O dinheiro que arrecadavam com peças de artesanato era parte importante de seu sustento. Wagner fez várias saias para mim, e eu ia à casa dele para experimentar. Guardo até hoje uma delas, marrom, toda tacheada em um artesanato primoroso. Carlinhos Machado também me deu peças de presente. Bayard Tonelli, Cláudio Gaya, Cláudio Tovar, Ciro Barcelos, Eloy Simões, Reginaldo de Poly, Rogério de Poly, Benedictus Lacerda e Roberto de Rodrigues eram os outros Dzi. Para eles, a distinção entre palco e vida era inexistente. Eles encarnavam os personagens de seus espetáculos, vivendo sem camisa e maquiados, de uma maneira livre. Quem colocava ordem nas coisas era Nega Vilma, misto de secretária, governanta e mãe. Ela era sempre obedecida.

A censura era implacável com eles. Impossibilitados de trabalhar no Brasil, decidiram ir para a Europa no meio dos anos 1970. Eu já havia voltado dos Estados Unidos com Nanato e estávamos morando em um apartamento em Ipanema, na rua Prudente de Moraes, em frente ao Country Club. A classe artística organizou uma vaquinha para que conseguissem viajar. Na véspera da partida, fiz uma festa e convidamos muita gente. Sônia Braga e Elke Maravilha eram as mais animadas. Dina, nossa cozinheira, havia preparado um banquete. Na hora em que ela batia um bolo, Bill chegou perto e teve uma ideia.

— Dina, espera aí que eu tenho um ingrediente ótimo pra botar nesse bolo.

O recheio era de maconha. Enquanto o bolo era assado, todo mundo começou a rir, sabendo que Bill tinha aprontado, pois só o cheiro já deixava todo mundo doidão. Quando o grupo voltou ao Brasil, emprestei o meu apartamento de São Paulo para Paulette morar. Ele me prometeu que tomaria cuidado com o imóvel e cumpriu, entregando do mesmo jeito que entrou. Festeiro, de vez em quando convidava amigos em comum para curtir. Os queridos Jorge Fernando, diretor de novelas que também integrou os Dzi posteriormente, e Ney Matogrosso me contaram que conheceram o apartamento nessa época. Eles gostavam da ambientação psicodélica, a mesma de quando inaugurei. Era mesmo a cara deles.

Parabéns aos meus amigos, por terem deixado os anos 1970 mais leves e esperançosos. Para deter a caretice instalada no Brasil, a arte foi a melhor saída. Sempre será. Como dizia o saudoso Wagner, só o amor constrói.

O palco

A minha relação com o palco tornou-se sagrada. É onde a arte se revela e o artista assume um papel de profeta por meio do som, do texto, da luz e do cenário que fazem a mágica depois do terceiro sinal. Mas há um outro fator primordial e esquecido: a responsabilidade que o artista deve tomar para si quando está no palco. Tomei consciência disso durante um show em uma praça de São José do Rio Preto, no início da década de 1970.

Uma multidão me esperava, tinha gente pendurada até em postes. Quando a apresentação começou, vi que a polícia estava entre mim e o público.

— Olha, podem deixar o pessoal chegar perto, não tem problema — disse aos policiais.

Não foi minha intenção, mas meu pedido foi o gatilho para que invadissem o espaço furiosamente. Nessa hora, os postes caíram e tudo ficou no breu. Sem saber quem era quem, os policiais me resgataram e saí dali em uma viatura. Soube que algumas pessoas ficaram feridas e nunca mais disse nada que pudesse descontrolar o andamento de um show. Quem está no palco deve ter cuidado para não inflar os ânimos.

Preciso estar tranquila e energizada com o frio na barriga que me dá antes de entrar. Em grandes casas de shows ou em praças públicas de simples cidades do interior, minha reverência é a mesma. O respeito é mútuo e, no fim do show, saio com a sensação de dever cumprido.

Maria Madalena ou Joana d'Arc?

"Wanderléa tem sido maravilhosa comigo, como amiga, companheira, antes e depois do meu acidente. Foi ela quem sempre me apoiou nas melhores e piores horas. Sem ela, depois do acidente que sofri há dois anos e meio, quando, aos 20 anos de idade, fui parar numa cadeira de rodas, eu estaria perdido, porque não teria forças para enfrentar o difícil tratamento de recuperação que faço até hoje." Foi o que Nanato afirmou à revista *O Cruzeiro* em outubro de 1973. Sendo eu sua noiva, não podia lhe dar as costas. Era uma situação difícil e me sentia parte dela.

Algumas pessoas, até mesmo amigos, achavam que eu devia me separar. Ninguém deixava sua opinião explícita; tudo era feito por meio de insinuações sutis. Para eles, eu havia deixado de me importar com a carreira depois do acidente. Não era verdade, pois havia montado a Puma, continuava a fazer shows e estava gravando. Disseram que o sucesso e a beleza da juventude passariam rápido e eu estava descuidando do que havia conquistado.

Creio que eles até tinham boas intenções. Porém, o fato de não entenderem o quanto estar ao lado de Nanato era necessário me causava tristeza e até uma revolta, que por tantas e tantas vezes reprimi. Mesmo se minha mãe, única pessoa a quem poderia prestar algum tipo de satisfação, pedisse para eu abandoná-lo, eu a contestaria sem medo. Mas ela era íntegra demais para expressar algo do tipo.

Outros eram mais assertivos em suas tentativas de me aconselhar, e eu respondia à altura. Durante um jantar com Nanato em um restaurante, uma famosa atriz, casada com um jogador de futebol, me chamou para um canto.

— Vem cá, você não acha que está na hora de você olhar pra você mesma? Você tem a sua vida, sua carreira, você não pode ficar assim, do lado dele.

Desconfortável, apenas agradeci a preocupação. O momento mais tenso aconteceu durante uma temporada de *Charme 74*, quando eu já morava nos Estados Unidos, onde Nanato foi se tratar. O elenco e a produção do espetáculo faziam comentários sobre meu relacionamento, achando que eu desperdiçava tempo e energia com alguém tido como inválido. Eu estava no fundo do ônibus que levaria a equipe para uma apresentação quando o modelo e joalheiro José Carlos Guerreiro veio perguntar como ele estava. Respondi alguma coisa e ele se exaltou.

— Vai continuar nessa? Tá querendo virar Maria Madalena? Joana d'Arc?

Fiquei tão indignada que levantei e lhe dei um tapa na cara. As pessoas ficaram assustadas e só voltei a falar com Guerreiro quando ele me ligou prestando solidariedade pela morte do meu filho. Hoje somos grandes amigos.

Eu estava decidida a ir até o fim com Nanato. Ninguém iria me impedir.

Viagem a Pasadena

Na Puma, ajudando a cuidar da parte burocrática da empresa, Nanato se sentia forte e ativo. Envolveu-se tanto com os negócios que sugeri a ele umas férias. Acompanhados por Belinha, seu marido Dinaldo, Severino — motorista que trabalhou com José Renato até sua morte — e um enfermeiro, fizemos no segundo semestre de 1973 um cruzeiro que passou por Acapulco, Bahamas e ilhas do Caribe. Durante a viagem, conhecemos por acaso o dr. Nilson Santos, médico baiano diretor de uma clínica de quiropraxia em Glendale, Los Angeles. Ficamos impressionados com os relatos dos resultados que ele conseguia com seus pacientes, vítimas de traumas na coluna cervical.

As chances de recuperação iam de 50% a 90%. Nilson trabalhava com Hank, um americano de ascendência oriental que havia feito especialização médica no Japão e praticava medicina alternativa com massagens e acupuntura sob pressão. Voltamos para o Brasil com a ideia de tentar esse tratamento. Tudo o que pudesse diminuir a dependência de Nanato era válido. Para acompanhá-lo, consegui assumir compromissos de shows e gravações no Brasil de dois em dois meses.

Ao chegarmos, em setembro, alugamos uma casa na Milan Avenue, em Pasadena, a 17 quilômetros de Los Angeles, perto de onde ficava a clínica de Nilson. Em apenas uma semana estávamos todos instalados. Severino, Bill, a enfermeira Creuza e Heloísa viajaram conosco. Por um preço que, à época, equivalia a um apartamento de três quartos em Copacabana, conseguimos alugar uma pequena mansão confortável, rodeada de árvores antigas e bosques com esquilos. Ainda havia uma sala ampla de música com um enorme piano de cauda Steinway. Aquele cenário bucólico nos ajudou a começar a viver em um país que não era o nosso.

Resolvemos que Nanato iria dormir na parte de cima e para isso adaptamos um elevador de cadeira que deslizava por trilhos, comandado por controle remoto. Com a ajuda do dr. Nilson e de Carlos Moreira, outro grande amigo também radicado lá, montamos a casa em dois dias, ajustando tudo de acordo com nossas necessidades. Fiquei encantada com a eficiência norte-americana, porque eles têm mão de obra especializada para todo tipo de serviço domiciliar. Compramos dois carros em ótimo estado pelo preço equivalente a um Fusca usado no Brasil: um Mustang e um Buick 68 verde conversível, de capota bege. Brasileiros que também moravam na cidade se mostraram muito receptivos à nossa chegada, o que deu ânimo a todos nós. Tanto eu quanto nossa equipe tínhamos esperança de que tudo daria certo.

Nilson era gentil e se dispôs a fazer contato com a comunidade brasileira que morava em Los Angeles para nos recepcionar. Uma das pessoas de quem ficamos próximos foi o percussionista Laudir de Oliveira, radicado na cidade havia cinco anos, e sua então esposa, a americana Kate. Ele estava tocando com o grupo Chicago, que fazia enorme sucesso internacional. Por meio dele, conheci os bastidores do *showbiz* americano. Durante seis meses, os artistas gravavam e faziam shows. Nos outros seis, pensavam com calma o que fariam na próxima temporada, burilando seus trabalhos. Fiquei admirada, pois nenhum cantor ou músico brasileiro tinha tempo para parar e definir seus próximos passos. A máquina tinha que continuar girando.

Ao lado de Nanato, fui ver um show do Chicago em um ginásio imenso de Los Angeles. Circulando pelos camarins, vimos os figurinos de primeira linha estocados em contêineres, a montagem dos equipamentos de última geração e a concentração dos artistas, que chegavam cada um em sua limusine exclusiva e só saíam na hora do show. Profissionalismo total. Quando a apresentação começou, de cara percebi a qualidade do som, impressionante até para os dias de hoje. Aí entendemos por que um instrumentista tão talentoso como Laudir foi para os Estados Unidos. Naquele dia, houve uma situação curiosa. O filho mais velho dele, uma criança encantadora, roubou a cena tocando percussão.

Nossa residência tornou-se quase uma embaixada do Brasil em Los Angeles. Dr. Nilson nos contou que o humorista José Vasconcellos estava na cidade e oferecemos nossa casa para que ele fizesse uma noite performática. Em outra ocasião, tivemos o prazer de contar com a visita de Tarcísio Meira, Glória Menezes e seus filhos. Também hospedamos a querida jornalista e fotógrafa Cynira Arruda e seus filhos Biba e Flavius. A casa era grande e adorávamos vê-la cheia de amigos. Nessa ocasião fomos buscar Tarcísio e Glória próximo a Hollywood, onde estavam hospedados. Em plena Sunset Boulevard, a gasolina do nosso carro acabou. Tarcísio, com todo o seu cavalheirismo, imediatamente se prontificou a ir até a bomba de gasolina mais próxima, já que o carro era hidramático e não dava para ser empurrado.

Ficamos ali, Glória, José Renato e eu dentro do carro batendo papo esperando por algum tempo, quando lá de longe avistamos a chegada daquele monumento: Tarcísio Meira, em plena Hollywood com dois pesados galões de gasolina dependurados em cada braço. De forma muito elegante, diga-se de passagem, para Paul Newman nenhum botar defeito.

Natal

Chacrinha e dona Florinda nos avisaram que viriam para o Natal e decidimos fazer uma grande festa. Mia, irmã de Haidée Laccaio, nossa amiga e professora de inglês, emprestou sua caminhonete de cabine aberta para comprarmos uma árvore. Ela e Bill, comandando tudo com seu bom humor inglês, trouxeram para dentro da nossa casa a maior que encontraram, comprada em uma montanha nos arredores de Hollywood. De tão grande, ela foi arrastada pelas *freeways* de Los Angeles, chegando em casa salpicada de flocos de neve. Nós a colocamos perto da lareira da sala, em frente a uma janela de vidro transparente quadriculado, que ia do chão ao teto, para que todos pudessem admirá-la da rua.

Aquela árvore majestosa encheu a sala e inundou toda a casa com sua fragrância de pinho. Os enfeites foram escolhidos cuidadosamente em uma feira mexicana. Eram anjos empalhados, sinos, estrelas e imagens dos Três Reis Magos pintadas em latão. Guardo-os até hoje como lembrança. Montamos um presépio em outra janela da sala de música e todos ajudavam na decoração, ao calor das lareiras acesas e ao sabor de um vinho tinto seco. Na vitrola, o som do piano de armário de Scott Joplin. Nanato, com os olhos brilhantes, inspecionava tudo e dava ideias, sugerindo onde poderíamos colocar os enfeites.

Toda essa movimentação durou duas semanas, até a véspera de Natal, quando chegaram Florinda, saudosa de seu filho, e Chacrinha, com um chapéu de caubói enfiado na cabeça. De braços cruzados confortavelmente em cima da barriga, ele olhava admirado, inspecionando tudo ao redor, exclamando compassadamente, e talvez percebendo que éramos felizes naquele canto da Califórnia.

— É... ver-da-de.

Tom Jobim também morava em Los Angeles. Amigo de Mia e Haidée, disse a elas que queria nos conhecer. A festa foi a oportunidade para este encontro. Às 19 horas, ele apareceu e todos nós nos sentimos honrados com sua presença. Depois chegaram dr. Nilson e Carlos Moreira. Enquanto conversávamos, o sino da porta tocou. Saímos para ver o que era. Formamos uma plateia aconchegados do lado de fora da porta da entrada, fascinados com o que surgia.

Ao som de uma linda canção, como duendes por entre as árvores antigas e as luminárias do jardim, uma família de músicos veio nos fazer uma surpresa. Eram pai, mãe e três filhos, sendo o menor na flauta, carregado pelos outros dois em um carrinho de mão. Chegaram cantando, invadindo nosso jardim aberto sem cercas e pararam solenemente à nossa frente. As duas crianças tiraram do carrinho dois pequenos cavaletes, estenderam suas partituras musicais, e, como que cumprindo um cerimonioso ritual, tocaram para nós.

A formação era singular: a mulher no sax-alto; o pai na harmônica; na flauta transversal, a filha mais velha; na flauta doce de madeira, o menino; e no flautim, o caçula, confortavelmente aconchegado no carrinho de mão. Tocavam lendo as partituras musicais, harmoniosos, sutis e afinados. Pareciam anjos do céu abençoando nosso Natal. Uma aura de magia nos envolveu. Permanecemos calados, com os olhos brilhantes e a respiração visível pela fumaça que exalávamos naquela noite fria de inverno. Entramos em casa com o coração aquecido pela graça daquele momento, para mim inesquecível.

Elis e Tom

Elis Regina desembarcou nos Estados Unidos para realizar um sonho: gravar um álbum em parceria com Tom Jobim. Tive o privilégio de conviver com o talento de ambos naquele período, ouvindo em primeira mão o repertório que eles registraram entre fevereiro e março, no estúdio da MGM, em Los Angeles. A distância de carro até Pasadena não passa de vinte minutos. Ela me ligou empolgada, perguntando se poderia nos frequentar durante aquele período, e foi uma visita muito bem-vinda.

Lembro-me que ouvi seu nome pela primeira vez por volta de 1963, quando veio gravar na CBS, mas não chegamos a conviver. Nem durante o tempo em que fomos contratadas da TV Record, ela apresentando *O fino da bossa* e eu, o *Jovem Guarda*. Éramos de turmas distintas. Depois de um tempo, os ânimos se acalmaram e fiquei próxima de Elis. Cheguei a ser convidada para seu casamento com Ronaldo Bôscoli, que também se tornou um grande amigo. Infelizmente, por compromissos profissionais, não pude comparecer.

Depois de participar da nossa festa de Natal, Tom ia até nossa casa para ensaiar sua parte no disco, tocando nosso piano de cauda. Passava a noite dedilhando o instrumento e degustando uma cerveja Tuborg, que Bill providenciava a seu pedido, com um cigarro sempre no canto da boca. Ele virava a noite tocando, e nós éramos sua plateia. "Chovendo na roseira" era uma que o maestro tocava sempre. Nós conversávamos muito. O maestro havia acabado de fazer uma canção, que começava assim:

Eu nunca sonhei com você
Nunca fui ao cinema
Não gosto de samba
Não vou a Ipanema
Não gosto de chuva
Nem gosto de sol

Era "Lígia". Tom tinha o desejo de ouvir essa música cantada por uma pessoa especial.

— Adoraria ouvir essa música na voz do Roberto.

Seu desejo não iria demorar a se concretizar. Algum tempo depois, ele participou do especial de Roberto, e os dois apresentaram a canção.

Elis era uma excelente mãe. Ela passou a deixar sob nossos cuidados seu filho João Marcelo, para ter mais tranquilidade entre os ensaios e a gravação do disco. Ao lado de seu então marido, César Camargo Mariano, jantava conosco quase todas as noites. João era lindo e tinha sacadas bastante espirituosas com apenas 4 anos. Ele ficou fascinado comigo e passou a enfeitar minha cama com flores colhidas no jardim. Elis se divertia, dizendo que eu era o primeiro amor da vida dele.

Em um almoço, João avistou José Renato chegar, sendo trazido por sua enfermeira. Em voz alta, exclamou:

— Agora que eu estou sacando qual é a sua, seu puto. Só nessa cadeirinha de rodas, com a mulherada te empurrando pra lá e pra cá.

Todo mundo morreu de rir. Como se não bastasse, percebendo que demorava a ser servido, não titubeou em pegar um pedaço de coxa de frango para o seu prato.

— Com licença, que gente fina é outra coisa.

As gravações do disco terminaram, e Elis celebrou seus 29 anos conosco com bolo e tudo. Além de ser a grande cantora que era, com dedicação total a seu ofício, era uma excelente mãe e mandava ver na cozinha, preparando rapidamente saladas e molhos deliciosos. E tudo isso sem a menor frescura. Cinco anos depois, ela gravou a canção "Essa mulher", de Joyce e Ana Terra, retratando todas essas suas facetas. Minha amiga cantava o que vivia. E ela e Tom me deram o prazer de ouvir em primeira mão um álbum que hoje é discoteca básica da MPB.

Reflexões

A viagem aos Estados Unidos foi de enorme importância para o meu aprimoramento pessoal. No Brasil, eu já não podia andar na rua com tranquilidade, consequência natural do sucesso. Viver em Pasadena me dava a sensação de estar sem amarras — o que me levou a certas reflexões. O êxito na carreira artística também isola. Fiquei pensando nas manipulações imperceptíveis que havia sofrido pela máquina do *showbiz* até aquele momento, já com maturidade para reconhecê-las e avaliá-las. Com o anonimato, recuperei parte da minha essência. Administrava a casa, os empregados, o tratamento de Nanato e fazia compras sozinha. Comecei a perceber que, da maneira tranquila como conduzia a convivência com os outros, conseguia também um tratamento especial. Algo valioso em uma terra estranha, onde ninguém sabia quem eu era. Gozava da cordialidade dos vizinhos próximos que me cumprimentavam sorrindo e, no supermercado, me ajudavam a levar as compras até o carro, coisa incomum por lá.

Havia também o lado exótico de ser brasileiro, que alguns moradores locais não entendiam. Na primeira semana que passamos em Pasadena, recebemos a visita de duas crianças que moravam em uma casa junto à nossa. Soube que elas construíram uma trilha de "caça ao tesouro" entre as duas residências. Já estávamos acostumados com sua presença quando eu, com um biquíni minúsculo, e Bill, de tanguinha à Fernando Gabeira, fomos à piscina e vimos as janelas serem fechadas na nossa cara. As crianças nunca mais apareceram. Concluímos que os nossos trajes haviam escandalizado a falsa moral americana.

Daí para a frente nós nos espionávamos. Eles tentavam entender quem eram seus vizinhos estranhos, e eu tinha muita curiosidade de saber como era o modo de vida deles. Às escondidas, inspecionava suas festas subindo no muro. Nos aniversários, aqueles americanos com seus sapatos enormes pareciam palermas. Todos de chapeuzinho na cabeça, soprando aquelas horríveis línguas de sogra, ao redor das mesas cheias de ponches coloridos, trocando frases automáticas. Falavam "Happy birthday! Happy New Year!", saboreando um hambúrguer tostado na churrasqueira. Tudo muito prático, asséptico e plastificado, não tendo nada a ver com os fartos e sanguinários churrascos brasileiros dos quais eu sentia saudade.

Nesse processo de adaptação ao *American way of life*, recebi um telefonema de Richard Donner. Desde minha visita a Londres, havia quase cinco anos, não tivemos nenhum tipo de contato. Richard estava jantando no Mr. Chow, restaurante gerenciado por nosso amigo Flávio Ramos, que havia trabalhado com artistas da Bossa Nova e foi para os Estados Unidos como secretário do pianista Sérgio Mendes. De alguma maneira, ele soube da nossa presença e pediu meu telefone a Flávio. Na conversa, disse que estava ciente do ocorrido com Nanato, se colocando à disposição para o que fosse necessário. Foi a última vez que nos falamos. Nanato sabia que havíamos namorado e achei que uma reaproximação com Richard poderia magoá-lo ou deixá-lo inseguro. Acompanhei de longe os sucessos de filmes que ele dirigiu, como *A profecia*, *Superman: o filme* e *Máquina mortífera*.

Uma estrela internacional?

Por acaso, Flávio me abriu as portas do mercado musical americano. Em 1974, regravei com o grupo Azymuth o samba "Mané João", parceria de Roberto e Erasmo lançada pelo Tremendão dois anos antes. O pianista José Roberto Bertrami, contando com a fiel companhia de Alex Malheiros (baixo) e Mamão (bateria), além do guitarrista Luiz Cláudio Ramos, fez um arranjo cheio de suingue, no estilo do que viria a se chamar samba-rock. No ano anterior, Helinho Matheus me deu de presente "Kriola", outro sucesso com essa mesma levada. Saí do Brasil levando uma cópia em fita de rolo para Nanato, para saber sua opinião. Sem gravador em casa, carreguei a fita para o Mr. Chow durante um almoço. Perguntei a Flávio se ele poderia tocar a música, e ele, muito gentilmente, disse que sim.

Em uma mesa próxima à nossa, vários homens, todos negros, saboreavam seus pratos. Quando o balanço da introdução de "Mané João" começou a tocar pelos alto-falantes do salão, percebi que ficaram em silêncio. Até que um deles chamou Flávio e perguntou quem estava cantando. Ele apontou para mim. Todos vieram à mesa e se apresentaram: eram produtores de *soul music*. Disseram ter adorado a música e viram semelhanças com o que faziam. Pareciam muito interessados nos ritmos brasileiros. Após uma conversa animada, Nanato e eu fomos convidados a ir ao escritório deles.

Fomos direto do restaurante para lá, onde, com muita surpresa, recebi a proposta de fazer um álbum, cuja direção artística ficaria a cargo de um arranjador chamado Quincy Jones. Segundo eles, era a pessoa certa para o projeto. Naquela época eu não tinha maiores referências sobre o futuro mentor de Michael Jackson, com quem fez trabalhos importantes. Mesmo sem conhecê-lo, aceitei a sugestão, desde que o Azymuth fosse a banda de base. Empolgada com a ideia, consegui falar com Bertrami por telefone.

— Bertrami, vamos gravar um álbum em Los Angeles em breve. Manda tudo o que você puder de material da banda para a gente adiantar as coisas por aqui.

Ele disse que mandaria o que eu precisava pelo correio. Quando o material chegou, só havia uma foto nada apresentável da banda em preto e branco, com Mamão segurando um bumbo de bateria cheio de esparadrapos. Ao mesmo tempo em que contatava André Midani, pedindo sua autorização para gravar o disco e negociar a possibilidade de distribuição no Brasil, um *manager* chamado Jerry Fogel marcou um encontro, propondo administrar minha carreira no exterior. Ele ia muito à nossa casa para apresentar propostas atraentes, envolvendo shows grandiosos e aparições na TV.

Hora de voltar

No fim de 1974, Nanato achou que era a hora de irmos embora. Ele apoiava meu investimento na carreira internacional, mas eu estava indo frequentemente ao Brasil para cumprir contratos de shows e minha ausência era sentida. Também havia a saudade de Chacrinha e Florinda. Além disso, o tratamento não dava os resultados esperados, apesar do esforço de Nilson. Se nós tivéssemos ficado, eu provavelmente teria conhecido Quincy, feito o disco e seria agenciada por Fogel. Nunca tive a ambição de trabalhar fora do país, mas a possibilidade de fazer um álbum nos Estados Unidos despertou em mim o desejo de gravar naqueles estúdios de última geração, cujo som era perfeito. Com a ajuda de Laudir, comprei equipamentos para montar meu próprio estúdio, algo incomum para os artistas brasileiros. Era uma oportunidade de fazer meus discos como eu queria. Se achasse necessário refazer uma voz ou adicionar um instrumento, teria todo o tempo necessário.

O período que passei nos Estados Unidos foi importante em termos de aprendizado. Nada enriquece mais do que conviver com as diferenças culturais e adaptar-se a elas sem deixar de ser quem é. Com o retorno ao Brasil, havia chegado a hora de dar um grande salto. Era a hora de virar gente.

Feito gente

Ao lado de Nanato, retornei ao Brasil sem nenhum projeto artístico. Não sabia o que fazer. Ainda no início de 1975, o jornalista e crítico de música Arthur Laranjeira quis me encontrar. Arthur era casado com Ivone Kassu, assessora de imprensa de Roberto Carlos, função que ocupou até sua morte em 2012. Sua intenção era dirigir um show no qual eu cantasse músicas mais profundas e trabalhadas, escritas por nomes vinculados à MPB. O próprio Arthur se mostrou disposto a me apresentar os compositores, já que eu não conhecia a maioria deles. Era uma turma diferente da minha e alguns haviam despontado justamente quando eu estava fora do Brasil. Foi assim que *Feito gente* surgiu e deixei de lado uma proposta de Guilherme Araújo para participar da montagem nacional de *The Rocky Horror Show*.

Encontrei em Arthur e em Rosinha de Valença, grande violonista escolhida por ele para a direção musical do show, o apoio necessário para aquele percurso que, eu tinha certeza, iria me fortalecer. Dez anos haviam se passado desde a eclosão do fenômeno Jovem Guarda. Não negava sua importância, como nunca negarei. Sei que o que fiz nos anos 1960 bateu com força no coração das pessoas. É algo que faz parte da vida delas e da minha, até hoje. Isso jamais mudará. Mas eu estava esperando uma nova oportunidade de virar a mesa, algo já testado com o disco e show *Maravilhosa*. "Porque é uma mentira eu continuar de trancinhas cantando 'Meu bem Lollipop'. É ridículo", disse à repórter Maria Lúcia Rangel, do *Jornal do Brasil*.

Outro acidente

Nanato havia comprado um carro adaptado para suas limitações físicas, controlando o volante com os pulsos em um dispositivo adaptado para sua mão direita. Em março de 1975, resolvemos sair do Rio em direção a São Paulo para mudar de ares e descansar alguns dias no meu apartamento, que ficava quase sempre fechado. Pensei que essa viagem seria uma maneira de levantar sua autoestima. Creuza e Haidée, nossa amiga americana, estavam no banco de trás.

De repente, quando ele contornava uma leve curva no quilômetro 197 da Via Dutra, o Mercury Cougar escorregou na pista molhada e fomos prensados por um ônibus. Ainda tive tempo de me mover para ajudá-lo na manobra, mas não houve jeito. Desgovernado, o veículo se chocou em um caminhão Scania, que vinha no sentido oposto. Até hoje não entendo como consegui sair ilesa do carro. Nanato ficou com as pernas presas nas ferragens e fraturou a rótula do joelho esquerdo. Creuza e Haidée ficaram feridas, porém lúcidas. Saí andando do carro, que virou uma carcaça, em um estado quase catatônico. Caminhei pela pista de um lado para o outro, como se quisesse fugir daquela realidade. Não era possível. Só me restava ser forte e suportar. Logo o resgate chegou para nos levar à Santa Casa do município de Lorena.

Como se não bastasse a fatalidade na piscina e o fracasso do tratamento nos Estados Unidos, houve mais esse golpe para abalar nossas vidas. Mesmo abatida, eu precisava demonstrar que estava de pé. O repertório de *Feito gente* faria isso por mim.

Levantando o show

*Assim como *Maravilhosa*, Feito gente* foi outro projeto visto como ruptura em relação à Jovem Guarda. Para não haver dúvidas de que representava uma continuidade, decidimos abrir o espetáculo com um *medley* instrumental de antigos sucessos. O entra e sai de compositores tornou-se constante em meu apartamento. Gonzaguinha, que à época a imprensa chamava de "cantor-rancor", chegou se mostrando uma criatura doce e amiga. Ele cantou "Eu nem ligo", que escolhi de cara. Era a síntese do que aquele show desafiador significava para mim no sentido artístico e pessoal. A letra começava assim:

> Eu nem ligo
> Nem esquento a cabeça
> Vou com força nas coisas que eu quero e devo fazer
> Eles querem que eu
> Me aborreça e estremeça
> E me prenda nas cercas
> Do seu circo mortal

A partir do nosso encontro, ficamos amigos para sempre. Ele parecia entender meu momento tão sofrido. "Palavras", outra música de sua autoria que escolhi para o show, tinha uma carga muito simbólica, com versos que eu precisava cantar.

> Palavras, palavras
> Eu já não aguento mais
> Desde quando sorrir é ser feliz?
> Cantar nunca foi só de alegria
> Com tempo ruim
> Todo mundo também dá bom dia

Elis Regina, Maria Bethânia e Nara Leão já haviam gravado uma compositora talentosa que ainda nem havia feito seu primeiro álbum: Sueli Costa. Nossa empatia foi imediata. Escolhi nada menos que três de suas canções, a doce "Lua", a dilacerante "Poeira e solidão" e a delicada "Verdes varandas", esta com Ebe Guarino. Também recebi Joyce (hoje Joyce Moreno), que veio com "Carne, osso e coração", com uma letra esperançosa que me emociona até hoje, de achados como "Só o amor tem paciência de esperar" — que eu interpretava como uma alusão à expectativa de ver José Renato bem — e "O segredo é não ter medo de mudar". Aos poucos, foram chegando João Donato, Gil, Mautner, Caetano, Vital Lima, Hermínio Bello de Carvalho e Walter Franco, que mandou uma música a pedido de Arthur, "Feito gente". A canção deu título ao show não só por sua intensidade. Eu precisava me provar como intérprete e, por conta dos meus problemas pessoais, também como gente, disposta a não esmorecer diante das peças que a vida vinha me pregando.

Alugamos uma casa na Barra da Tijuca e começamos a ensaiar diariamente, com uma fantástica banda formada por Rosinha: Chiquito Braga (guitarra e violão), Rubão Sabino (baixo), Helvius Vilela (piano), Celinho (trompete), Copinha (sopros), Alberto das Neves (percussão) e Ivo Moreira (bateria). Milton Nascimento foi um espectador privilegiado. Ele morava perto e havia trabalhado com Arthur no ano anterior durante o show *Milagre dos peixes*, então estava tudo em casa. Eu tentava puxar papo com ele, mas Milton falava pouco e apenas observava. Eu ficava encantada com sua presença e sua bela pele. Escolhemos estrear no Teatro João Caetano, no centro do Rio, em uma quarta-feira, 11 de junho.

Ao lado de Nanato, financiei a turnê, orçada em 100 mil cruzeiros (200 mil reais, em valores atualizados), uma quantia alta para a época, que poderia bancar uma grande produção. Bill ficou responsável pela criação do cenário, formado por paraquedas. Para mim e todos os envolvidos, *Feito gente* era o meu "grande salto". Meu irmão também desenhou os figurinos, confeccionados por Maroun. No primeiro ato do show, "Nas verdes varandas da noite", vesti um conjunto de camurça marrom. No segundo, "Eu te amei como pude", jeans. No bis, um vestido azul que eu trouxe de Los Angeles, com sandálias azuis e salto de purpurinas.

Como estava voltando aos palcos depois de um hiato, com um show montado por um diretor renomado e repleto de músicas de compositores de primeira linha, a imprensa divulgou o show amplamente. Falei com todos os grandes órgãos de imprensa. No dia da estreia, a revista *Veja* publicou uma entrevista comigo, feita por Antônio Chrysóstomo:

> Sei que estou correndo um risco. Mas o que importa mesmo é continuar sendo fiel a mim mesma. Certo ou errado, sempre acreditei profundamente em tudo que fiz. Na medida em que só acrescento dados novos à minha realidade antiga, não estou me traindo. Nasce daí a minha angústia. Tenho uma necessidade imensa de mostrar o que sou hoje em dia. Se eu for verdadeira e conseguir passar essa verdade a uma plateia, tenho certeza de que todos os públicos me aceitarão.

Personalidades deram depoimentos para o programa do show, colhidos por Carlos Henrique, o Xarlô. Ele foi apresentado a mim por Paulette durante a temporada do show *Maravilhosa*. Estudante de teatro, já era enturmado com a cena artística aos 19 anos e foi incorporado à equipe de produção e criação por Arthur, acompanhando todo o processo. Ele conseguiu falar com grandes nomes do cenário artístico. "Wanderléa, pra mim, mais do que cantora, sempre foi uma grande disponibilidade de atriz. Penso que é certo trazê-la para o palco em termos de teatro. Isto é: ela dentro de um espetáculo que canalize o seu grande talento de ser humano", afirmou Fernanda Montenegro. "O que fascina em Wanderléa é a capacidade de amar, sem a qual nenhuma artista é realmente grande. Ela inicia agora a viagem enorme para dentro e fora do Brasil. Que Deus pouse a mão na sua cabeça." Palavras de Nelson Rodrigues. Os deuses — e as deusas! — do teatro estavam me incentivando.

Em sua coluna em *O Globo*, Nelson Motta deu força para *Feito gente*. Ele registrou quem estava no João Caetano na noite de estreia:

> Presenças altamente colunáveis na plateia: Caetano Veloso, Gal Costa, Erasmo Carlos e Narinha, Milton Nascimento, André Midani, Guilherme Araújo, Fábio Camargo, Clara Nunes, Paulo César Pinheiro, Marieta Severo, Luis (sic) Melodia, Suely (sic) Costa, Walter Franco and Scarlet Moon. Mas a grande presença da noite acabou sendo mesmo Emilinha Borba, que fez a plateia levantar num frisson à sua entrada proporcionando uma delirante gritaria entre as massas gay presentes ao lance.

Eu estava nervosa, mas a apresentação transcorreu normalmente, do jeito que eu, Arthur e Rosinha havíamos pensado. Um dos melhores momentos do show era "Segredo", blues de Melodia que eu já havia cantado em *Maravilhosa*. O público voltava a delirar com aquela performance.

A família, antes de eu nascer. Papai Salim, mamãe Odette e, da esquerda para a direita, Leninha, Belinha, Wanderlí e Wanderley.

Aos 2 anos, vestida de havaiana, no fundo do quintal da nossa casa em Lavras.

Eu e Bill, meu querido irmão e companheiro inseparável.

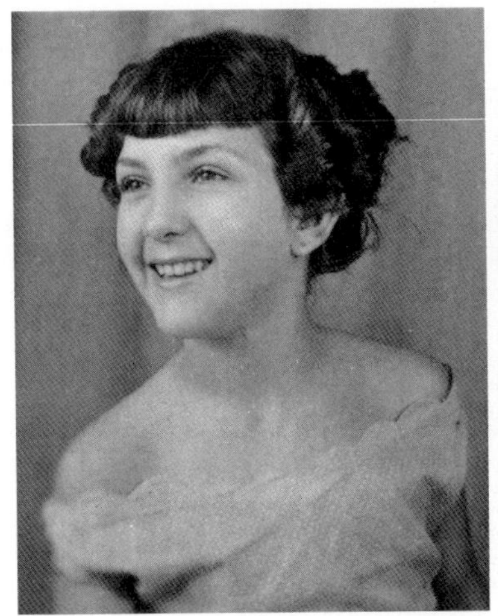

Aos 9 anos, quando a música era apenas uma saudável brincadeira.

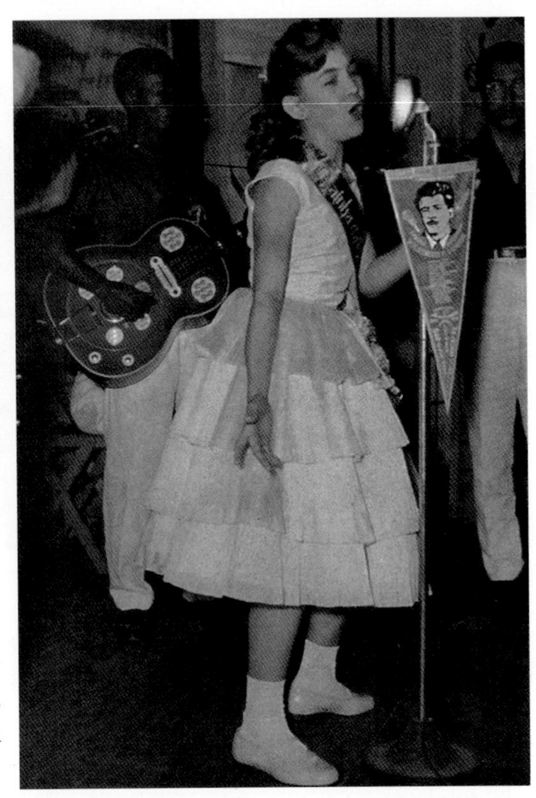

Cantando animadamente no Fã--Clube Mirim de Brás de Pina, dirigido por Valdomiro Ferreira Júnior.

Papai, mamãe e a Rainha da Voz do Fã-Clube Mirim de Brás de Pina.

No Olaria Atlético Clube, no Rio de Janeiro, vencendo o concurso Miss Koleston.

Uma imagem de divulgação do Miss Koleston; pose de atriz do cinema americano.

Eu e Roberto antes da Jovem Guarda. Éramos da mesma gravadora e saíamos pelas rádios do Rio divulgando juntos nossos discos.

Com Armando, meu primeiro namorado, sempre fino e elegante, em uma pré-estreia de *Juventude e ternura* em Recife. Ficamos juntos quatro anos.

Frente a frente comigo, no início do sucesso.

Tremendão e Ternurinha em ação.

Cena de *Juventude e ternura*, meu primeiro filme.

Na *Revista do Rádio*, principal publicação sobre música nos anos 1960, fui capa ao lado de Roberto, Emilinha Borba e Caetano Veloso, entre muitos outros.

Dando uma de Barbarella na sala do meu apartamento em São Paulo.

Com papai, na plateia do programa do Chacrinha, na TV Globo. Esta foi uma das últimas fotos que tirei com ele. A seu lado, está o diretor Daniel Filho e seu pai, Juan Daniel.

No Festival Internacional da Canção de 1970, com Marinês e Sua Gente, cantando "A charanga".

No Japão, rodando *Roberto Carlos e o diamante cor-de-rosa*. Eu, Roberto e Erasmo recebendo orientações do diretor, Roberto Farias (de costas).

Cena de *Roberto Carlos e o diamante cor-de-rosa*.

Colocando a aliança em Nanato, no nosso noivado. Promessas de felicidade. Ao lado está minha mãe, Odette, e atrás meu irmão Wanderley e Dona Aurélia, mãe de Chacrinha.

Lançando o álbum *Maravilhosa*; tempos de ousadia.

No palco do Teatro Tereza Rachel com o show *Maravilhosa*, em janeiro de 1973.

Com Silvio Santos. Nos anos 1970, fui muito a seus programas.

Chacrinha, o sogro irreverente.

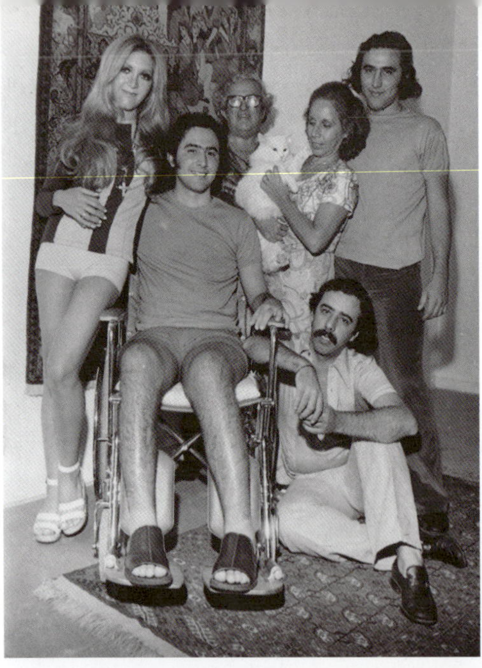

Ao lado de Nanato, Chacrinha, Florinda, Leleco e Jorge. Um por todos e todos por Nanato.

Tarcísio Meira, meu ilustre visitante em Los Angeles.

Um Natal especial. Na foto, estão Tom Jobim, eu, Chacrinha, Dona Florinda, Bill, Nanato e um casal de amigos.

Em Los Angeles, antes de assistir ao show do grupo Chicago.

Interpretando a diva Marlene Dietrich no espetáculo *Charme 74*, dirigido por Jô Soares.

Em uma divertida reunião no meu apartamento em Ipanema, com Roberto e Nice.

Com Elis, grávida do Pedro, depois de um show dela no Teatro Casa Grande, no Rio.

Com meus queridos Ney Matogrosso e Bill, após uma apresentação de *Feito gente* no Teatro Tereza Rachel.

Foto de divulgação do show *Feito gente*, em que me aproximei ainda mais da MPB.

Homenageando Mãe Menininha no desfile da Mocidade Independente, no carnaval de 1976. Ainda não seria dessa vez que eu me tornaria a primeira rainha de bateria do Carnaval carioca.

Com Egberto Gismonti, gravando o disco *Vamos que eu já vou*.

Registro do ensaio das fotos para *Vamos que eu já vou*, ao lado dos músicos e da equipe técnica do disco.

Com Lalo, no meu apartamento. Eu já estava grávida.

Sebastião Archanjo

Eu e Lalo em show.

Eu, Roberto e nosso técnico de som, gravando no estúdio da CBS.

Meu filho lindo.

Leo no colo do papai.

Raul, querido amigo, que me convidou para gravar "Quero mais", no estúdio da Eldorado.

Meu filho em sua primeira festa de aniversário.

Leo, que tinha acabado de fazer 2 anos, me acompanha em show.

Dennis H.

Foto tirada na manhã do dia em que o meu filho Leonardo faleceu.

Com Chico Xavier. Ao meu lado direito, está Bill. À esquerda, Lalo e Milton, companheiro de meu irmão.

Posando para a revista *Status,* grávida. Bem antes de Demi Moore.

O querido Gonzaguinha, que me deu belas canções. Saudades dele.

Ao lado de minha amada Rita Lee, em um show dela no Ibirapuera.

Jaddinha chegando da maternidade, recebida por Yasmim.

Sebastião Archanjo

Uma foto caseira com minhas meninas.

Sebastião Archanjo

Família reunida na Granja Vianna.

Sebastião Archanjo

Cazuza, adorável, veio ver um show meu no Morro da Urca. Ele virou o herói da nossa família em sua luta contra a aids.

Com Jadde e Yasmim, no jardim de casa.

Alex Salim

Eu e as crianças no jardim onde nos divertimos muito.

Sebastião Archanjo

Família Salim toda reunida na festa de aniversário de um ano e batizado da minha filha Yasmim. Em cima, da esquerda para a direita: Eu, Yasmim (no colo), Lalo, meu sobrinho Claudinho, Bill, Ruth, Wanderley, Wanderte, Belinha, Diniz, minhas sobrinhas Andréa e Magda, Janu e Wanderlô. Embaixo, da esquerda para a direita: meus sobrinhos Mônica, Renato e Rodrigo. Sentadas, vovó Geraldina e mamãe Odette.

Com meus irmãos Detinha e Bill.

Aniversário de um ano da Yasmim, com vovó Geraldina e mamãe Odette.

Gravando o DVD *Nova estação* no Teatro Fecap.

Eu e minhas filhas antes do show de lançamento do DVD *Nova estação*.

Ao lado de Jorge Ben Jor e Erasmo, meus grandes amigos, durante a gravação de um DVD de Arnaldo Antunes.

Yasmim Salim Flores

No Teatro Municipal de São Paulo, refazendo o show *Maravilhosa* depois de quarenta anos.

Em show de 2016.

Daniel Seabra

Em cena, no musical *60! Década de arromba*. Um grande momento da minha carreira.

Sucesso inesperado

A temporada de cinco dias no João Caetano foi bem-sucedida, com a crítica entendendo e respeitando meu trabalho. Chrysóstomo escreveu uma crítica do show para *Veja*.

> Dos respeitosos silêncios às calorosas ovações que ponteiam *Feito gente*, está claro que Wanderléa ganhou esta batalha. Dela, deve-se dizer que se tornou madura e que chega a ser, muitas vezes, eletrizante. Graças à sua revelação como intérprete de músicas que se supunham impróprias para uma cantora antes acusada de superficial. E graças à inabalável unidade do show — que apenas se apoia na figura humana de Wanderléa e num roteiro habilmente sublinhado por um irretocável trabalho de iluminação.

Eu não contava com o sucesso estrondoso de *Feito gente* no João Caetano. Não consegui renovar o contrato porque a agenda do teatro já estava comprometida e escolhi o Tereza Rachel, na zona sul, para reencená-lo a partir de 24 de junho, em temporada de um mês. Naquele dia, ao final da apresentação, fui aplaudida de pé por cinco minutos. Foi uma luta diária cantar algumas daquelas músicas, tão relacionadas ao que eu passava. Houve também momentos de alegria. Escolhi homenagear Ademilde Fonseca, a Rainha do Choro, cantando "O que vier eu traço" e "Que falem de mim". Da plateia, ela vibrava com a lembrança. Curiosamente, Ademilde gravaria um disco ainda em 1975, depois de treze anos afastada dos estúdios.

Feito gente foi um grande sucesso no Rio. Há vários casos de pessoas que viam, gostavam e repetiam a dose. Um dia, passando o som, vi Walter Franco na plateia.

— Walter, que bom ver você aqui!

— Pois é, eu já vi o show quinze vezes.

José Bonifácio de Oliveira Sobrinho, o Boni, era superintendente de Produção e Programação da Rede Globo e soube que o show ia bem de público. No meio da temporada no Terezão, ele sugeriu filmá-lo para que a emissora o exibisse como um especial de fim de ano. Agradeci o convite, lhe enviando flores e uma carta carinhosa na qual recusava carinhosamente a proposta. Afirmei que pretendia viajar com o espetáculo pelo Brasil e acreditava que uma exibição na TV faria com que as pessoas perdessem o interesse em vê-lo. Quanta ingenuidade da minha parte! Hoje sei que teria sido um excelente meio de divulgação. Perdi a oportunidade de ter um momento importante da minha carreira registrado em vídeo com a possibilidade de, décadas depois, ser lançado em DVD.

O show acabou sendo gravado ao vivo para lançamento em disco, não sem certa resistência da Polydor. Para a companhia, era um projeto comercialmente arriscado e houve um desgaste entre mim e eles. Como eu disse em uma entrevista à *Folha de S.Paulo*, gravaram o show na maior má vontade. Senti que não havia mais clima para permanecer na gravadora e pedi para sair. Das dezoito músicas do repertório, Arthur escolheu doze para entrar no álbum, por questão de espaço. Uma das minhas favoritas ficou de fora; era "Adiós San Juan de Porto Rico", de Fábio e Joel Macedo. Tinha sete minutos de duração e um clima caribenho. Um número apoteótico, inesquecível. Eu dançava pelo palco e apresentava a banda.

A coluna de Nelson, mais uma vez, narrou um caso curioso de bastidor envolvendo dois instrumentistas.

> Um lance que dá bem a dimensão do que representa Wanderléa em sua fase madura de intérprete. O guitarrista Chiquito, integrante da banda, teve que faltar ao show de sábado porque já tinha um compromisso anterior para acompanhar Gal Costa no Piauí. Tudo normal, a produção sabia, o guitarrista Frederyco (um gênio) estava ensaiando como stand by de Chiquito. Fredera curtia demais tocar com Wanderléa e fez um fantástico som no sábado. No domingo, Chiquito já estava de volta para seu lugar, mas Frederyco propôs: "Você recebe o dinheiro, mas eu toco." Chiquito firmou o pé e não quis, pelo prazer de tocar com Wanderléa.

A anedota mostra como o clima dos músicos comigo era positivo, algo muito importante naquele show em que o meu emocional era constantemente testado.

Não podia deixar de levar *Feito gente* ao subúrbio do Rio. Era o público que me acompanhava desde o início da carreira. Eu e Arthur tivemos a ideia de preparar uma pesquisa, perguntando se a plateia havia gostado do show. Eles sequer conheciam os autores das músicas, mas foram unânimes em afirmar a qualidade do repertório. O álbum saiu em outubro. O jornalista Aramis Millarch, de *O Estado do Paraná*, elogiou o trabalho:

> Para quem durante uma década foi identificada com músicas bobas como "Pare o casamento" ou "É tempo do amor", o disco-espetáculo é uma evolução realmente violenta. Não há, ao menos no LP, nem uma faixa conhecida, e, sim, ao contrário, doze canções vigorosas, de autores dos mais importantes, que, vencendo o preconceito que cerca-

> va a imagem de Wanderléa, lhe entregaram composições inéditas. E, por certo, não devem ter se arrependido, pois Wanderléa, amparada num bom grupo instrumental, se esforçou ao máximo para dar vigor a músicas difíceis, de letra densas e sérias propostas.

Já o crítico Sergio Cabral, de *O Globo*, não gostou:

> Não vi o show que resultou no disco — o que lamento, já que amigos asseguraram que foi muito bom. Mas o LP não é bom, não. Além do problema da falta de aproveitamento das vantagens da gravação ao vivo, foi escolhido um repertório que nada tem a ver com Wanderléa, uma cantora elétrica, de boa presença física (...). Predomina no disco, no entanto, um clima arrastado, angustiante, tornando evidente o esforço terrível de Wanderléa para colocar aquelas músicas pra fora da garganta.

Do Rio, fui para Belo Horizonte, onde *Feito gente* ficou em turnê no Teatro Francisco Nunes. O acaso é engraçado: é o mesmo nome do meu avô português, pai da minha mãe. Em São Paulo, montei uma outra banda com direção do velho amigo Vicente de Paula, tecladista que integrou Os Wandecos. Lá, eu deveria fazer o show no Teatro Aquarius, mas houve algum tipo de problema e fui às pressas para o Teatro 13 de Maio. Tarcísio Meira e Glória Menezes me ajudaram. Eles estavam no teatro encenando a peça *Vagas para moças de fino trato* e me emprestaram palco e elementos cênicos para que tudo fosse montado rapidamente. Na capital paulista, o show também foi bem de bilheteria.

Feito gente foi meu único show solo que passou pelo Canecão. Durante uma temporada de Roberto na casa, a mais importante do Brasil, fui chamada pelo maestro Chiquinho de Moraes para substituí-lo em 13 de dezembro. É o dia de Santa Luzia, em que Roberto se resguarda, devido a uma promessa feita à santa protetora dos olhos pela recuperação de seu filho Dudu. Alguns críticos consideraram *Feito gente* o melhor show de 1975; outros escolheram o encontro de Chico Buarque e Maria Bethânia, também no Canecão.

Depois de tanto tempo

Coloquei em *Feito gente* a dramaticidade de tudo que sentia, buscando força dentro da arte para superar muitas perdas na minha história. Jamais imaginei uma remontagem do show. Acho um trabalho excelente, com músicas lindas, mas muitas delas ficaram atreladas a momentos tristes da minha vida que eu não queria reviver. No entanto, em maio de 2016, recebi da Virada Cultural de São Paulo e de Thiago Marques Luiz a proposta de interpretar o repertório do disco no Theatro Municipal. Refleti se ainda faria sentido cantar aquelas músicas. Aceitei, sem saber como eu iria reagir na hora.

Quando entrei no palco, o público me recebeu efusivamente. O show foi excelente. Lalo, meu marido, estava operando a mesa de som. Minha filha Yasmim tirou fotos. Jadde, a mais nova, fez vocais. Em oposição ao peso que eu sentia no fim do espetáculo original, saí de cena leve. Decidimos levar o espetáculo ao antigo Tereza Rachel, hoje Teatro Net Rio, no dia 27 de junho. Muita coisa mudou em 41 anos. E eu também mudei. Fiquei feliz de ver Joyce, Sueli, Hermínio, Vital, Xarlô e outros amigos queridos na plateia, como naquelas noites de 1975 no mesmo Terezão, ao lado daqueles que sempre quiseram ver *Feito gente* e não tiveram oportunidade. A eles, todo meu carinho e gratidão pelo companheirismo naquele que foi o meu grande salto.

Alguns carnavais

Só quem esteve na avenida em um dia de Carnaval sabe o que é aquela energia. É lindo ver uma comunidade se mobilizando para tudo dar certo com sua escola do coração e a alegria do povo nas arquibancadas. Nem imaginava ter samba no pé quando a Mocidade Independente de Padre Miguel me chamou para ser um de seus destaques no desfile de 1975, ano do enredo *O mundo fantástico do Uirapuru*.

Fui à quadra da escola ver como as coisas funcionavam. Acompanhei os ensaios e vi de perto por que sua bateria, comandada por Mestre André, recebia frequentemente a nota 10 dos jurados. Tenho poucas lembranças daquele desfile. O do ano seguinte, porém, foi inesquecível. No Carnaval de 1976, a Mocidade homenageou Mãe Menininha do Gantois e, por tabela, o candomblé. Pediram que eu entrasse na avenida vestida de Oxumarê, orixá que representa o arco-íris e a união entre o céu e a terra.

No auge do sucesso como protagonista da novela *Gabriela*, Sônia Braga morava ao lado do estúdio que eu havia montado na rua Teresa Guimarães, em Botafogo. A gente se cruzava sempre por ali. Ela também havia sido convidada pela Mocidade. Um dia antes do desfile, nos encontramos para prepararmos nossas fantasias. Ficamos uma tarde inteira na sala do meu apartamento. Peguei sobras do figurino de *Feito gente* e, usando algumas técnicas ensinadas por Bill, montei as peças, além de colares que passavam pelo meu corpo. Tudo dourado, bem luxuoso, como meu irmão gostava de fazer. Sônia colou em seu traje frutas de plástico, provavelmente se inspirando em Carmen Miranda.

O desfile do Carnaval carioca ocorreria em apenas um dia, do fim da tarde à manhã do dia seguinte, quando a Mocidade atravessaria a avenida Presidente Vargas. Ao chegar lá, imaginava ver o público cansado, com vontade de ir embora. Vibraram do início ao fim, gritando "já ganhou" e reverenciando Mãe Menininha. A deslumbrante Elza Soares puxava o samba ao lado da bateria e sua cadência envolvente. Foi uma bela experiência.

Já enturmada com a comunidade, voltei à avenida em 1978, toda de branco. A Mocidade, defendendo o enredo *Brasiliana*, me colocou em um distante carro alegórico. Como eu já havia saído no chão e havia gostado, perguntei se podia mudar de lugar. Eles deixaram e fui para a frente dos pandeiros de ouro, que davam o apoio rítmico ao arsenal do Mestre André na ala em homenagem ao Carnaval. Eu sambava, dando o melhor de mim.

— Ela é a nossa rainha, a nossa rainha da bateria — diziam os percussionistas com a adesão do público.

Daquele ato absolutamente involuntário, foi criado o posto de rainha de bateria, inexistente na época. Com tanto empenho, cheguei ao fim do desfile, exausta.

Ainda desfilei mais alguns anos na Mocidade. Ao voltar para São Paulo, acabei perdendo o vínculo com a escola, cujo vigor permanecerá para sempre em meu coração. E quem diria que eu estaria desfilando na Beija-Flor, em 2011, celebrando a vida e a obra de Roberto ao lado de Erasmo? Fomos campeões. É a mais pura verdade: o pessoal da Jovem Guarda também tem samba no pé.

Assaltos

Uma das desvantagens de morar no Rio era conviver de perto com a violência indiscriminada que já tomava conta da cidade. Passei por duas tentativas de assalto ao lado de pessoas queridas. A primeira delas foi durante uma aula de canto com Fernanda Gianetti, a dona Fernanda, que aprimorou o dom de metade das cantoras do Rio de Janeiro, tendo como alunas artistas do calibre de Marília Pêra. Era a realização de um desejo antigo, pois desde criança eu queria fazer aula de canto. Ao procurar professores, sempre batia em uma questão: não havia quem ensinasse canto popular, só lírico, estilo que nada tinha a ver comigo.

Dona Fernanda tinha uma casa bucólica, dessas de vila, que ficava perto da Lagoa Rodrigo de Freitas, onde eu ia semanalmente. Com ela, aprendi a respirar melhor, o que ajudou na minha emissão. Há uma grande diferença entre a cantora de *Ternura* e a de *Feito gente*, o que devo a ela. Um belo dia, no meio da aula, um assaltante entrou na casa com um revólver na mão. Nervoso, pediu para nós duas ficarmos encostadas na parede enquanto vasculhava os móveis à procura de objetos de valor. Como éramos duas mulheres, ele nem se preocupou em nos observar o tempo todo, talvez acreditando que nenhuma de nós reagiria.

Já tendo vivido tantas situações de assédio, fugi dali pela janela da sacada que dava acesso ao quintal, um impulso imprudente. Dona Fernanda ficou lá dentro, enquanto eu saía correndo pela rua, em busca de ajuda. O bandido percebeu e foi atrás de mim. Bati em uma casa pedindo socorro. Uma moça abriu, eu disse que um ladrão estava atrás de mim e ela fechou a porta na minha cara. Alguns vizinhos viram o que estava acontecendo e correram atrás do ladrão, que chegou a dar tiros em nossa direção atingindo alguns carros e depois sumiu, ao se misturar com alguns pedestres.

Eu ainda morava no Rio quando sofri outra tentativa de assalto indo a uma exposição de arte em Copacabana. Estava com minha amiga Wilma de Paoli. Ela estava dirigindo, e eu a acompanhava no banco do carona. Paramos em um sinal e um homem transtornado veio até a janela de Wilma, apontando uma arma para ela. Dessa vez não quis pagar para ver o que ele poderia fazer. Tirei a pulseira, o anel e o colar que usava e entreguei na mão dele, que sumiu. Fiz ensaios fotográficos com essas joias e, quando vejo as imagens, a primeira coisa que me vem à mente é que elas devem ter sido derretidas sem dó.

Já morando na Granja Vianna, fui viajar para fazer um show e deixei minhas filhas na casa de Ana Maria, nossa vizinha. Durante a noite, entraram em nossa casa e levaram tudo. A polícia foi chamada e até desconfiou de nossa diarista, mas depois ficou comprovado que ela nada tinha a ver com o roubo. Até hoje lamento ter perdido para sempre alguns troféus que ganhei e minha coleção de discos em ouro maciço, feitos por um ourives que era pai de Othon Russo. Na CBS, eu e Roberto recebíamos esses mimos.

Um encontro especial — e uma separação

Depois de quase seis anos diante da situação de Nanato, sem perspectivas de ser resolvida, cheguei ao limite das minhas forças. Passava dias ouvindo canções de Charles Chaplin na vitrola, vendo a beleza do mar de Ipanema, enquanto meu coração se enchia de tristeza. Só depois soube que estava com depressão profunda. Estando infeliz, não poderia dar o melhor de mim a quem estava do meu lado. Larguei tudo e fui embora para São Paulo. Mesmo com sua dependência física, Nanato viajou e pediu para reatarmos. Comovida com sua coragem, voltei ao Rio e conversamos sobre a possibilidade de adotar uma criança.

Em janeiro de 1977, o ator Otávio Augusto celebrou seu aniversário em meu apartamento. Sua então esposa, Beth, era uma grande amiga e, como o imóvel era espaçoso, dei a sugestão de fazermos uma festa lá mesmo. Foi uma noite linda, concorridíssima, com boa parte do elenco da TV Globo. O dramaturgo Bráulio Pedroso, autor de clássicos da teledramaturgia como *Beto Rockfeller* e *O rebu*, compareceu e trouxe Egberto Gismonti como seu convidado.

Talentoso multi-instrumentista e arranjador, Egberto ficou conhecido em 1968, quando inscreveu a música "O sonho" no Festival Internacional da Canção, e logo desenvolveu carreira internacional.

Ele pertencia à EMI-Odeon, gravadora que tinha me contratado havia pouco tempo. Ouvia falar de seu sucesso e de seu prestígio na companhia, mas até então nunca vira seu rosto. Tinha a impressão de que era um senhor de idade, pois todos falavam dele com muita reverência. Assim que chegou à festa, me encantei com sua figura. Egberto era jovem, alto e elegante, com uma enorme cabeleira presa em rabo de cavalo na nuca, o que lhe emprestava um certo charme. E seu olhar emoldurado com cílios enormes caracterizava a descendência árabe que tínhamos em comum.

O som arrojado de Herbie Hancock e Keith Jarrett rolava na vitrola da sala. Pouco tempo depois de sermos apresentados, Egberto veio me perguntar se eu costumava ouvir aquele tipo de música em casa. Disse que sim, mostrei-lhe outros discos do mesmo estilo e contei que tinha um estúdio em Botafogo. Perguntei se queria ir até lá no dia seguinte, quando ensaiaria com minha banda. Ele aceitou e, na hora marcada, apareceu.

Egberto ficou tão empolgado com nosso som que quis tocar conosco. Foi para casa e voltou com seu sintetizador. Os músicos se sentiram privilegiados, e o compositor Altay Veloso, meu guitarrista na época, ficou tão emocionado que até chorou com a generosidade dele. Quando fui acompanhar nosso ilustre convidado até o portão do estúdio, ele perguntou se eu queria ir ao Baixo Leblon. Dei alguma desculpa e agradeci.

Eu ainda estava tão presa emocionalmente à minha vida com Nanato que aceitar um simples convite para um lanche já me deixava desconfortável. Descobri mais tarde que o convite era um pretexto para conversarmos mais, pois ele também não costumava frequentar o local e seus bares boêmios, onde era fácil encontrar colegas da música e artistas da televisão. Egberto passou a nos visitar no estúdio frequentemente, experimentando sons que me instigavam, estimulando minha musicalidade. E eu não pude mais esconder o que sentia desde que o vira pela primeira vez. Sua chegada em minha vida pareceu um recado dos céus, como se os anjos dissessem: “Aquela menina ainda precisa viver outras histórias, vamos enviar alguém competente para dar uma força.”

Senti que deveria me separar de Nanato definitivamente. Fui preparando o terreno aos poucos. Tive o cuidado de fazê-lo entender que estava na hora de ir. Ele jamais me constrangeu em relação a essa escolha. Eu sabia que, com a ajuda de Chacrinha e dona Florinda, seu conforto seria mantido. Saí de casa e fui morar sozinha em um apartamento na avenida Vieira Souto, também em Ipanema. Minha mãe e meus irmãos ficaram chocados, pois gostavam muito dele, mas respeitaram minha decisão.

Sempre me pergunto se certos fatos são mesmo inevitáveis, se vivemos realmente situações predestinadas. Ver Nanato ainda tão jovem e saudável preso a uma cama de hospital me fez considerar o quanto somos vulneráveis. As situações que presenciei e vivi com ele em busca de alguma recuperação me fizeram aprender a valorizar coisas do cotidiano aparentemente insignificantes. É preciso viver cada dia como se fosse o último, agradecendo muito e comemorando coisas simples. Abdiquei de muitas coisas com minha decisão de permanecer a seu lado e jamais me arrependi.

Por anos, acreditei que sua recuperação seria natural se ficássemos juntos. Penso que esse foi mais um ato de prepotência e ingenuidade que cometi. Eu o visitava regularmente e toda semana nos falávamos por telefone. Nanato foi um verdadeiro amigo, sempre torcendo por mim e vibrando pela família que constituí. Foi amigo de Lalo e adorava Yasmim e Jadde. Para minhas filhas, ele era o Tio Nanato.

Quando esteve internado para se recuperar de uma parada respiratória, Jadde e eu fomos ao Rio para vê-lo. Ao entrar no quarto do hospital, encontrei as paredes forradas com várias fotos minhas. Sempre belo e bronzeado, Nanato estava com uma ótima aparência e ficou bastante contente com nossa presença. Durante nossa conversa, rimos muito relembrando histórias antigas. Aquela foi nossa despedida. Uma semana depois, em 6 de novembro de 2014, fui surpreendida com sua morte. Em todo o tempo que passou preso a uma cadeira de rodas, nunca se queixou de seu destino. Conseguiu suportar tudo com muita dignidade. Para todos nós, que o amaremos para sempre, ele foi um grande herói.

Vamos que eu já vou

O trabalho com Egberto seguia a todo vapor, ao mesmo tempo em que nosso relacionamento amoroso se fortalecia. Após um ensaio em meu estúdio, fui para casa e passei em frente a um cinema. Fiquei com vontade de assistir a um dos filmes em cartaz, o que não acontecia há muito tempo. Até hoje valorizo esse momento. Foi como se eu voltasse a viver.

A partir daí começamos a preparar arranjos e repertório do álbum *Vamos que eu já vou*. A Odeon só soube que estávamos trabalhando juntos durante a pré-produção, assim como nossos amigos. Nelson Motta foi o primeiro a se empolgar com o encontro e revelou isso em sua coluna.

> Wanderléa está dirigindo muito seu trabalho num sentido bem funky e estão sendo importantíssimas para ela as informações de Egberto, mestre no lance. Da mesma forma, para Egberto tem sido estimulante trabalhar ao lado de uma cantora de formação muito popular (e de grande pique vital) como Wanderléa.

Egberto tinha a maior paciência em me apresentar os sons que se encaixavam nas canções que havíamos escolhido e estava gostando de perceber o quanto sua música me sensibilizava. "Ele chegou com o sintetizador Odyssey, começamos a tocar e a coisa fluiu. Passamos a desenvolver um trabalho e, à medida que se aprofundava, confirmava-se a possibilidade de fazermos o disco juntos. O que ele acrescentou ao meu trabalho foi uma coisa incrível. Sabe que me descobri cantando em tons que nunca havia imaginado antes?", disse em uma matéria escrita por Ana Helena em *O Globo*, intitulada "Dupla improvável que deu certo".

Trabalhando conosco, estavam, além de Altay, Waldecir (baixo), Luiz Alves (baixo), Robertinho Silva (bateria) — estes dois companheiros inseparáveis de Egberto — e Ubiratan, sobrinho de Robertinho. O maestro Gaya ficou responsável pela regência do disco, com músicas de Egberto ("Calypso", "Café", "Carmo", "Educação sentimental"), Altay ("Antes que a cidade durma", "Vamos que eu já vou"), Paulo Diniz ("Poema para Léa"), Roberto e Erasmo ("A terceira força"), entre outros. O companheirismo de todos os envolvidos está explícito na capa dupla do LP original, em que os músicos e técnicos aparecem me seguindo.

É um trabalho interessante, que flerta com a eletrônica, com belas nuances de violões e flautas. A crítica não soube entender essa estética. Uma parte do público, porém, compreendeu o quanto *Vamos que eu já vou* já era especial na época de seu lançamento. Um leitor do *Jornal do Brasil* escreveu a seguinte carta à publicação:

> Tinha antigamente um grande preconceito em relação à cantora Wanderléa. Não gostava dela. Porém, venho notando há tempos que ela vinha tentando entrar em outra. Sabia, mas não vi seu show *Feito gente* movido por esse preconceito. De repente, escuto seu excelente disco com Egberto Gismonti e vejo-a ao vivo no Projeto Pixinguinha. Fui obrigado a ver uma artista ambiciosa, criativa, segura, madura, que não só quer evoluir como já evoluiu, vivenciando plenamente as coisas novas que quer pôr para fora, para se encontrar no palco, cheia de dignidade artística.

Ouvido hoje, o álbum continua tendo um som bastante peculiar, atemporal. Após seu lançamento, acompanhei a produção de *Carmo*, disco que Egberto gravou ainda em 1977. Cantei com ele "Educação sentimental", que eu também havia registrado em *Vamos que eu já vou*. Quando o álbum ficou pronto, ele precisou viajar e confiou a mim a supervisão do processo de masterização das faixas, o que me valeu o crédito de assistente de produção. Reflexo do amadurecimento de nosso namoro, baseado na confiança e admiração.

Tínhamos um relacionamento discretíssimo. Eu achava que, de alguma forma, poderia magoar Nanato com nossa exposição pública. O fato de sermos parecidos ajudava, e a gente ficava quieto em seu apartamento ouvindo música e cozinhando. Estávamos nesse clima quando, certa noite, Egberto perguntou se eu gostaria de me casar com ele. Sem jeito, desconversei, embora já estivesse bastante envolvida. Nanato, que durante anos acalentou o sonho de que eu fosse sua esposa, poderia se chatear tremendamente. Egberto entendeu prontamente minha reação e nunca mais tocou no assunto.

Fomos juntos para o Carmo, sua cidade natal, no interior do Rio, umas duas ou três vezes. Sua família me recebeu muito bem. Ao ver que Bill havia feito roupas novas pra ele, que lhe caíam muito bem, sua mãe Ruth não perdeu tempo.

— Wanderléa, como meu filho está bonitão! Você conseguiu dar um jeito nele.

Achei hilário ela dizer isso. Devia ter respondido que, na verdade, foi ele quem deu um jeito em mim.

Alô, alô, aviadores do Brasil

Olhando para trás, vejo o quanto minha carreira foi surpreendente nos anos 1970. Arthur Laranjeira quis trabalhar novamente comigo, em um show do Projeto Pixinguinha. Essa iniciativa cultural, criada pela Funarte, passava por várias cidades. Os diretores gostavam de juntar artistas que tinham pouco em comum. Por isso me surpreendi quando Arthur teve a ideia de me juntar a Jorge Veiga.

Poucos se recordam dele hoje. Cantor da velha guarda do samba, com um estilo bem carioca e um tanto malandro, na linha de Moreira da Silva, Jorge tinha feito sucesso com "Bigorrilho" e "Café Society". Tinha uma vaga lembrança de ouvi-lo em rádio quando eu era criança. Arthur achou que nós dois tínhamos mais em comum do que eu pensava, pois ele também havia gravado "Que falem de mim", música que aprendi com Ademilde Fonseca e incluí em *Feito gente*.

Nosso encontro foi considerado pela imprensa um dos mais "polêmicos" do Pixinguinha. Lembro que o clima do show era bem para cima. Antes de começar, a voz de Jorge fazia o mesmo anúncio de suas apresentações na Rádio Nacional em seus tempos áureos.

— Alô, alô, aviadores do Brasil. Aqui fala Jorge Veiga. Emissoras do interior, deem seus prefixos para orientação das aeronaves.

Adorava vê-lo cantar "Orora analfabeta" e "Mister cifrão" da coxia, com um carisma que fazia a plateia vibrar. Ele roubava a cena mesmo. A gente só se encontrava no final, cantando juntos as maliciosas "Eu quero é rosetar" e "Bigorrilho". Fizemos algumas poucas apresentações pelo Brasil e, após o fim da turnê, não nos vimos mais. Jorge morreu em 1979, vítima de um edema pulmonar. Foi um privilégio estar ao seu lado nos palcos do Pixinguinha.

Mais que a paixão

Em julho de 1978, levei minha parceria com Egberto ao palco do Teatro Ipanema no show *Wanderléa em concerto*. Ele deu canja, tocando teclados, e a temporada foi um sucesso. Havia músicas de *Vamos que eu já vou* e outras já escolhidas para integrar o álbum seguinte. Até mesmo "Fé cega, faca amolada", música de Milton Nascimento e Ronaldo Bastos que eu nunca cheguei a gravar, estava no repertório. Em seguida começamos a trabalhar no disco *Mais que a paixão*, mais denso que o anterior. "Preciso passar alguma coisa para as pessoas além de música, simplesmente. Durante muito tempo, cantei coisas que não diziam quase nada, e me acostumei com isso a tal ponto que, agora, quando eu ouvia uma letra forte, rejeitava logo, pensando: *isso não é para mim*. Hoje eu sei que é isso o que eu mais preciso, no momento", disse a Nelson em uma de suas colunas publicadas em janeiro daquele ano.

Egberto não conseguiu produzir *Mais que a paixão* em tempo integral, pois estava gravando no estúdio do lado. Sempre que tinha tempo, ele aparecia para dar ideias de arranjo. Seu piano adorna a linda faixa-título, parceria sua com o letrista João Carlos Pádua. O Golden Boy Renato Corrêa, amigo, compadre e um dos autores de "Foi assim", ocupava um dos cargos de direção artística da gravadora e assumiu o comando dos trabalhos.

Foi Renato quem me trouxe "Bicho medo", música de uma jovem chamada Fátima Guedes. Fui a primeira a gravar uma canção de sua autoria e até hoje, quando eventualmente nos encontramos, ela se lembra disso com muito carinho. Tive também a honra de contar com a participação de Djavan, artista que havia sido revelado no Festival Abertura três anos antes. Sua "Álibi" ainda nem havia sido gravada por Maria Bethânia. Sozinho, veio até meu apartamento para mostrar "O canto da lira". Decidi gravar de imediato, e ele participou da faixa tocando violão.

O querido Moraes Moreira me deu "Fruto maduro" e foi ao estúdio fazer dueto comigo.

Gonzaguinha, sempre presente, enviou "Lindo" e "Guerreiro São João". Márcio Proença apareceu com uma melodia na qual coloquei letra, batizada como "Pingo de leite". Roberto e Erasmo não podiam ficar de fora e me deram de presente "Antes que o mundo acabe". Uma das que mais gosto é "Pitanga", de Capinan e Marlui Miranda, que tocava com Egberto. Letra e melodia lindas. Uma música de Altay abria o disco, "Canção de adeus", em homenagem ao pai recém-falecido.

Durante o processo de gravação, eu estava em cartaz com *Wanderléa em concerto*, agora no Teatro da Galeria, também no Rio. Egberto, por compromissos assumidos anteriormente, não pôde participar dessa temporada. Uma das músicas que a plateia mais gostava era "Segredo", o blues de Luiz Melodia que já havia causado enorme impacto nos shows *Maravilhosa* e *Feito gente*. Por isso decidi regravá-la. *Mais que a paixão* foi lançado em dezembro de 1978 e sua repercussão, infelizmente, foi pequena.

Com o tempo, *Mais que a paixão* foi reconhecido. É um dos grandes discos que fiz, em alta no mercado de colecionadores. Nos últimos anos, produtores e artistas americanos utilizaram a base instrumental e o vocal de Lindo para fazer rap, alguns deles com letras bem agressivas. O site Who Sampled contabiliza dez *samples*, feitos entre 2013 e 2016. Quem diria que essa música gravada há quase quarenta anos teria uma roupagem completamente diferente daquela que Gonzaguinha e eu pensamos. O que é bom e feito com verdade chega às novas gerações.

O namoro com Egberto durou até 1979. Nosso amor foi muito bonito, mas o destino ainda precisaria mostrar para nós dois outros aspectos da vida. Foi uma fase ótima, em que recuperei minhas forças, ouvindo e falando de música o tempo todo. Meu respeito, admiração e carinho por ele se mantêm intactos. Somos amigos até hoje e nos falamos frequentemente por telefone, contando como vai a vida de cada um. Minhas filhas o adoram, assim como eu tenho um grande carinho por seus filhos, Alexandre e Bianca. O legado de nossa parceria está preservado nesses dois álbuns que contaram com sua colaboração. Tanto eu quanto ele adoraríamos relembrá-los em shows. Já falamos sobre isso, mas temos que conciliar nossas agendas. Quando acontecer, tenho certeza de que será uma alegria só.

Do chão ao céu

Depois de me separar de Egberto, eu estava pensativa, sem saber qual caminho profissional seguir, já que meus dois últimos álbuns não haviam sido bem-sucedidos em termos de vendagem e nem tiveram o merecido reconhecimento da crítica. Eu me incomodava por fazer um trabalho de qualidade sem alcançar o sucesso popular ou o apreço dos ditos intelectuais. Alguns homens de gravadora têm responsabilidade nisso. Eles ainda queriam a Ternurinha, argumentando que em time que está ganhando não se mexe, e não bancaram o mínimo necessário de divulgação pelo simples propósito de boicotar meus novos voos.

Uma matéria em *O Globo*, assinada por Ana Maria Bahiana, em fevereiro de 1979, jogava luz sobre minhas incertezas em relação à carreira. "Wanderléa: As dúvidas de uma cantora classe A", dizia o título: "Roberto envelheceria junto com seu público, paulatina e seguramente, ampliando suas plateias para além dos auditórios juvenis. Erasmo manteria fiel a sua alma de roqueiro. E Wanderléa tentaria a guinada maior, disposta a tornar-se uma cantora, uma intérprete, e não mais a figura ornamental da Jovem Guarda. O choque foi um pouco demais para seu antigo público. E o que poderia ser sua nova plateia — a gente mais informada, mais sofisticada, consumidora das Gals e das Elis — não perdoava seu passado 'cafona' como a Ternurinha", escreveu Ana Maria.

Na matéria, afirmei claramente que não concordava com o posicionamento da indústria fonográfica em relação a mim:

> Eu queria trazer esse meu público (da Jovem Guarda) comigo, queria que ele me ouvisse. Eu ainda acho que isso é possível. O negócio é que eu caí naquilo que as gravadoras chamam de "cantora classe A", então eles acham que vai vender pouco disco e não fazem nada. E eles sabem como fazer um disco tocar e vender, sabem muito bem. Por que investem os tubos pra criar um artista novo, fazer o cara, e não lutam um pouco por mim que já venho com a bagagem pronta, já tenho essa imagem toda no público?

Apesar do impasse profissional, eu continuava na estrada. Fiz um show especial em Genebra, no Hotel Intercontinental. Viajei com meus amigos Jordan e Wilma de Paoli, *marchand* que fez o convite para a apresentação a pedido do embaixador do Brasil na Suíça. Fui apresentada pela cantora e atriz francesa Marie Laforet e toquei com um grupo liderado por Gil Paraíba, percussionista radicado em Paris. O público, que provavelmente não tinha maiores referências sobre mim, subiu no palco ao fim da apresentação, contagiado com "Chuva, suor e cerveja". Foi curioso, e também triste, ter a compreensão de uma plateia que não era a do meu país, enquanto aqui eu lutava para que aceitassem a "nova Wanderléa".

Em 1980, estávamos em pleno verão da anistia e todos pareciam estar felizes com os novos ares do Brasil. Na madrugada do dia 19 de fevereiro, terça-feira de Carnaval, acordei com a ligação de uma senhora que morava ao lado do meu estúdio. Ela contou que estava vendo os equipamentos sendo roubados e colocados em um caminhão. Pulei da cama e fui até lá. A casa estava com as portas arrombadas e já não havia nem sinal das mesas de mixagem e microfones adquiridos em

Los Angeles. Era coisa de profissional, gente que sabia como retirar os aparelhos embutidos, e desconfiei de pessoas próximas.

Tive um prejuízo astronômico. A TV Globo gravava locuções de chamadas e anúncios lá, e eu tinha recebido uma proposta para que o estúdio fosse arrendado à emissora. Já estava tudo acertado. Estipulei como condição deixar o local aberto aos amigos que precisavam gravar demos ou a artistas iniciantes tentando bancar suas próprias produções. Marina Lima e os meninos do Roupa Nova ensaiaram no local dias antes do roubo. O radialista Simon Khoury também gravava lá programas especiais contando a história da MPB.

Dentro do apartamento da Vieira Souto, meus cabelos loiros caíam. Recolhia tufos e tufos do chão pelo estresse. Já havia perdido tanto, e agora era o sonho de ter um estúdio que chegava ao fim em um lance sórdido. Desanimada, recebi o telefonema de uma fã que conheci na porta da TV Record no tempo da Jovem Guarda, perguntando se eu gostaria de inaugurar uma boate gay que ela estava abrindo com a namorada em São Paulo, na base da amizade. Aceitei estar presente, lembrando que meus músicos moravam no Rio e não poderia deixar de pagar cachê a eles.

Ela disse que o grupo Phobus seria atração fixa da casa e poderia me acompanhar. Sem ter nenhuma referência dos músicos, desembarquei em São Paulo. Deu tudo certo no ensaio. Eu queria cantar "Café", música de Egberto com harmonia altamente elaborada, acompanhada apenas pelo violão. João Luiz, empresário da banda, sugeriu que seu guitarrista, um chileno que chegara havia pouco ao Brasil, fosse ao meu apartamento para tirar a harmonia. Trabalharíamos na música até que eu ficasse satisfeita.

Era noite quando o músico chegou. Tímido e bonitão, ele me encantou assim que abri a porta. Seu cabelo era enorme e ele tinha um ar rebelde *rock'n'roll*. Calmo e calado, Lalo Califórnia demonstrou ter uma personalidade sensível enquanto ensaiávamos. Eduardo Orlando Flores Correa tem esse apelido em referência ao bairro onde morava em Santiago. Percebi que ele não tinha a menor noção de quem eu era ou do que eu representava. Precisando desabafar, fiquei mais à vontade para lhe contar o que havia se passado nos últimos meses. Falei da decepção causada pelo roubo do estúdio, de como estava descontente comigo e com os rumos da minha carreira. Ele me ouvia, atento, olhando nos meus olhos, tentando entender o que estava acontecendo. Sua resposta veio em tom sereno.

— O que não pode acontecer é você ficar isolada nesse apartamento — disse ele, pausadamente — com esses sentimentos de perda.

Gostei da segurança e da compreensão que ele me passou, e começamos assim uma amizade. Fizemos o show, e Lalo passou dias vindo ao meu apartamento ver se eu estava bem. Em uma de nossas conversas, ele me contou sobre sua origem. Fã de música brasileira, veio a São Paulo acompanhar seu padrasto em um estágio na Remington, empresa que produzia máquinas de escrever. Ao assistir a um show de uma banda de rock na Liberdade, tradicional bairro japonês, subiu ao palco, tocou guitarra e foi imediatamente contratado. Aqui, no Brasil, ele poderia ser feliz. Em Santiago, com a severa repressão do governo Augusto Pinochet aos roqueiros, os militares cortaram seu cabelo na rua.

Em uma de suas visitas, Lalo sugeriu dar uma volta no quarteirão. Naquela época era possível fazer caminhadas noturnas sem medo de assalto ou paparazzi. Saímos andando, batendo papo e compramos frutas em uma barraca. Enquanto ele me contava sobre sua vida, nos beijamos. Simplesmente aconteceu, com aquela mágica típica de quem encontra uma pessoa especial. Ali começou nosso namoro, ainda não tão sério, mas que me deu tranquilidade. Decidi permanecer em São Paulo.

Mamãe e vovó Geraldina vieram me visitar e estranharam a presença constante de Lalo em meu apartamento, sem entender em que nível estava nossa relação ou perguntar o que estava rolando entre a gente, o que me poupou de forçar a barra apresentando-o como meu namorado. Ainda estávamos nos conhecendo. Passei o ano de 1980 trabalhando, fazendo o show *Vivências*, com direção de Alvim Barbosa, que sintetizava todas as fases da minha trajetória artística.

Gravidez

Em uma das viagens que minha mãe fez a São Paulo para me ver, ela achou que havia algo diferente em mim e disse algo inesperado:

— Você está grávida.

Para mim era algo impossível de acontecer. Havia tomado os devidos cuidados. Apesar de a menstruação vir normalmente, sentia algo diferente em meu corpo. Em uma viagem de trabalho ao Rio, contei o que estava acontecendo a Wilma. Ela sugeriu levar minha urina com o nome dela em um exame para ver qual seria o resultado. Não queríamos fazer alarde sobre uma possível gravidez. O teste deu negativo, mas a desconfiança permanecia.

Os seios começaram a aumentar, e então procurei um famoso obstetra de São Paulo para uma avaliação mais minuciosa. Ele disse que eu estava em ótima forma, em plenas condições de ter um filho, enfatizando que aquele seria um bom momento para isso ocorrer. Porém, grávida eu não estava. Guardo até hoje os exames que o médico pediu.

Minha mãe parecia não ter dúvidas da minha gravidez, especialmente porque eu tinha muito sono, efeito natural de uma gestação em seus primeiros meses. Quando eu estava recolhida em meu quarto, deitada, ela falou com Lalo de sua preocupação, recomendando um novo exame.

Ele comentou que tinha um amigo chileno trabalhando no laboratório da Santa Casa de São Paulo. Eu me levantei, mamãe colheu minha urina, e Lalo levou o recipiente ao hospital. Foi quando veio o resultado positivo. Na sequência, fui fazer a ultrassonografia. Vi meu bebê na barriga, com quase quatro meses de gravidez, mexendo as mãozinhas como se me desse "oi". Senti um misto de muita felicidade e surpresa.

Lalo tinha muitos sonhos, mas nenhuma intenção ou planos de constituir família no Brasil e abdicar de sua vida livre e solta de jovem músico. Na sala do meu apartamento, fui taxativa e falei que iria ter o filho. Com a guitarra na mão, ele ouviu o que eu havia dito e me respondeu com seu típico jeito sereno e seguro.

— Olha, Léa, cheguei do Chile há pouco tempo e não tenho nada para te dar. A única coisa que posso oferecer é isso.

Ele deu um acorde na guitarra. Não hesitei em responder.

— Isso já é o bastante.

Rita Lee e Roberto de Carvalho eram o casal 20 da música brasileira. Eram bem-sucedidos e, acima de tudo, estavam formando uma bela família. Quando Lalo disse que sua musicalidade era tudo o que poderia me oferecer, me lembrei deles e de como seria bom ter um parceiro de música e afeto. A partir daí, Lalo ficou a meu lado fazendo a direção musical dos shows e dos discos. Sua presença e a chegada de um filho me deram ânimo. Eu trabalhei por todo esse período cheia de alegria e disposição.

Uma das primeiras pessoas que soube da minha gravidez foi Jorge Ben. Nós nos encontramos casualmente no aeroporto, pegando uma ponte aérea Rio-São Paulo. Assim que lhe contei da gestação, Jorge ficou bastante emocionado, revelando sua vontade de também ter filhos. Logo ele seria pai de Gabriel e Tomaso. Ficou prometido que meu velho amigo e sua esposa, Domingas, seriam padrinhos do meu bebê.

Na hora da raiva, um disco

Em meio à boa-nova, recebi uma visita inesperada: Roberto Carlos. Em uma noite de temporal, ele chegou sozinho em meu apartamento com seu violão Ovation a tiracolo.

— Olha só, Wandeca, eu trouxe uma música pra você fazer sucesso.

Pegou o instrumento e começou a cantar "Na hora da raiva". Ele estava certo: a música foi um grande estouro, lançada inicialmente em compacto, o primeiro produto do meu breve retorno à CBS. Roberto e Mauro Motta produziram o álbum que veio na sequência e chamaram Lincoln Olivetti, que estava dando uma nova cara à MPB com seus teclados, para fazer os arranjos. Contamos com os melhores músicos que alguém poderia ter: Robson Jorge, Mamão, Marcio Montarroyos, Léo Gandelman, Oberdan Magalhães, Serginho Trombone e outros. Há duas músicas com minha assinatura, "Um jeito novo de amar" — lado B do compacto — e "Ser estranho", parceria com Aristeu, guitarrista de Roberto, e Casablanca. A canção já estava pronta e fiz algumas modificações na letra.

Roberto também estava feliz com minha gravidez, dizendo que já estava na hora de eu ter um filho, e acompanhou tudo de perto. Foi todos os dias ao estúdio com a mesma camisa azul com a qual gravava seus próprios discos. Segundo ele, daria sorte. No meio das gravações, houve uma greve de músicos que interrompeu os trabalhos, mas pouco tempo depois todos estavam de volta. Eu quis montar um disco bem popular, sem perder o requinte dos trabalhos anteriores. Fiz questão de expressar minha gratidão na contracapa.

> Ao meu irmão Roberto Carlos, pela assistência dentro do estúdio, pelo cuidado na orientação de todo o trabalho e pela força espiritual que, junto com o Lalo e o nosso bebê (participando todo o tempo dentro de mim), me proporcionou um clima psicológico tão mágico que resultou neste álbum. E também ao Erasmo e a Narinha, amigos de todos os momentos, cúmplices de todas as emoções. A todos, meu amor e minha alegria.

A imprensa viu aquele álbum como um reflexo de amadurecimento. "Wanderléa, agora mais madura e confiante", afirmava a *Folha de S.Paulo*. O *Jornal da Tarde* ia pelo mesmo caminho: "Wanderléa, mais madura com seu novo disco". O álbum tinha uma regravação de "Você vai ser o meu escândalo" e um *pot-pourri* com sucessos da Jovem Guarda. Mas o repertório era majoritariamente inédito. Outra faixa que tocou em rádio foi "Facho de luz", de Irinéia Maria e Raul Miranda. Um clipe da música foi ao ar no especial de fim de ano de Roberto. Com um novo amor, um filho a caminho e amigos por perto, eu iniciava feliz os anos 1980. Os dias ruins haviam ficado para trás. Não à toa, gravei "Eu apenas queria que você soubesse", que o saudoso Gonzaguinha fez especialmente para mim.

> Eu apenas queria que você soubesse
> Que aquela alegria ainda está comigo
> E que a minha ternura não ficou na estrada
> Não ficou no tempo presa na poeira...

Leo, meu filho

O sagitariano Leonardo Salim Flores ainda não tinha nome quando veio ao mundo em uma segunda-feira, dia 23 de novembro de 1981, com 3,8 quilos, 50 centímetros e um monte de cabelo. No Hospital Adventista, onde ele nasceu, a Dra. Célia fazia partos embaixo d'água. Tentei esse método natural, mas o bebê não ficava na posição certa e foi preciso fazer uma cesárea.

Minha presença no especial de Roberto Carlos já estava acertada e, como não pude comparecer, ele e Erasmo vieram ao meu encontro com uma equipe que gravou imagens para serem exibidas no programa. Leo estava cercado de carinho e amor.

— Saiu ao pai. Só falta a barbinha — disse Roberto.

— Você sabe que já comprei o chapéu Tremendão pra ele? — brincou Erasmo.

"Todo mundo acha uma loucura ter filho aos 35 anos. Isso é bobagem. Aos 20, eu ainda estava fazendo minhas experiências de vida e fatalmente teria levado meu filho em minhas descobertas do mundo, o que não seria bom. Agora estou madura e a criança tem mais possibilidade de ser ela mesma", afirmei ao jornal *O Globo* pouco depois do nascimento de Leonardo. Demorei a batizá-lo, aguardando o resultado da numerologia feita pelo Mestre Moacir de Curitiba.

Eu e Lalo passamos a morar juntos e, com a chegada do nosso filho, vimos o quão maravilhoso é gerar uma vida, uma experiência que define o propósito de um ser no mundo. Aprendemos a cuidar dele, sem sobressaltos, com a ajuda de minha mãe, que veio morar conosco em São Paulo. Ele era bem quietinho, não dava nenhum trabalho.

Queríamos dar a ele uma vida próxima à natureza, como aquela que eu e Lalo tivemos em nossa infância. Leo iria fazer 2 anos quando começamos a procurar uma casa térrea para morar. Eram dias de alegria plena. Com a ajuda dos amigos Fernando e Túlia, encontramos um imóvel na Granja Vianna, distrito na zona oeste da Grande São Paulo com diversos condomínios fechados. Não pude acompanhar nossa mudança, pois precisei ir ao Rio gravar para o *Fantástico* o clipe de "Perdidos de amor", música de Luli e Lucina que eu havia lançado em compacto e que começava a tocar nas rádios.

Assim que as gravações terminaram, voltei a São Paulo e fui direto para a casa nova. Lalo e mamãe ficaram na cidade para providenciar os detalhes da mudança. Quando cheguei, antes de começarmos a colocar as coisas em seus devidos lugares, fui recebida festivamente por nosso filho. Leo, bem falante, ficou montado na minha cintura.

— Alegria, alegria, mamãe! Casa nova!

Meu filho estava feliz com tanto espaço e foi me mostrando a piscina, caminhando ao seu redor. Com seu jeitinho infantil e terno, me avisou:

— Cuidado mamãe, a piscina é "piligosa".

Para ele não correr riscos, marcamos a instalação de uma cerca para estabelecer os limites em volta dela. Enquanto esperávamos, as portas de vidro que davam acesso à varanda ficavam fechadas para evitar qualquer problema.

A manhã de 1º de fevereiro de 1984, uma quarta-feira, começou atípica. O artista plástico e fã Denis Northon Mascarenhas, que estava em São Paulo, veio me visitar de surpresa. Ele costumava contar que, ainda no berço, lhe deram a capa de um disco meu para brincar e por isso cresceu me desenhando. Nós havíamos nos conhecido e criado uma grande afinidade. Logo que Denis chegou, conversamos um pouco enquanto meu filho, radiante, colhia flores e entregava a mim e a minha mãe. Eu tinha me comprometido a gravar naquele dia o programa do apresentador Flávio Cavalcanti, pois a divulgação do compacto continuava a pleno vapor. Perguntei a Denis se ele gostaria de me acompanhar até os estúdios do SBT. Ele topou, mas antes de sairmos pediu para tirar umas fotografias minhas com Leo. Imagens que seriam as últimas lembranças que tenho ao lado dele.

Deixamos a casa com meu filho se despedindo eufórico, indo me levar até o portão na maior alegria, jogando beijos para mim, já dentro do carro. Tudo o que eu queria naquele dia era chegar em casa depois de trabalhar para brincar com ele.

Lalo passou a noite restaurando um enorme mármore, parte de um móvel antigo que se quebrou durante a mudança, e dormia quando saí. Mamãe costurava junto à janela do quarto que dava acesso à piscina. A babá, Sônia, estava na cozinha, onde meu filho havia acabado de tomar leite com pão molhado. Pouco depois, Leo saiu. Percebendo seu sumiço, a babá foi procurá-lo em todos os cantos da casa.

Tudo aconteceu muito rápido. Sônia chamou minha mãe e Lalo, que foram direto à piscina. Seu corpo estava dentro da água. Lalo mergulhou rapidamente e o trouxe à tona. A boquinha de Leo empurrou para fora um último pedacinho de pão que havia comido, parecendo ainda estar vivo. Mamãe notou uma mancha de um trauma de pancada em sua testa e pensou que ele estivesse apenas desacordado. Lalo correu para a rua, levando-o em seus braços. Um vizinho os levou para a Associação Social Santo Antônio (ASSA), onde havia uma unidade de pronto-socorro.

Já no trajeto, Lalo sentiu o corpo de nosso filho enrijecendo. Depois soubemos que o movimento de sua boquinha era um espasmo mecânico. Com certeza ele já havia morrido quando foi retirado da piscina. O que provavelmente ocorreu é que a porta ficou aberta e Leo foi até lá, tropeçando na área ao redor da piscina. Bateu com a cabeça e rolou desacordado. Ninguém ouviu nada, nem um grito ou pedido de ajuda.

Bill e seu companheiro, Milton, logo souberam do ocorrido e foram me buscar no estúdio do SBT. Falaram para eu voltar para casa, pois Leonardo havia sofrido um acidente. Fiz o caminho de volta rezando o tempo todo, pedindo a Deus que não fosse nada irremediável. Os dois ficaram em silêncio durante todo o percurso. Fui levada diretamente à ASSA. Começava a chuviscar e, ao saltar do carro, senti vários pingos grossos e quentes gotejando em meus ombros. Quando entrei, me indicaram uma porta fechada. Fui abordada por uma freirinha religiosa que era diretora da associação, em uma tentativa de me preparar para o que eu iria constatar a seguir. Ansiosa, não quis ouvi-la e escancarei a porta. Lá estava Lalo, ajoelhado no chão.

Foi quando vi nosso filho morto em cima de uma maca, com seu pai chorando a seus pés. Não sei onde encontrei forças para suportar aquela cena, que nunca mais se apagaria da minha memória. Leonardo, com seus cabelos louros e cacheados, tinha a fisionomia suave de um anjo. É a última imagem que tenho dele. Daí para a frente foi uma grande correria. Liguei imediatamente para Domingas, que foi com Jorge à ASSA. Como não houve cerimônia para batizar Leo, foi feito um batismo simbólico ali mesmo. Meu bebê foi vestido de azul e branco, com um traje dado de presente pelos avós chilenos.

Enquanto o velório era providenciado, os amigos começaram a chegar para nos consolar. O apresentador Raul Gil e a cantora Áurea Catarina foram os primeiros. Fui para casa buscar mamãe e a encontrei chorando, compulsivamente. Ela dizia que tinha vindo morar comigo para me ajudar a cuidar do Leonardo e que, mesmo estando ali tão perto, o deixou morrer. Depois de lhe abraçar, eu disse que ninguém deveria se sentir culpado. Simplesmente deveríamos aceitar os desígnios de Deus.

Fui até o quintal ao lado da piscina. Chovia muito e me ajoelhei ao lado na grama, lamentando o que estava acontecendo. Os relâmpagos começaram a cortar o céu. No primeiro raio forte que explodiu, pedi a Deus e às forças da natureza que me ajudassem a suportar aquela dor. Encharcada, só me levantei de lá quando uma estranha energia se apoderou de mim. De alguma maneira, foi uma resposta divina.

O velório, simples, ocorreu em uma capela minúscula do Retiro São Camilo, uma entidade que cuida de velhinhos e que fica ao lado da ASSA. Roberto e Myrian Rios, sua esposa na época, ficaram ao lado do caixãozinho branco, velando Leo durante toda a manhã. Nice ficou o tempo todo ao meu lado. Erasmo e Narinha foram para minha casa consolar minha mãe. Amamentando seu filho caçula, Krishna Baby, Baby Consuelo foi prestar suas condolências.

Quis enterrar Leo o mais próximo possível da nossa casa, para que ficasse perto do lugar onde ele foi tão feliz. Bill escolheu o Cemitério Maranhão. Fãs, curiosos e imprensa acompanharam toda aquela situação de profunda tristeza. No velório, rezei baixinho, segurando um ramo de flores. Pedi a Lalo que não deixasse ninguém tirar fotos naquele momento, mas a imprensa não se importou. Levantei e gritei com eles, pedindo para deixarem meu filho em paz.

O jornalista Tarso de Castro, figura célebre da imprensa brasileira, se manifestou de uma maneira que me emocionou muito em sua coluna na *Folha de S.Paulo*. Só tomei conhecimento dela durante a redação deste livro.

> Escrevo esta coluna tomado de profunda tristeza. Acabo de saber da morte de Leonardo, filho de minha querida amiga Wanderléa, essa moça tão bonita. Porcaria, porcaria, porcaria. Por quê? Isso é tão injusto com ele e mais talvez com ela, que só tem nos dado alegrias e belezas. Gostaria de colocá-la em meu colo, neste momento, talvez ousar canções de ninar. Como ela fazia com seu filhinho. Acho também que gostaria de dizer que estou a fim de quebrar a cara de Deus por essa coisa injusta. Deve ser uma declaração piegas. Mas sou piegas e bobo. E só fico escrevendo tanto e feito um bobo apenas para dizer uma coisa. Que a dor de Wandeca me agride pessoalmente. Assim, mergulhado numa imensa impotência, limito-me a mandar beijos.

Meu filho havia se tornado a maior razão da minha vida, era tudo para mim. Quando saíamos para passear não interessava o que se passava ao meu redor. Eu via tudo através dos seus olhos. Se o sol brilhava e o céu estava lindo, olhava rapidamente para constatar se o olhar dele também. Leo adorava música e gostava de ouvir a canção que eu e Lalo havíamos feito para ele:

O meu filho é tão bonito
Seu sorriso de criança
Enche meu coração triste
De amor e de esperança

Eu sei, um dia ele crescerá
De vida me perguntará
Eu lhe direi que é só sentir
É só amar
Tudo vibra tudo gira

A natureza tudo gera
Meu filho hoje ainda menino
Semente que eu plantei na terra
Eu sei
Preciso urgente lhe falar
Da harmonia do Universo
A Terra continuará
Gira a girar
Tudo gira, tudo gira
O sol permanecerá
Tudo gira, tudo gira
O amor prevalecerá
Tudo gira, tudo gira
A Terra continuará, gira, a girar

O tempo passava devagar, e a saudade de Leo era um tormento para mim e Lalo, que sofria calado. Até hoje ele não se conforma, prefere não lembrar. Faço justamente o oposto: falo de nosso filho sempre que posso, lembrando o privilégio de ter gerado esse ser. Amigos nossos disseram que não era bom para sua alminha saber que eu chorava o tempo todo e procurei a natureza para me reequilibrar. Andando sozinha pelo condomínio, conversava com ele mentalmente, pedindo que me desculpasse pelas lágrimas, mas a saudade era grande.

Durante uma caminhada solitária pela manhã, sentei no meio-fio e fiquei ali soluçando, colocando minha dor para fora. Quando levantei a cabeça, me deparei com um bonito espetáculo acontecendo à minha frente em um grande paredão coberto por folhas pequenas, em formato de parreira, do outro lado da rua. Enxugando as lágrimas, notei que aquela cobertura verde se transformou diante dos meus olhos: suas folhas ficaram maiores, ganharam uma vida diferente, nítidas e brilhantes, como em uma transmutação encantada. Vibravam parecendo querer se comunicar comigo.

Fiquei ali alguns minutos, extasiada com aquele fenômeno, quando uma mulher, que morava na casa em cuja calçada eu estava sentada, me chamou pelo nome. Como que por encanto, a mágica desapareceu voltando as folhas ao tamanho e coloração anteriores. Fiquei calada, tomando o copo d'água que a vizinha me trouxera, e voltei devagar e pensativa para casa. Acho que, chorando no estado sensível e ao mesmo tempo exaltado em que me encontrava, tive uma experiência mística, que não consigo descrever bem. Minha percepção se expandiu e tive uma visão profunda da verdadeira beleza daquela natureza, como se estivesse em outra dimensão.

Percebi que as alegrias que tive com meu filho durante seus 2 anos e 3 meses de vida foram um presente que Deus me enviou. Sou muito grata por isso. Acredito que minha vida foi enriquecida por aquela presença encantadora e passei a agradecer a dádiva do nosso convívio, em vez de viver para sempre lamentando sua partida.

As sementes que brilham na imensidão

Por ter na música meu principal canal de comunicação e entendimento com o outro, aceito constantemente pedidos de amigos ou de artistas dos quais sou fã para cantar com eles. Eu pensava em criar Leo em um lugar com natureza por perto quando Raul Seixas quis surpreender a todos, e também a mim, me chamando para gravar o malicioso xote "Quero mais". Quem apostou na obviedade de um rock, errou. Fomos juntos a programas de TV e o público se divertia em nossas aparições debochadas. Durante nossa convivência, Raul falou que em breve iria fazer um álbum só com meus sucessos. Para ele, eu era a maior roqueira do Brasil. Ficou na promessa, já que sua gravadora o impediu.

Depois da morte de Leo, eu tentava achar um jeito de me reconectar com o mundo e com a música ao lado de colegas de ofício. Duas semanas depois do trágico acidente, tirei forças não sei de onde para ir ao Rio gravar com Zé Ramalho. Ele, a quem conhecia apenas de vista, convidou a mim e a Zezé Motta para participar de uma faixa do disco *Por aquelas que foram bem amadas ou pra não dizer que não falei de rock*, chamada "Mulheres", parceria sua com Jards Macalé.

Por aquelas que foram bem amadas
E por todas que vivem em segredo
E as que vivem na vida a dor e o medo
Onde o amor é a súbita certeza
Onde voz e silêncio se confundem
Misturando alegria com tristeza

E é com elas que a luz se torna intensa
Como um sol que ilumina a escuridão
Onde o amor brilhará com mais beleza
Só por elas mais forte que paixão
Os sorrisos do mundo esparramando
As sementes que brilham na imensidão

Zé me chamou por ser grande fã da Jovem Guarda e do meu trabalho. Talvez ele e Macalé até hoje desconheçam que a letra de "Mulheres", com versos sobre a beleza do sexo feminino, o amor e as "sementes que brilham", teve um tremendo impacto em mim depois de perder Leo. É uma das grandes interpretações da minha carreira, a emoção saindo sem filtro pela voz. Acho que nunca a cantei em shows. Tem uma carga sentimental forte e não sei se sou capaz de suportá-la.

Saindo de casa

Estávamos decididos a ir embora de casa para aliviar as lembranças de Leo. Após o enterro, Wilma de Paoli nos levou para uma casa em Araruama, onde ficamos isolados. Chacrinha, dona Florinda e José Renato conseguiram contato conosco, convidando para passarmos um tempo na casa deles. Ficamos lá algumas semanas e, naquela temporada, meu ex-sogro fazia o que podia para simular que estava tudo bem. Ele se aproximou ainda mais de Lalo. Antes de ir para a Globo gravar o programa, o Velho Guerreiro o chamava com voz empostada, para diverti-lo.

— Alô, alô, Lalo. Tá me ouvindo? A vooooooooz tá boa?

Brincadeiras como essa garantiam um clima que, se não era o melhor, nos permitia ter frieza e lucidez para analisar como seria meu relacionamento com Lalo a partir dali. Um amigo psicólogo disse que duas coisas poderiam acontecer: a separação imediata ou a união definitiva. Meus fiapos de vontade de viver se irmanaram com os dele, sofrendo de uma maneira silenciosa e digna. Sua firmeza fez com que eu me mantivesse de pé. Sem ele eu não suportaria. Penso também no inverso. Sem mim, ele talvez sucumbisse à maior tristeza pela qual um ser humano pode passar.

Baby Consuelo era seguidora de Thomaz Green Morton, o famoso "o homem do rá", que entortava talheres com o pensamento, dizia ter contato com discos voadores e trabalhava com energização. Ele tornou-se um guru dos artistas. Baby me ligou dizendo que o suposto paranormal poderia me consolar de alguma maneira em uma reunião à noite, com alguns de nossos colegas na Marina da Glória. Fomos recebidos por ele e sentamos em cadeiras a seu lado. Começamos a falar sobre Leo e nosso sofrimento, quando vimos luzes estourando ao nosso redor. Morton pediu para rezarmos em agradecimento, pois aqueles lampejos eram indícios de boas energias.

Saímos da Marina sem que Morton tivesse verdadeiramente nos tocado. No trajeto de volta para a casa de Chacrinha, passávamos pelo Aterro do Flamengo quando seu carro emparelhou com o nosso, com mais luzes e mais "Rá!". A seu pedido, paramos. Ele veio até nós dizendo, de maneira convincente, que deveríamos ir para sua clínica de energização em Pouso Alegre na manhã seguinte. Em seguida pediu para a prima que o acompanhava, cega, ir embora conosco, pois ela tinha a missão de nos preparar para a viagem. Confusos, Lalo e eu nem tivemos tempo de dizer nada depois daquela abordagem. Chegamos em casa com a moça, um tanto atordoados com a visita inesperada, e eu mesma preparei sua cama.

Em uma entrevista à revista *Contigo*, Chico Xavier me mandou um recado que me fez ter vontade de conhecê-lo:

> Desde o dia em que a tragédia aconteceu, temos todos pedido a Deus por você, Wanderléa. Temos pedido para que você não enfraqueça, não se revolte, nem perca a fé num dos fenômenos mais divinos, a maternidade. Saiba que, através de sua fé, você poderá trazer seu filho de volta.
>
> Ele poderá voltar a você espiritualmente no corpo de um novo bebê que você tenha numa próxima maternidade. O mesmo digo a todas as minhas amigas anônimas, que não têm o nome de Wanderléa, mas

um desespero, uma angústia tão grande quanto a dela por perder seus filhos ainda tão pequenos.

Nunca conheci um artista que não sofresse muitíssimo. Eles pagam um alto tributo pela admiração pública que desfrutam. A dor deles é devassada, torna-se notícia. Não há como mantê-la na intimidade. E foi exatamente isso que ocorreu com nossa querida Wanderléa. Ela é uma grande moça. Tenho muita admiração e respeito pelo trabalho que desenvolve, desde os tempos em que junto a Roberto e Erasmo apresentava a *Jovem Guarda*, aquele programa dominical de muita beleza espiritual.

Na manhã seguinte ao encontro com Morton, Lalo e eu acordamos e fomos tomar café. A equipe do homem do Rá nos esperava no portão, insistindo na viagem a Pouso Alegre. Coincidentemente, emissários de Chico vieram pouco depois, ao saber por Augusto César Vanucci, diretor da TV Globo, que estávamos na casa de Chacrinha. As duas turmas ficaram uma ao lado da outra. Como eu não precisava dos efeitos de luz, 'rás' e outras pirotecnias de Morton para acreditar na espiritualidade, decidimos visitar Chico, que havia conquistado o respeito do Brasil e do mundo por sua postura simples e radiante. Liguei para Bill, e ele foi conosco para Uberaba, no Triângulo Mineiro, onde o médium morava.

Ao chegarmos na Casa da Prece, centro espírita que Chico dirigia, vimos as pessoas no entorno procurando um consolo. Homens e mulheres choravam pela morte de famílias inteiras. Fiquei pensando se a dor deles era maior do que a minha. Apesar de eu sentir um buraco em minha alma, questionei por alguns minutos se eu realmente tinha motivos para estar ali.

Com sua delicadeza ímpar, Chico nos recebeu na varanda da casa. Estava ciente de que eu não tinha ido ao seu encontro para receber uma mensagem do meu filho. Suas palavras de conforto bastavam. Passamos quatro dias com ele em um trabalho intenso, indo para o hotel à noite, frequentando seus grupos de oração. Em um sábado, dia de peregrinação, demos comida às crianças. O médium era nobre e simples ao mesmo tempo. Quando fomos embora, ofereceu um presente.

— Tomem este relógio de pulso. É para lembrar das horas maravilhosas que vocês tiveram com Leonardo.

Chico reforçou a Lalo que teríamos outro filho, enquanto eu achava essa possibilidade remota por causa da idade. Saímos de Uberaba em direção à casa de Chacrinha, e alguns dias depois descobri uma nova gravidez. A notícia tornou-se um acontecimento nacional. Amigos, fãs e familiares que acompanharam minha tristeza pela morte de Leo ficaram felicíssimos. Cartas e flores chegavam diariamente, desejando o melhor para mim e para a criança que viria. Por pura intuição, achei que era um menino, mantendo a surpresa para a hora do parto. Dona Florinda, que havia feito o chá de bebê de Leo, repetiu a dose, com a presença de vários globais. Quem roubou a cena foi Dercy Gonçalves, amiga da família, contando suas piadas e levando presentes para o neném que viria.

Nua e grávida

As publicações masculinas tinham um espaço significativo no mercado editorial brasileiro e todas me convidaram para ensaios fotográficos sensuais, educadamente recusados. Com a gravidez, aceitei mostrar meu corpo em sua plenitude, gerando uma vida — e também para provocar um pouco. Eu já havia passado dos 40 anos e estava me sentindo bem. A revista *Status* quis publicar um ensaio com essa temática. A edição foi para as bancas em julho de 1985, com fotos de Luiz Tripolli. Fiz questão de escrever um texto para acompanhar as imagens:

> É lindo este momento em que a mulher é mais que bonitas formas, símbolo erótico, gata sensual ou qualquer estereótipo do gênero. Em que seu corpo se transforma para a feitura de outro ser, na grande mágica da multiplicação da gente. Fico com a maior disposição e no maior astral. Quando em você habita outro, sua aura é mais brilhante. E o brilho do novo é sempre maior do que o nosso. Ficamos mais perceptivas, nossa sensualidade aumenta, somos gatas no cio. Se temos como cúmplice um companheiro amoroso, curtindo, aprovando, aguardando, na certa serão nove meses de gostosa lua de mel.
>
> Minha avó, na gravidez anterior, reprovava minha alegria ao exibir a barriga aos parentes, aos meus irmãos; para ela, gravidez é um estado

> meio santificado e meio vergonhoso, talvez por ser a constatação do pecado cometido, e por essa percepção da maternidade estar ligada à repressão religiosa que distorce a sensualidade, algo necessariamente natural, livre e sadio. Estas fotos flagram o meu momento de maior beleza.

Erasmo escreveu pequenos versos para acompanhar as imagens. Seis anos depois, a atriz Demi Moore posaria nua e grávida para a revista *Vanity Fair*, provocando polêmica em todo o mundo, como se ela tivesse feito algo escandaloso. Alguns jornalistas saudaram sua atitude, dizendo que ela havia sido inovadora nesse sentido. Modéstia à parte, a pioneira a fazer isso foi uma cantora brasileira nascida em Governador Valadares, a filha do severo seu Salim.

Yasmim e Jadde

Estava grávida quando a TV Globo pediu uma releitura de "Menino bonito", linda composição de minha amiga Rita Lee, para a novela *Um sonho a mais*. No estúdio, lembrei de Leo, meu eterno menino bonito, e ficou como uma homenagem a ele. Rita adora essa releitura, produzida por Guto Graça Mello, e acha que minha versão é melhor do que a dela, provavelmente por eu ter cantado de maneira bem pessoal, lembrando de momentos felizes ao lado de meu filho.

Em uma segunda-feira, 27 de maio de 1985, voltei ao Hospital Adventista para o parto. Eu estava crente que seria um rapazinho. Minha intuição falhou. Era minha primeira menina! Assim como Leo, o bebê estava em uma posição desfavorável. Em vez do parto natural, o dr. Joksan Amaral fez uma cesariana, acompanhada pelo dr. Lovizio, o pediatra. A mocinha saiu da minha barriga com 3,9 quilos e 53 centímetros às 10h45.

"Após observar as mãos da filha, 'Wandeca' arriscou, brincando, o palpite de que, pelo tamanho dos dedos, ela será uma grande pianista. Depois, mais séria, disse que a menina 'será a Gatinha do ano 2000, badalada pela televisão'. Lalo, porém, afirmou que ela será 'uma roqueira que fará música por computador' e garantiu que será passageira de uma viagem espacial", relatou o jornal *O Globo.*

No pós-parto, tive obstrução intestinal e precisei ficar duas semanas no hospital. As visitas eram constantes. Mamãe e todos os meus irmãos vieram dar um beijo na recém-nascida, além de amigos como Roberto e Erasmo. Jovens do coral adventista cantavam para mim diariamente. Três meninas tiveram problemas na amamentação e fui mãe de leite delas, pois o líquido jorrava do meu peito. As mães de Marjorie Suplicy, sobrinha de Eduardo e Marta Suplicy, e de Roberta foram gratas. A mãe da terceira estava com depressão pós-parto. Passando por sérios problemas psicológicos, achou que eu iria roubar sua filha. Em uma consulta de rotina posterior, nos cruzamos, fui cumprimentá-la e ela fugiu com o bebê, me dando as costas.

Em casa, consultei a numerologia e escolhi o nome: Yasmim, de origem árabe. Meu irmão Wanderlô e sua esposa, Janu, foram seus padrinhos. Ainda estava entre sair ou não da casa na Granja. Resolvi ficar. Era o lugar ideal para criá-la e sua chegada dissipou o que restava de vibração triste daquele ambiente.

Ainda estávamos curtindo Yasmim quando soube que estava grávida de novo, uma agradável e enorme surpresa. Nunca esperava ser mãe novamente. No dia 6 de abril de 1987, 3 quilos e 50 centímetros de pura formosura saíram de minha barriga. A equipe do dr. Joksan entrou em ação novamente. Naquele período, Regina Boni costumava me visitar na Granja. Morávamos no mesmo condomínio que sua filha, Gigi. Em uma visita, já na saída, contei-lhe que estava difícil achar um nome com a mesma força de Yasmim. Na despedida, ela sugeriu.

— Por que não Jadde? Yasmim é uma flor, e Jadde é uma pedra preciosa.

Achei ótimo. Meu amigo Guto e Wanderte a batizaram, e seu padrinho de confirmação é ninguém mais ninguém menos que Egberto

Gismonti. A chegada da caçula mostrou que quem manda no nosso pedaço são as mulheres. E as minhas meninas, como profetizaram Zé e Macalé, são sementes que brilham na imensidão. Sou feliz por ter plantado tão belas sementes na terra.

A revelação

Quando voltei ao meu apartamento em São Paulo, no início dos anos 1980, Bill veio comigo. Além de desenhar meus figurinos, ele passou a administrar minha carreira na empresa que criou, a Harmonia Produções Artísticas, tendo Eloísa Marques como sócia. Em um certo domingo, grávida de Yasmim, Bill foi a minha casa na Granja Vianna. Eu estava tomando banho e, quando saí do banheiro, fui surpreendida por ele, que nunca havia me abordado dessa forma. Sua fisionomia era angustiante. De forma direta e sucinta, afirmou:

— Léa, eu sou portador do vírus da aids.

Bill teve algumas namoradas na adolescência, mas, ao se tornar adulto, com a consequente morte de nosso pai, assumiu sua homossexualidade, o que foi vivido de uma forma muito natural. Jamais foi questionado ou discriminado por mim. A família inteira, sem exceção, lidava com isso tranquilamente. Ele era feliz assim, e todos nós respeitávamos sua orientação sexual. Passamos a conviver com alguns de seus companheiros. Com todos eles me acostumei e os integrei ao meu convívio como se fossem também meus irmãos.

No Brasil, os primeiros casos de aids ocorreram em 1982, vitimando muitos homossexuais. A liberdade sexual conquistada nas décadas anteriores havia chegado ao fim. Era um tempo em que havia muita desinformação sobre o contágio, estimulando o preconceito da população em geral. As pessoas acreditavam que um simples aperto de mão transmitia a doença. Bill sabia que fazia parte do grupo de risco.

— Mesmo sem nunca ter sentido nada, resolvi fazer o teste e deu positivo.

Após ouvir o que ele tinha a dizer, emudeci. Perplexa, tudo o que pude fazer foi abraçar meu irmão por um longo tempo. Choramos juntos. Era o início de uma longa batalha.

Bill achou melhor não falar de imediato à família toda sobre a doença. No início, apenas nossa irmã Wanderte soube, já que trabalhava conosco fazendo vocais em shows e morava com ele. Ela passou a lhe fazer companhia, de maneira amorosa e assídua, ajudando-o em seus cuidados de rotina. A partir daí tudo mudou em nossa vida e passamos a viver de sobressaltos. Cada vez mais, a mídia alertava sobre os perigos de contágio.

Havia uma propaganda na televisão em que uma voz gritava "aids mata!". Sempre que isso era dito, a gente morria um pouco, esperando que os cientistas descobrissem uma cura imediata. Eu me lembrava de Wanderlí, meu irmão que não cheguei a conhecer e morreu por uma infecção. Se ele tivesse resistido por um tempo, a penicilina, que chegava ao Brasil, salvaria sua vida.

Wanderte e eu acompanhamos Bill em suas visitas aos médicos e exames periódicos. Temia que algum amigo próximo o rejeitasse por sua condição. Acho que seria extremamente doloroso para ele e para nós, mas não fazíamos nada escondido. Compartilhamos nosso sofrimento com o dos outros portadores, que eram discriminados até por suas próprias famílias. Nós ficávamos revoltados. A São Paulo da década de 1980 não era muito diferente da Lavras dos anos 1940, quando os portadores de hanseníase eram abandonados à própria sorte.

Foi muito difícil lidar com o que meu irmão passava durante a gravidez de Yasmim. Certa vez, voltei para casa chorando após uma consulta no obstetra, e eu deixava essa tristeza visível. Todos pensavam que havia algum problema com o meu bebê. Chorar era um jeito de extravasar o que eu não queria dizer a ninguém. Bill acompanhou o nascimento de Yasmim e foi bastante presente durante a gestação de Jadde. Raonih, filha de Wanderte, nasceu na mesma época. A chegada de novos membros na família o fazia feliz, dando-lhe um ânimo extra, e ele demonstrava todo seu amor a elas. Detinha havia se casado e tinha passado uma grande temporada na Alemanha, cantando Bossa Nova ao lado de Kiko, seu marido, também baixista. Tempos depois ela voltou ao Brasil e Bill foi como um pai para Raonih.

Obrigada, Chacrinha

Em 1988, a direção da TV Globo pediu para eu gravar uma música que entraria na trilha da novela *Bebê a bordo*, escrita por Carlos Lombardi, cuja estreia ocorreu em junho daquele ano. "Me ame ou me deixe" é uma balada escrita especialmente para mim por Michael Sullivan e Paulo Massadas, autores de grandes sucessos da época, e tocaria bastante em rádios. Chacrinha teve acesso à gravação em primeira mão e ligou para minha casa.

— Ouvi sua música nova, é ótima. Quero que você venha lançá-la no meu programa.

— Claro, Chacrinha, vai ser o maior prazer — respondi.

Meses antes do telefonema, Chacrinha havia sido internado e os médicos detectaram um câncer de pulmão. Com dificuldades para respirar, ele estava dividindo a apresentação do *Cassino do Chacrinha* com João Kléber. No telefonema, disse que queria me ver assim que eu chegasse no Rio para tomarmos café com sua família. Provavelmente teríamos mais um de nossos bons e longos papos, em que todos perguntavam como estavam Lalo, Yasmim e Jadde.

A produção comprou passagens para eu ir ao Rio a bordo do trem Santa Cruz, na noite do dia 30 de junho, uma quinta-feira. Dois dias depois gravaria o programa. Bill e meus amigos Sebastião Archanjo — fã que colecionava *memorabilia* da minha carreira — e Guto me acompanharam. Passamos a noite no vagão-restaurante, jogando conversa fora e rindo das brincadeiras que fazíamos uns com os outros. Descemos na Central do Brasil às sete da manhã.

No caminho para o táxi, Bill estava um pouco à nossa frente e passou por uma banca de jornais na Central. Na primeira página de um jornal, estava a manchete "Chacrinha morre na madrugada". Para que eu não pudesse ver a matéria, ele falou algo como "vamos ali pelo outro lado". Antes de sairmos dali, meu irmão comentou sutilmente o que tinha visto, na tentativa de me preparar para o pior.

— Léa, vi um jornal falando que o Chacrinha morreu.

— Bill, isso é bobagem, o pessoal tá inventando coisa. Na nossa conversa ele estava ótimo.

Acho que Bill também queria acreditar que aquela era uma notícia falsa. Ele, Arcanjo e Guto pegaram um táxi para o hotel, e eu embarquei em outro para encontrar meu ex-sogro. Bati naquele portão imenso ao mesmo tempo em que a manhã despertava. Ninguém aparecia e fui ficando inquieta. Depois de muito insistir, um mordomo me recebeu de cabeça baixa e confirmou a história. Aos 70 anos, Chacrinha havia morrido na noite anterior. Apenas Nanato estava em casa, pois a família preparava o velório na Câmara dos Vereadores. Entrei para falar com ele, que me viu e gritou.

— Tchu! Tchu!

Desesperado e sozinho na cama de seu quarto, Nanato chorava copiosamente a partida do pai. O pedido de Chacrinha para que eu fosse vê-lo serviu para que eu esboçasse alguma tentativa de confortar seu filho, como já havia feito tantas vezes. Quando éramos noivos, escondi meu choro em muitas ocasiões. Pensava que, se ele presenciasse alguma fraqueza minha, iria desistir das terapias para recuperar os movimentos. Mas diante da morte daquele homem tão importante para nós, não consegui segurar as lágrimas. O que seria um encontro tornou-se despedida.

Terminava naquele dia uma relação de grande amizade e companheirismo que havia começado há quase 25 anos, bem antes de eu conhecer Nanato. Fui divulgar o compacto com "Me apeguei com meu santinho" e "Meu bem Lollipop" em seu programa na Rádio Globo. Chacrinha, além de animador, também escrevia em jornais e revistas e apostava em novos talentos. Ter contato com ele era importante para quem estava começando. Entrei na rádio com meu traje de colegial, vindo direto da escola, ao lado de Carlinhos Tlinta e Tlês, o divulgador da CBS que me acompanhava naquela época. Fiquei tímida na presença de Chacrinha e, para disfarçar meu desconforto, não parava de olhar seu relógio de pulso colorido que havia despertado minha atenção. Ele quebrou o gelo de uma maneira inesperada.

— Gostou do relógio? Quer pra você? Toma.

Sem graça, levei o presente para casa. Seu jeito espontâneo me agradou e fui algumas vezes aos seus programas de rádio e TV, o que se tornou impossível depois da minha mudança para São Paulo. Uma das exceções foi significativa, pois em seu palco assinei o contrato para fazer *Juventude e ternura*. Depois que comecei a namorar Nanato, ele passou a me sugerir coisas inusitadas, como viajar pelo Brasil com um show de voz e violão. Segundo ele, daria o maior pé. Coisa de visionário, já que o formato acústico era pouco usual naquela época. Devo a ele parte do sucesso do show *Maravilhosa*, pela forte divulgação que fez em seu programa na TV Tupi.

Chacrinha não era um personagem distante do marido e pai no ambiente familiar. Seu estilo irreverente e chamativo era natural. A alegria dele era essencial para aliviar nossa angústia com relação a Nanato. Achava muito divertido encontrá-lo com seus filhos e netos em nossos almoços dominicais, saindo do banho só de cueca, penteado, perfumado e ostentando um cordão de ouro que lhe dei de presente, e que alcançava aquela enorme e firme barriga bronzeada. Para o constrangimento de dona Florinda, ele aparecia desse jeito na sala de visitas, sempre repleta de convidados, quase sempre falando de algo que o havia impressionado na música ou na TV. Quem estava presente achava graça daquela sua descontração, fingindo não notar que Abelardo Barbosa estava com tudo e não estava prosa.

Também vi seu lado de paizão careta, controlador e exigente. Uma vez fui me apresentar na *Discoteca do Chacrinha* com um vestido bem decotado e, ainda que ele não questionasse o figurino, percebi que ficou preocupado com minha possível exposição inadequada perante as câmeras. Aos domingos, quando eu e Nanato íamos visitá-lo, encontrávamos com sua equipe de produção, que estava lá para rever as fitas de programas já exibidos. Eles iam para o escritório e de lá dava para ouvir Chacrinha dizendo o que tinha dado certo e as falhas a serem corrigidas. Ao escutar suas observações, entendi que foi essa busca pela perfeição que fez dele um dos grandes comunicadores do país.

"Me ame ou me deixe" seria mais uma entre tantas músicas que eu lançaria em seu programa. Pena que o destino não tenha permitido que seu desejo fosse realizado. Depois de 27 anos, tive a feliz sensação de estar novamente em um palco com Chacrinha. Fiz, emocionada, uma participação especial na estreia de *Chacrinha, o musical*, em São Paulo. Leo Bahia e Stepan Nercessian interpretaram o Velho Guerreiro, em idades diferentes. No palco do Teatro Alfa, deu até pra matar um pouco a saudade, mas ele é mesmo insubstituível. Por todas as coisas boas que fez por mim, por Nanato e por outros colegas de profissão, deixo aqui minhas palavras de reverência a um gênio. Obrigada, Chacrinha.

Dr. Adib

Mamãe gostava de se ocupar cuidando das netas. Bill não apresentava nenhum sintoma da aids, portanto ela não tinha ideia do que estava acontecendo com ele. Em uma de suas visitas, passou mal. Mamãe já havia sofrido um infarto e começava a sentir os sintomas de um aneurisma cardiovascular. Seu médico, o dr. Jairo Borges, me contou da seriedade do problema, recomendando uma intervenção cirúrgica imediata. Como ela só tinha um rim, era paciente de risco. Perguntei-lhe, então, quem seria o mais competente cirurgião para um caso como o dela. Jairo me indicou o médico Adib Jatene, que empregava uma técnica em suas operações de aneurisma reconhecida internacionalmente.

Jairo afirmou que o dr. Adib era um profissional muito requisitado e talvez não houvesse espaço em sua agenda para cuidar do caso de mamãe. Além disso, ele estava de férias. Consegui o telefone de sua residência, me identifiquei e fui atendida prontamente.

— É mesmo a Ternurinha? Puxa vida, minha mulher, meus filhos e eu íamos assistir vocês no Teatro Record, no tempo da Jovem Guarda.

Expliquei o que estava acontecendo, e dr. Adib pediu que eu fosse imediatamente ao hospital com os exames de mamãe. Na mesma hora, peguei o carro e o aguardei no saguão. Sua chegada foi uma surpresa para os outros médicos e funcionários.

— Vim atendendo a um chamado da Ternurinha.

Foi o que ele disse em meio aos olhares de todos. Nunca agradeci tanto a Deus por esse apelido. Ele me conduziu a uma cabine e examinou o filme que detectava, além do aneurisma, a necessidade urgente de quatro pontes de safena.

— Minha filha, sua mãezinha a qualquer momento pode não ter mais condição de atravessar a porta do consultório. Tenho que operá-la imediatamente.

Nosso seguro-saúde, por ser do Rio de Janeiro, ainda não fazia parte da cobertura daquele hospital, o que mudou justamente com o caso de mamãe. Perguntei se isso seria um problema.

— Não faz mal, vou operar assim mesmo. O importante é interná-la urgentemente.

No hospital, mamãe foi submetida a muitos outros exames. Por não conseguir comer, ela estava anêmica. Antes da operação, teve que ficar em repouso por 22 dias e acompanhamos todo o processo conduzido por dr. Adib, que a salvou, e a ele somos eternamente gratos. Os meses seguintes foram difíceis, pois mamãe precisava de cuidados. Por isso a gente esqueceu um pouco o fantasma que rodeava Bill e também nos assombrava.

Antes do silêncio

Vinte anos depois do estouro da Jovem Guarda, surgia, em um movimento espontâneo, uma nova geração do rock brasileiro. Fiquei atenta à proposta daqueles jovens de 20 e poucos anos que seguiam carreira solo ou pertenciam a bandas como Blitz, Os Paralamas do Sucesso e Kid Abelha. Vez ou outra, cruzava com vários deles em bastidores de programas de TV. Bill também fazia comentários sobre artistas novos cujo trabalho lhe interessava e pedia para eu ouvi-los.

Por serem mulheres, Marina Lima e Paula Toller foram as que mais me chamaram atenção. Pensava, modestamente, que eu deveria ser uma referência para elas. De Paula, tive uma confirmação mais concreta, pois o Kid Abelha, banda da qual ela fazia parte, gravou "Pare o casamento" em 2000.

"É o que gostaríamos de ter gravado num tributo a Wanderléa. É nosso tributo imaginário a ela. Todo mundo fala de Roberto e Erasmo, são os compositores, os homens, e se esquecem muito da importância e da graça de a Wanderléa estar com eles na Jovem Guarda. Como ela não foi aceita pela intelectualidade, ficou como se não houvesse existido e não tivesse sido muito legal. Pô, eu também venho dali", disse Paula à *Folha de S.Paulo*.

Jadde tinha pouco mais de 3 meses quando pisei no palco do teatro do Sesc Pompeia, em São Paulo, para fazer um show diferente. O público me ouviu cantando, pela primeira vez, "Pra começar", de Marina e Antonio Cícero, "Nada por mim", de Paula com Herbert Vianna, e "Me chama", de Lobão. Eu e Lalo sentimos que essas canções dariam origem ao meu trabalho seguinte, com base no rock. Era só esperar a oportunidade chegar. Uma produção independente, pelo alto custo, estava fora de cogitação. Até que veio o convite para gravar "Me ame ou me deixe" especialmente para *Bebê a bordo*. Com a repercussão da faixa, a gravadora 3M se interessou em fazer um álbum. O título é apenas *Wanderléa*.

Contrato assinado, fomos a uma reunião para definir o repertório. Em vez de um disco de rock, a gravadora quis investir no estilo de balada que dominava as rádios. Mesmo contrariada por ter de fazer um trabalho diferente do que havia planejado, não pude reclamar. Era necessário jogar o jogo da indústria fonográfica para não ficar de fora, e eu já estava havia quase oito anos sem gravar um LP. Ed Wilson e Reinaldo Brito, os produtores, assim como o arranjador Sérgio Sá, tinham que seguir à risca o padrão sonoro, repleto de teclados, imposto pela direção da 3M.

Eu tinha recuperado a alegria de viver com o nascimento das minhas duas filhas e queria que o disco traduzisse aquele momento, o que não aconteceu. As faixas ficaram derramadas demais. Logo depois de pronto, percebi que era mesmo um grande equívoco, talvez o maior da carreira. E, assinando a coprodução, me responsabilizo por ele. Pelo menos não precisei me preocupar com a divulgação de um álbum que não me representava. No fim das gravações, soube que a gravadora iria fechar. Foi o último lançamento da 3M, e a repercussão foi nula.

Enquanto os fãs estavam ávidos para ouvir boas novidades, ninguém da indústria fonográfica parecia interessado em saber se eu gostaria de gravar músicas inéditas. Conversava com Bill e Lalo sobre o assunto, e os dois me pediam paciência. Quando algum produtor aparecia, vinha com mil e uma ideias mirabolantes, sugerindo que eu pegasse carona na onda da lambada ou do axé, estilos que pouco tinham a ver comigo. Eu falava do disco de rock que queria fazer e não era levada a sério.

Não entendo por que eu, sendo a primeira representante do rock contemporâneo no Brasil, jamais fui convidada para me apresentar no Rock in Rio. Raul Seixas, que estava morando a algumas quadras do meu apartamento, não sabia dessas questões, mas suas palavras, além do carinho do público que me acompanha até hoje, foram importantes. Em todos os papos que tivemos naquela época, ele reforçava o quanto eu havia sido importante para toda uma geração.

— Wanderléa, não se esqueça: você é a maior roqueira do Brasil.

Muita gente parecia concordar com Raulzito. Minha amada Rita Lee resgatou "Sem endereço", que eu havia gravado em 1964. Antes, Zizi Possi fez uma releitura de "Foi assim". Marília Pêra colocou "Ternura" e "Pare o casamento" em seu espetáculo *Elas por Ela.* E meu amigo Renato Kramer montou *Nos tempos da Jovem Guarda*, no qual fazia uma divertidíssima interpretação de mim. Essas homenagens eram um sinal de que eu havia deixado um legado. O autor de novelas Silvio de Abreu e o então diretor musical da TV Globo, Mariozinho Rocha, me convidaram para regravar "Foi assim" como tema dos personagens de Tony Ramos e Regina Duarte em *Rainha da sucata,* folhetim escrito por Silvio para o horário das oito.

Com um belo arranjo de Ary Sperling, fiz uma nova versão para a música, melhor que a original. Foi um presente inesperado, que me trouxe muitas alegrias. Uma situação inusitada: a mesma intérprete fez sucesso duas vezes com a mesma canção, em décadas diferentes. Gravei clipe para o *Fantástico,* voltei a fazer shows em ginásios para multidões e, o melhor de tudo, recuperei o prazer de ouvir um sucesso meu na boca do povo.

Imediatamente, a CBS lançou uma coletânea com o primeiro registro, com o título *Foi assim,* uma foto atual e o adendo "tema de novela" para fisgar compradores. Era uma maneira de lucrar com minha exposição sem haver nenhum vínculo comigo, e eu reclamei desta atitude antiética publicamente. Enquanto isso, meu disco de inéditas permanecia no plano das ideias.

A Som Livre, por meio de Heleno de Oliveira, pediu um projeto de regravações. Depois de pensar um pouco e conversar com Bill, vimos a oportunidade de renovar o público, atualizando algumas músicas, e deixei a intenção clara em um trecho do texto escrito para o encarte.

> Regravar as canções que já cantei com vocês é uma experiência nova. Existe um momento em que repensamos o que somos, avaliamos o que fizemos de bom e de ruim e o que demos e recebemos da vida. E como desde menina escolhi o canto como expressão, achei muito interessante fazer uma reciclagem também através da música e com as mesmas canções que me fizeram conhecida de vocês.

Produzido por Max Pierre, *Te amo* foi meu primeiro lançamento em CD, formato que começava a se popularizar no Brasil. Baladas como "Eu já nem sei", "Ternura" e "Imenso amor" ficaram bonitas. Meu irmão criou a ideia da capa e a roupa, resultando em algo chique e ao mesmo tempo ousado, como nos velhos tempos. Havia duas inéditas escolhidas por Max, "Preciso te esquecer", de Sullivan e Massadas, e "Tem de ser assim", uma versão que Luiz Keller havia feito para um sucesso do The Monkees, "It's Nice to Be You". Nenhuma delas marcante, colocamos só para falar que havia alguma novidade. Por ser ligada à Globo, a gravadora tinha um bom esquema de divulgação. Fui ao *Domingão do Faustão*, ao *Xou da Xuxa* e gravei um comercial exibido nos intervalos da emissora, no qual eu aparecia ao lado das Meninas Cantoras de Petrópolis, que participaram de "Capela do amor". Até as crianças ficaram sabendo de mim. A Som Livre colocou uma propaganda do disco em revistas da Turma da Mônica.

Dedicado a Bill, Yasmim e Jadde, *Te amo* fez certo burburinho. Depois, veio o silêncio. Eu demoraria alguns anos para voltar aos estúdios, fazendo um álbum do jeito que queria. Nesse período me dediquei aos shows e encontrei um refúgio na vida familiar, no meio do mato, quieta no meu canto. Cantando sem parar há tanto tempo, talvez fosse melhor pisar no freio e seguir apenas com os shows. Meu marido, minhas filhas e principalmente meu irmão precisavam de mim.

Perdendo amigos

Cazuza foi o primeiro artista brasileiro a admitir que tinha aids. Ele, por quem já tínhamos admiração como cantor e compositor, virou o herói de nossa família. Nós torcíamos por sua recuperação como torcíamos pela de Bill. Cada ousadia de Cazuza era uma injeção de estímulo. Mesmo com as adversidades, nosso trabalho não parava e nem perdíamos tempo alarmando ninguém.

Milton, companheiro de Bill, começava a apresentar os primeiros sintomas da aids. Quando saíamos do hospital onde mamãe estava, meu irmão o protegia com seu guarda-chuva nos dias chuvosos. Um gesto de carinho simples, mas para mim aquilo representava um forte ato de resistência diante do que os dois passavam. Bill não queria que eu gastasse dinheiro com sua doença. Com Milton, procurou o Centro de Referência e Treinamento DST/AIDS (CRT), da rede pública de saúde. Ele achava que só ali teria médicos capacitados para cuidar dos sintomas que se apresentavam continuamente. Sem que tivéssemos pedido, Roberto Carlos nos enviou uma considerável quantia em dinheiro para ajudar no tratamento. Ficamos muito sensibilizados e gratos com esse gesto do meu amigo de fé.

Nosso amigo Dudu, rapaz forte e bonito, foi o primeiro do grupo de amigos de Bill a apresentar intenso estado febril. Ele morreu depois de um réveillon que passamos juntos. Outros conhecidos vieram na sequência, em frequência quase mensal. A cada notícia de morte, desmoronávamos. Um pânico disfarçado que fazíamos força para conter se instalou em nossos corações e mentes. Era como se Bill estivesse condenado à cadeira elétrica, começando a contar cada dia como se fosse o último.

Milton foi internado no Hospital Emílio Ribas, para onde eram encaminhados os doentes terminais de aids, e lá morreu. Em seus últimos dias de vida, fui visitá-lo. Estava deitado com o dorso nu, sem poder falar nada, mas estava muito bonito, envolvido em uma aura dourada. Vi em seus olhos azuis brilhantes e expressivos sua alegria por eu estar presente. Ele era muito religioso e, naquela visita, pediu que orássemos juntos. Wilma e eu ficamos ao seu lado, e pedimos a Deus por aquele amigo tão amado.

Foi extremamente desgastante para nós enterrar Milton. Participei do cerimonial de mãos dadas com Bill, que teve o primeiro baque físico pouco tempo depois. Ficou evidente o quanto o fator psicológico afeta a imunidade de um indivíduo infectado pelo HIV. Eu notava que, quando estava emocionalmente estável, Bill ficava algum tempo bem, mas ao se sentir perturbado com qualquer situação afetiva, econômica ou social, ele se abatia. Meu irmão passou a ser tratado pelo dr. Nilton Cavalcanti, jovem médico muito dedicado e competente. Além disso, se juntou a um grupo chamado Convival, que prestava apoio psicológico aos doentes.

O Convival era dirigido por Nivaldo, um bonito e corajoso portador do vírus. Em todas as consultas com sua médica, ela lhe dizia que houve um comprometimento cerebral por causa da doença e que ele morreria em dois meses. Quando esse tormento completou um ano, Nivaldo se cansou de ser desenganado e fundou o grupo, auxiliado por profissionais da saúde voluntários, que conseguiam brechas em seus horários de trabalho uma ou duas vezes por semana. Achei que também poderia ajudá-los e comecei a fazer shows para conseguir verbas para a entidade, com Bill me dando assistência.

Vi chegar ao grupo senhoras portadoras do vírus que haviam sido infectadas por seus maridos. No CRT, tive contato com avós que traziam netinhos doentes e senhores abalados ao lado dos filhos. Ser tratado em um local público, sem os privilégios de um tratamento individual, era o desejo de Bill. Ali, ele trocava ideias com os outros, levantava o moral de quem precisava e estendia a mão àqueles que passavam pelo mesmo infortúnio.

Espiritualidade e natureza

Diminuí o ritmo de trabalho após o nascimento de Yasmim e Jadde. Virei bicho-grilo. Desde o início da carreira, mesmo passando por situações trágicas, eu me dava o direito de ser dona do meu tempo pela primeira vez. Levava uma vida pacata e saía apenas para fazer show. Passei a ter certo gosto pelo exílio e, após a morte de Leo, refiz meus laços espirituais. Por anos, o condomínio em que moramos na Granja Vianna não teve asfalto, nem iluminação, e eu gostava assim. Fiquei chateada quando instalaram um poste perto da minha casa só porque a luz atrapalhava a visão das estrelas, que pareciam estar ao alcance das mãos.

O tempo passava lentamente. Uma oportunidade para fazer reuniões de meditação ao lado das vizinhas — as meninas, já grandes, diziam que era "a convenção das bruxas" —, energizar cristais e me dedicar à filosofia de Saint Germain, um dos sete mestres ascensionados da Grande Fraternidade Branca. Estudei durante anos essa ordem de pensadores místicos, introduzida por minha amiga Ana Maria, a primeira pessoa a incentivar a redação de minhas memórias. *O livro de ouro de Saint Germain*, com seus ensinamentos, nunca saiu da cabeceira da minha cama.

Encontrei na defesa do meio ambiente uma causa, sem ser panfletária. Participei de protestos contra a implantação de indústrias poluentes na Granja e fui a um especial de Roberto Carlos cujo mote era *Verde é vida*. Inspirado, Lalo fez uma espécie de trilha sonora em nosso estúdio caseiro sobre a devastação da floresta e procurou uma produtora de vídeo para casar música com imagens de bichos e plantas ameaçadas de extinção.

Evento de dimensão global, a Conferência das Nações Unidas sobre o Meio Ambiente e o Desenvolvimento, a Eco-92, debateria como frear a devastação da natureza e pediu a alguns ativistas que enviassem material para ser apresentado durante o evento no Rio. Nosso vídeo foi um dos escolhidos pelos organizadores. Durante a exibição, li um texto em *off*:

> A causa real da nossa presença aqui é a forte constatação de que todos temos um propósito para a realização do nosso plano divino. De que todos habitamos o mesmo planeta e a consciência de que tudo que fazemos a ele estamos fazendo a nós mesmos. De que precisamos ser tocados por um profundo sentimento de amor à nossa condição humana. De que precisamos evoluir para um estado real de beleza, retidão e liberdade. Para que se cumpra o real propósito de toda existência na terra.

Em casa, mãe

Criei minhas filhas longe da imagem pública que eu representava para preservá-las, acreditando que deviam conduzir suas escolhas seguindo a voz de seus corações, sem nenhum tipo de influência. Combinei com Lalo que meu papel em casa seria o de mãe, não o de estrela. Sequer deixava à mostra discos ou prêmios que ganhei ao longo da vida. Sabendo apenas que os pais viviam de música, as duas passaram a infância brincando com cachorros, gatos, passarinhos e galinhas, respirando ar puro e comendo alimentos sem agrotóxicos comprados na Chácara do Kira, no quilômetro 24 da Raposo Tavares. Quem quebrava o protocolo era mamãe, que deixava Yasmim e Jadde comerem doces e frituras quando eu e Lalo estávamos fora.

Naturalmente, as meninas iam descobrindo seus dons. Era impossível escapar da veia artística que corre no sangue da família Salim. Com 4 anos, Yasmim disse que queria ser pintora, sem saber do gosto da mãe pelas artes plásticas quando jovem. Jadde cantava pela casa, sob o incentivo de Lalo. É engraçado porque Yasmim se parece fisicamente comigo e nossas personalidades têm características semelhantes, como a serenidade; Jadde puxou a fisionomia do pai e é perfeccionista como ele.

A escola em que as duas estudaram, a Casa Redonda, adota um método experimental de ensino e teve um papel importante na formação delas. Às vezes eu ia buscá-las e ficava encantada com o estímulo criativo que aquele espaço proporcionava a elas e às outras crianças privilegiadas que a frequentavam. Até hoje as meninas são ligadas à escola e a sua criadora, Maria Amélia, a Peo. Yasmim inclusive chegou a dar aulas lá.

Em casa, a artista não existia, mas na rua todos sabiam quem eu era. As crianças não entendiam porque as pessoas, que eu fazia questão de tratar bem, me paravam tanto durante os passeios e preferiam sair só com o pai. Yasmim se incomodou bastante durante o show de Michael Jackson em São Paulo, em outubro de 1993. Entramos na área VIP, e ela fez uma birra natural de criança, sem querer nos acompanhar. Em questão de segundos, os flashes de máquina fotográfica começaram a estourar em seu rosto e ela se assustou.

De dedo em riste, alguém lhe deu um sermão dizendo coisas que uma criança não poderia entender, como "não faça assim, você não sabe o que sua mãe representa para nós". Feito uma leoa, tirei Yasmim daquela roda. Ela estava assustada com aquela abordagem e me abraçou apertado, pedindo proteção. Essas coisas estragavam nosso lazer e ficamos cada vez mais dentro de nosso tranquilo e vasto mundo encantado.

Meu vizinho Jair

Decidimos mudar para uma casa maior na própria Granja, onde demos continuidade à nossa vida pacata. Procuramos várias e me encantei com uma que tinha bastante verde em volta. No dia em que fechei o negócio, Jair Rodrigues me chamou do outro lado do muro e perguntou o que eu estava fazendo ali. Foi pura coincidência, eu não sabia onde ele morava! De cara, exclamei:

— Jair, a partir de agora somos vizinhos!

Nós havíamos nos conhecido no tempo da TV Record. Sua alegria e vitalidade me impressionavam; ele era assim o tempo todo. Nossas famílias se frequentaram muito nesse tempo, indo almoçar na casa uma da outra e batendo papo. Lembro bem de Jairzinho e Luciana crescendo. Jadde, pequenininha, brigava comigo ou com o pai e fazia uma malinha para fugir de casa. Chegava perto do muro e pedia ajuda a Clodine, esposa de Jair, que achava a maior graça.

Mantivemos contato por décadas. Foi triste receber a notícia de sua morte, em 8 de maio de 2014. Logo ele, com toda aquela energia, foi embora deste mundo. Felizmente Jair deixou por aqui Jairzinho e Luciana, pessoas iluminadas que honram o legado do pai.

Nossa amizade ainda é próxima, e Clodine transformou sua casa em um restaurante. Recentemente comemorei meu aniversário lá, em uma tarde inesquecível.

Ciúme de criança

Lalo e eu fomos com as meninas para Orlando, nos Estados Unidos, durante as férias delas. Ana Maria, nossa vizinha, nos acompanhou com sua família. Depois de passear pela Disney, fomos ao parque da Universal. Quando estávamos na entrada do Tubarão, atração baseada no filme de Steven Spielberg, me surpreendi com uma menina de uns 10 anos me chamando atrás de uma cerca que a impedia de vir até mim.

Ela era branquinha de cabelos pretos, e se parecia com Yasmim. Sem entender o que ela queria comigo, deixei Lalo com as crianças e fui até lá. Com os olhos brilhantes e a voz marejada, ela se apresentou.

— Eu sou Marjorie. Marjorie Suplicy.

De imediato, me comovi. Era aquela bebezinha que a avó trazia ao meu quarto para a primeira mamada matinal no Hospital Adventista, e aquele era o nosso primeiro reencontro. Marjorie disse que estava de passagem por Orlando com seu pai, Fábio, que a levou até mim. Nós nos abraçamos, eu disse a ela que estava muito feliz em vê-la, e voltei para contar a todos que tinha reencontrado uma filha de leite. Yasmim fez cara de aborrecida e exclamou:

— Grande coisa! Eu tomo leite Parmalat todo dia, nem por isso a vaca é minha mãe!

A gargalhada foi geral com essa cena de ciúme, típica de criança. Yasmim foi muito espirituosa. Marjorie e Fábio acabaram se juntando ao nosso grupo, e as meninas ficaram amigas, circulando pelos parques. Entre os adultos, a história do leite Parmalat virou piada a viagem inteira.

O coração do candidato

Tive uma pequena proximidade com o universo da política. Fiz alguns shows em comícios e participei, com menos intensidade do que gostaria, das Diretas Já. Leo morreu em meio à euforia da campanha, iniciada em 1983. Ainda um tanto abalada pela tragédia recente, fui chamada para um comício em Curitiba, no dia 26 de junho de 1984. A Emenda Dante de Oliveira, que tentava restabelecer eleições diretas para presidência, já havia sido rejeitada pela Câmara dos Deputados. Estive ao lado de Fafá de Belém, Dina Sfat e Osmar Santos, além de políticos como Brizola e Lula. No palco, lembrei do meu filho, conforme relatou o *Jornal do Brasil*:

> Passei por uma dor muito grande e tive solidariedade do Brasil inteiro. Graças a essa força que vocês me deram estou aqui hoje. Eu tive a felicidade de criar meu filho com saúde e boa alimentação até os 2 anos, mas existem milhares de crianças no Brasil que não conseguem ter isso. Não podemos permitir que isso continue acontecendo.

Dez anos depois, a atriz e produtora Ruth Escobar me ligou perguntando se eu gostaria de ir a uma reunião na casa de Fernando Henrique Cardoso, candidato a presidente, que mostraria suas propostas para a classe artística. Nunca havia recebido um convite dessa natureza. Chegando lá, encontrei atores (Bibi Ferreira, Fúlvio Stefanini, Paulo Autran, Regina Duarte), cineastas (Ana Carolina, Carla Camurati), escritores (Lauro César Muniz, Leilah Assumpção, Maria Adelaide Amaral) e o pessoal da música (meu amigo José Maurício Machline e Paulinho da Viola).

Fernando Henrique e sua esposa, Ruth Cardoso, nos receberam bem. Na sala de sua casa, formou-se uma roda com cadeiras, onde sentamos. Ele ficou à nossa frente, e os convidados pediram a palavra para fazer perguntas. Nenhuma das respostas, porém, refletia o que pensava o ser humano Fernando Henrique Cardoso. No final de uma explicação sua, levantei minha mão. Os olhares que estavam em direção ao candidato vieram para mim, fulminantes. O pessoal provavelmente pensou qual seria a pergunta que a Ternurinha faria ao presidente.

Em meio a um silêncio absoluto, eu disse que não bastava para um candidato preparo intelectual e boa retórica, que ele reconhecidamente tinha. Quis saber se ele estava consciente e espiritualmente preparado para ser presidente. Contei das minhas viagens pelo Brasil, levando e recebendo carinho de um povo que aprendi a amar, e que ficaria feliz em saber que o poder seria conduzido às mãos de um homem com verdadeiros propósitos e coração aberto.

Fernando Henrique me ouviu atentamente e disse que eu tinha razão. Sem conquistar o afeto do povo, não poderia ser presidente. Era preciso entender os anseios dos brasileiros e amá-los também. Depois de sua fala, Ruth Escobar se manifestou:

— Wanderléa veio aqui para contatar o canal do coração.

Depois disso, a reunião se tornou mais verdadeira e calorosa. Acho que temos sempre que lembrar do canal do coração em nossas relações.

Natação

Ainda pequenas, as meninas souberam que o irmão mais velho delas morreu em nossa casa. Nunca cheguei para Yasmim e Jadde contando explicitamente o que aconteceu, pois não queria fazer disso um drama ainda maior, e tampouco assustá-las, criando uma associação ruim à água. Por um longo tempo, evitei que as duas fossem à piscina, que ficava em volta da cerca que deveria ter chegado antes do acidente de Leo.

Refletindo melhor, percebi que não podia privá-las de nadar, uma diversão natural para qualquer criança. Resolvemos então matricular as duas em uma aula de natação com a professora Raquel, conhecida na Granja, que cuidou muito bem delas. Eu sempre as acompanhava, encantada com suas primeiras braçadas.

Não escondia a emoção de vê-las ali, felizes, sabendo nadar. Elas até ganharam algumas competições da escola. Mamãe achou que era hora de voltarmos a usar a piscina de casa. Na primeira vez, entramos e ficamos lá, conversando, como se nada tivesse acontecido, em meio às brincadeiras das meninas. Um momento de superação para todos nós.

Adeus, Bill

Sempre cuidamos de Bill pessoalmente. Nunca o internamos, porque ele gostava de ficar no conforto de casa, discretamente, e alguns irmãos continuavam sem saber que ele estava com aids. Um dia, ele foi para o hospital e todos tiveram que ser avisados para esperar o pior. Ao sair, continuou trabalhando comigo. Nas crises esporádicas que tinha, se recolhia para o tratamento.

Wanderte começou a ser chamada por Bill de "Franderte". Com rigor alemão, ela administrava seus remédios. Belinha também se revezava nessa função. Certo dia, ela teve um problema intestinal e foi levada às pressas para o Hospital Santa Isabel. Fui correndo para lá e, ao chegar, soube que era necessário operá-la. Enquanto esperávamos a melhora de Belinha, um enfermeiro se aproximou de mim.

— Um amigo seu também está internado no CTI do hospital, é o Paulo Bacellar. Você gostaria de vê-lo?

Minha cabeça ficou processando aquele nome familiar, tentando associá-lo a alguém. Lembrei que era Paulette. Nós nos víamos ocasionalmente em São Paulo, mas desconhecia que ele também estava com aids. Ao entrar no CTI, o vi entubado, inconsciente e em estado terminal. Cheguei perto de sua cama e encontrei o jovem fã curioso e atento dos anos 1960 indo embora. Tendo a sensação de que ele iria me escutar, falei com ele, relembrando fatos de nossa história em comum. Os passos de dança de *Maravilhosa*, os encontros na casa dos Dzi e seus amores que acompanhei de perto. Foi difícil segurar o choro. Gosto de pensar que seu espírito se sentiu acolhido ao ouvir a oração que fiz. Poucos dias depois, rezei em seu enterro, organizado pelo amigo em comum José Maurício Machline, na época à frente do Prêmio Sharp de Música, hoje Prêmio da Música Brasileira.

Novamente, o ânimo da família e de Bill diminuiu. Mas meu irmão ainda teve fôlego para manter o convívio social. Em um domingo, 1º de maio de 1994, ele preparou um banquete na sua cobertura, decorada com tendas de seda. A comida árabe era a especialidade dele e, modéstia à parte, a minha também. Sempre cozinhávamos juntos para reuniões de amigos em jantares descontraídos.

Bill nos recebeu a caráter, vestido como um beduíno. As comidas foram preparadas com antecedência, tendo à mesa quibes, merches, mijadras, laban e doces. Ao fundo, música árabe. Eu também estava com trajes típicos e aproveitei para arriscar alguns passos de dança do ventre. Meu irmão, já bem magrinho, confraternizava com os convidados. Até mesmo Walter, seu namorado nos anos 1970, veio do Rio, assim como nosso amigo Ronaldo.

Enquanto estávamos lá, Ayrton Senna sofria um acidente em Ímola, durante o Grande Prêmio de San Marino. Acompanhamos pela TV os desdobramentos da batida que culminou em sua morte. Aquela que teria o caráter de festa de despedida de Bill terminou com os convidados arrasados. Nos meses seguintes, o organismo do meu irmão já não reagia aos medicamentos, e ele tinha dificuldade para se manter em pé. Suas pernas enfraqueceram e ele foi obrigado a ficar deitado a maior parte do tempo.

A nosso pedido, dr. Nilton passou a visitá-lo, e toda sua medicação era administrada por um casal de enfermeiros, João e Fátima. Belinha e Detinha preparavam comidinhas do jeito que ele gostava. Eu promovia com minhas amigas Bel e Ana Maria uma reunião de orações em sua casa. Os amigos de Bill sempre o visitavam: Helô, nosso primo Alex, Wassiliki, Xarlô e Carlos, Artur, Jarbas e Lilian, Frank e Rafael, dona Rosa, Júlia, Maria Helena, William, Sônia e Marcos, Eduardo Brasil e Patrícia, Nelson Muraro, Almir, Jôse e Luiz Carlos foram muito importantes. Impossível esquecê-los. Como uma reverência a eles, faço questão de citar todos.

Sempre me considerei forte. Vivi muitas perdas e segui em frente. Embora dissimulasse bem, já estava sem condições de vê-lo naquele estado terminal. Em seus olhos, ele tinha uma fagulha de esperança. Mas, ao olhar nos meus, ele constatava que tudo estava perdido. Covardemente, eu evitava esse olhar que me arrebentava por dentro. O que mantinha Bill vivo era seu interesse pelo meu trabalho ao lado de Lalo. Mesmo debilitado, tentava administrar tudo da cama.

Chegou um momento em que Bill já não conseguia mais ingerir nada pela boca, passando a se alimentar via sonda. Em uma tarde, ajudei-o a tomar banho, ao lado de João. Lavei sua cabeça, seu corpo e seus pés. Ele fechava os olhos e respirava fundo, desfrutando o conforto da água morna. Arrisquei uma brincadeira mais picante e fiz piada com relação ao tamanho do seu pênis. Bill sorriu e, bem-humorado, respondeu:

— É característica da família!

Ao sair do chuveiro, fiz sua barba e o perfumei com loção de bebê. Foi seu último banho completo.

Em uma sexta-feira, dia 22 de julho, eu faria um grande show ao lado de Erasmo no Anhangabaú. Bill teve forças para organizar o evento e desenhar as roupas que eu usaria. A mais bonita era um vestido branco de noiva, que foi confeccionado por João Pinheiro e Nivaldo, com uma coroa na cabeça. Eu o colocaria antes de cantar "Pare o casamento", jogando ao final um buquê para o público.

Dias antes, enquanto um casal de amigos visitava Bill, eu havia provado o vestido e mostrado para ele. A dupla me olhara de viés, me censurando, como se eu fosse frívola, sem perceber a gravidade daqueles presumíveis últimos momentos. Eles não tiveram a sensibilidade de perceber que Bill se sentia útil me ajudando. Ele levantou levemente a cabeça para ver a cauda do vestido por inteiro, já que a da frente era bem mais curta. Com olhar profissional, aprovou. Rodopiei, reproduzindo o gesto enfático da coreografia da música. Ele sorriu e saí do quarto, esperando vê-lo novamente.

Erasmo já sabia o que estava acontecendo e fizemos o show apreensivos. Bill havia me pedido para incluir no repertório um *medley* com músicas de Raul Seixas e uma canção de Cazuza, de quem tanto gostávamos. Elô, sua sócia, fez com que ele ouvisse a apresentação pelo celular. Quando acabou, desci do palco e fui direto para casa. Já estava lá quando Belinha me ligou, dizendo que havia chegado a hora. Achava que estava pronta para esse momento. Não estava, nunca estaria.

Ajoelhei-me fervorosamente e acendi uma vela pedindo a Deus, aos Mestres da Fraternidade Branca, a Jesus, a Maria e ao Arcanjo Miguel que estivessem a seu lado naquele momento. Que esses anjos de luz o acompanhassem em sua nova jornada. Assim que manifestei essa vontade, a luz da vela se apagou anunciando sua partida. Belinha estava a seu lado quando ele perguntou por mim e por Wanderte, que estava comigo.

Belinha lhe disse que estávamos chegando. Ele suspirou, de rosto colado ao dela, e partiu. Cheguei a seu apartamento e o vi deitado em sua própria cama, da forma como ele desejou. Foi muito cruel me deparar com seu corpo inerte e sem vida. Quando percebi que não havia mais solução, fechei a porta do quarto e enlouqueci. Comecei a falar alto com Bill, na esperança de que pudesse me escutar, agradecendo muito por tudo o que ele havia feito por mim, pela beleza que havia trazido à minha vida. Chorei e cantei para ele canções que embalassem seu sono profundo e eterno, agora sem dor ou sofrimento.

Wanderte e eu carinhosamente o trocamos. Além de nós duas, somente autorizamos a presença de nosso primo Alex no quarto, que a tudo assistia. Eu e ela, sozinhas e desajeitadas, fizemos questão de carregá-lo. Nós o deitamos em um caixão frio, colocado à porta do corredor de seu quarto. A mim coube arrumar a parte superior do corpo e, cuidadosamente, repousei sua cabeça.

Durante o velório, à noite, os amigos de Bill ouviam baixinho as músicas clássicas que ele gostava de escutar tomando café da manhã. Todos nós rezamos e agradecemos sua passagem por nossas vidas. Minhas filhas e Raonih, ainda bem crianças, prepararam uma linda homenagem ao tio amado, entrando no velório com suas carinhas pintadas com seu nome escrito na testa. As três lhe trouxeram uma cesta com presentes, uma imagem de Nossa Senhora, gnomos, bilhetes e muitas pétalas de rosas, misturadas com purpurinas de todas as cores que sobraram da cenografia do show do Anhangabaú. Elas salpicaram as pétalas sobre o caixão e o velaram sem choro. Bill foi enterrado no cemitério Maranhão, ao lado de seu amado sobrinho Leo. Eles estão em boa companhia. Fazem falta.

Sem Bill

A morte de Bill desorganizou minha vida pessoal e profissional. Perdi um irmão, um confidente e um empresário que cuidava da minha carreira nos mínimos detalhes, até nos que eu achava desnecessários. Ele, por exemplo, não gostava que me chamassem de Rainha da Jovem Guarda e dizia isso a todos com sua peculiar perspicácia:

— As personalidades femininas que conquistam algum sucesso popular viram rainhas disso ou daquilo. É o arroz com feijão como sinônimo de ascensão. Acho um marketing datado.

Em shows pelo Brasil, Bill preferia que me anunciassem como "musa de todos os tempos". Ternurinha ele também não gostava, achava ingênuo. Essa demonstração de zelo total me permitia ficar focada apenas em cantar. Sem ele, ficou difícil pensar em meus próximos passos, repertórios e roupas. Já sabendo que o palco era a melhor maneira de extravasar a ausência de meu irmão, contei com a ajuda de um empresário amigo, Luiz Carlos, que já trabalhava com Bill há algum tempo, para tocar a vida.

Ter a estrada como remédio não funcionou. Pela segunda vez na vida, senti os sintomas de depressão, em um contexto bem diferente daquele antes da separação de Nanato. Eu estava casada, com duas filhas e minha mãe dentro de casa. O problema não era só meu; impactava quem estava ao meu redor. A doença foi tão forte que me atingiu fisicamente. Em uma consulta de emergência devido a um sangramento, o ginecologista disse que eu deveria retirar o útero. Como ainda estava fértil, os hormônios desequilibraram ainda mais meu emocional. Precisei fazer uma cirurgia invasiva, porém necessária. A operação deu certo e minha condição emocional foi se normalizando aos poucos.

Por força das circunstâncias, voltamos a morar no apartamento de São Paulo. Acostumadas com o verde em volta de nossas casas na Granja, minhas filhas pareceram impressionadas, achando tudo interessante. Usar o elevador era como estar na Disneylândia. Depois o entusiasmo esfriou, e elas sentiram falta do amplo espaço que tinham. Certa tarde, em uma corriqueira volta no quarteirão, Jadde saiu chutando o ar. Na Granja, os chutes eram no mato. Em vez de subir em árvores, ela e Yasmim teriam que lidar com as pedras das calçadas da região dos Jardins. Um período difícil de readaptação na cidade grande.

Fiz muitos shows e programas de TV, além de ter sido chamada pelo querido José Maurício Machline para o júri do Prêmio Sharp, que vem mudando de nome ao longo do tempo. Zé apresentava o programa *Por acaso* e lá estive cantando com Ademilde Fonseca, Alceu Valença, Nana Caymmi e outros amigos. Mesmo sem disco novo na praça, o contato com eles era um jeito de criar e me aventurar em um repertório que não era meu. Ainda estava em processo de aceitação da morte de Bill quando Márcio Antonucci, dos Vips, quis produzir uma caixa comemorativa dos 30 anos da Jovem Guarda e pediu para eu regravar alguns sucessos. O projeto foi um enorme sucesso e voltamos a estar na moda depois de tanto tempo.

Público e mídia saudaram a efeméride sem rastro do preconceito que enfrentamos nos anos 1960. Netinho, baterista da banda Os Incríveis, me ligou perguntando se eu gostaria de fazer parte do show que alguns colegas estavam montando para celebrar o movimento.

— Roberto e Erasmo não estarão com a gente, mas você é indispensável, é um ícone. Queremos que você venha.

Pensei bastante antes de aceitar. Concluí que o show seria uma forma de relembrar as coisas boas que plantamos no coração das pessoas. Diante de tantos problemas, por que não reviver tempos alegres? Foi assim que entrei na turnê *Jovem Guarda 30 Anos — A Festa*, ao lado de Ronnie Von, Martinha, Golden Boys e outros colegas. Contamos com a luxuosa direção de Solano Ribeiro, que a gente conhecia bem de antigamente. Depois de alguns ensaios, marcamos a estreia para 11 de janeiro de 1996, em São Paulo. Ficou decidido que minha entrada seria na parte final do show, cantando "Foi assim".

Na primeira apresentação, o público veio abaixo. Trinta anos depois, o amor das pessoas estava ali, intacto, me enchendo de alegria e boas vibrações. Durante a turnê, causando nos camarins, Yasmim e Jadde descobriram, encantadas, meus grandes sucessos. Elas finalmente entendiam por que a mãe era tão parada nas ruas. Naquele ano, matriculei as duas em uma nova escola. As professoras, minhas fãs, cuidavam delas com muito carinho e, de vez em quando, até cantavam "Pare o casamento" para alegrá-las. Ser filha de Wanderléa passou a ser algo agradável.

Todas as noites, nosso show lotava o Tom Brasil. O projeto foi se estendendo por mais um ano e deu origem a dois CDs ao vivo. Foi bom estar ao lado de companheiros tão queridos e tendo mais uma prova viva de que nossa história não morrerá. O povo quer assim.

50 anos, a festa

A única vez que tive uma crise de idade foi quando cheguei aos 30 anos. É complicado não se sentir menina, nem mulher. Quando eu fiz 50 anos (na verdade, 52), ninguém quis deixar passar em branco. Eu gostava de fazer festas para as minhas filhas pequenas, preparando bolos e comidinhas. No meu caso, achava que já havia comemorado o bastante na época de Jovem Guarda. A TV Rio e a Record prepararam programas especiais de aniversário para mim e Erasmo. Em um deles, em 1967, jogamos tortas na cara um do outro e saímos todos sujos. Os fãs levavam bolos pessoalmente. Certa vez, quando estava no apartamento da Tijuca com minha mãe, o corredor do nosso prédio ficou cheio deles e nem conseguimos subir com todos.

Wanderte insistia diariamente para que eu fizesse uma festa de 50 anos. Em uma conversa nossa sobre o assunto, respondi, irônica:

— Tá, são 50 anos agora. No ano que vem vão ser 51, uma boa ideia, igual à cachaça. Depois 52 e assim por diante.

Dois fãs que viraram amigos, o decorador Wilson Dimitrov, que por anos manteve o costume de me dar flores no palco, e o jornalista Ovadia Saadia, me convenceram a participar do que, segundo eles, seria uma pequena festa no Gallery, a boate mais chique de São Paulo. Apenas a família estaria presente, só para não deixar passar em branco. Saímos os três juntos do meu apartamento. Quando cheguei à rua Haddock Lobo, onde ficava o estabelecimento, entendi tudo. Seria uma festa de arromba.

Além de Lalo, Yasmim, Jadde e toda a minha família estavam lá. Erasmo veio do Rio especialmente para a festa. Martinha também estava presente. A apresentadora Ana Maria Braga, ainda na TV Record, comemorou conosco. Dei de cara com um bolo enorme no meio do salão. Quando fomos jantar, Wanderte, cúmplice de Dimitrov e Ovadia nessa saudável armação, pediu licença. Voltou com Roberto Carlos e sua esposa, Maria Rita, para cantar parabéns. Foi ótimo estar ali com pessoas que eu amo e que me amam também.

Com o tempo, Yasmim e Jadde assumiram a tarefa de organizar as festas da mãe, que continua evitando as comemorações. E acaba sempre cedendo.

A luz de André

Assim que voltamos a São Paulo, parti para a maratona de escolher um novo colégio para as meninas. Lalo e eu queríamos que elas estudassem em um lugar de filosofia acolhedora, moderna e criativa. Marquei uma visita ao tradicional Vera Cruz, em Pinheiros, com Jadde. Sem conhecer bem o bairro, me perdi. Como estranhamente nenhum pedestre passava por ali, o jeito era parar quem vinha de carro e pedir informações. Eu tinha horário marcado e precisava chegar ao meu destino em pouco tempo.

Fiz sinais para uma mulher descendo a rua a toda velocidade, que passou por mim sem parar. A vontade de sair dali era tanta que entrei no meu carro e segui o dela. Buzinei sem parar para ela entender que eu precisava de ajuda. No fim de uma rua sem saída, ela saltou ofegante do carro, abrindo às pressas um enorme portão branco de ferro por onde entrou correndo, como se estivesse sendo perseguida por mim. Nem acreditei que após tanto sacrifício aquela senhora pudesse desaparecer, deixando minha filha e eu sozinhas do lado de fora.

Parei rente ao seu portão e saí do carro chamando por ela. Aí quem levou o maior susto fui eu. A mulher me reconheceu, gritando meu nome, estarrecida.

— Wanderléa! Não posso acreditar que é você!

Nem parecia que ela havia fugido de mim minutos antes. Retribuí, sorrindo sem graça, dizendo que era eu, sim, e precisava de ajuda. A mulher nem quis me ouvir, abriu o portão e me abraçou, dizendo frases que não faziam nenhum sentido.

— Por Deus! Isso é o destino! Como é possível você aqui na minha frente? Entre, você precisa conhecer meu filho André. Venha!

Sua determinação em me fazer entrar era tão forte que simplesmente me esqueci do que ia fazer depois. Ao subir com Jadde as escadas que iam da porta principal ao segundo andar, a mulher me contava que seu filho, assim como Leo, havia se afogado na piscina de casa. Detalhe: o nascimento e o acidente de ambos ocorreram praticamente ao mesmo tempo. Ela tinha há anos o desejo de me encontrar para contar das trágicas coincidências que cercavam nossas vidas.

O quarto de André era um espaço claro, com paredes de vidro, de onde se avistava a piscina e o jardim interno da casa. Lá dentro, me deparei com um menino indefeso, deitado imóvel em uma cama de hospital com aparadores laterais acolchoados, macios e delicadamente bordados. Uma simpática enfermeira uniformizada cuidava de sua higiene pessoal. O momento era impróprio e me senti constrangida por estar ali. A mãe não se incomodou e, calmamente, me apresentou a seu filho, que tinha olhos e cabelos bem negros, além de uma tez serena.

Já adolescente, André aparentava ser uma criança. Antes de ser salvo, ele ficou tempo demais embaixo d'água e, como sequela, o corpo não se desenvolveu. Dois canos de sonda próprios para alimentação atravessavam suas narinas. Fiquei ali parada, diante dele, perplexa, sem esboçar reação. Jadde o olhava atenta, se comportando com naturalidade, assistindo à troca de fralda daquele que para ela parecia um bebê normal, sem perceber sua triste condição.

Lembrar de Leo foi inevitável. Uma onda de ternura invadiu meu coração junto com a vontade de chorar. Ao ver André tão de perto, meu olhar encontrou-se docemente com o seu. Senti que era correspondida, como em um mergulho ao interior de outra galáxia. André estava ali, vivo e intenso, no meio daquele encontro especial de almas. Não sei quanto tempo durou aquela conexão, se um piscar de olhos ou uma eternidade. Quando despertei do êxtase, uma intensa energia ficou no ar. Ele não podia falar, mas poderia emitir luz ao seu redor, tatuando minha alma.

Ao sair do quarto, conversei bastante com a mãe de André, que me fez algumas confidências. Entre elas a de que a vida da família só entrou em harmonia após seu acidente, e por isso eles abandonaram os muitos conflitos que viviam. A presença dele naquele lar, em vez de fardo, era vista como uma bênção por pai, mãe e irmãos. Ela me contava isso emocionada, me olhando com ternura e alegria, grata por poder dividir comigo algo que, em sua opinião, só eu poderia entender.

Voltando para casa, pensei no que o universo queria me ensinar com esse encontro tão especial. André era um filho de Deus que iluminava os corações de quem se aproximava dele. Apesar de seu sofrimento, conseguiu tomar para si o controle de sua existência. Todos nós somos pura energia condensada e podemos usá-la para o bem, gerando camadas de leveza, harmonia, alegria e confiança ao nosso redor. Ao cruzar meu olhar com o dele, não era apenas nossa matéria física que se aproximava. Nossas auras estavam conectadas. Escrevendo essas palavras, sinto uma saudade imensa dele.

Penso que nosso poder vai além da nossa intelectualidade e movimentos. A humanidade precisa se preparar para perceber suas autênticas potencialidades, materializando coisas melhores. Somos uma máquina fantástica conectada por um comando energético maior de sabedoria na luz. Temos que emanar boas vibrações.

Dia de tristeza

Há dias em que acordamos imaginando que as coisas correrão tranquilamente, ainda mais em um calmo domingo ensolarado, como era o de 19 de dezembro de 1999, perfeito para dormir até mais tarde. No início da manhã, minha mãe abriu a porta do meu quarto, toda serelepe com seus óculos de gatinho, dizendo que ia buscar uma massa no supermercado do lado para almoçarmos. Ainda sonolenta, respondi que tudo bem.

Vovó Geraldina viveu 93 anos, e eu tinha certeza que mamãe, com 83, seguiria esse rastro de longevidade. Quatro pontes de safena eram pouco para enfraquecer essa mulher tão forte que conquistava todo mundo com suas histórias de juventude. Além de me ajudar com as meninas, cantava muito bem. Até pensei em fazer um disco caseiro para dar de presente aos meus irmãos, eternamente ciumentos de nossa proximidade. Conciliadora, mamãe dizia a eles que eu morava em outra cidade e precisava de ajuda. O DNA da minha força veio dela, que também passou por tragédias e descobriu no amor seu refúgio. A morte de Bill foi mais uma das barras que enfrentamos, e foi graças à nossa união que conseguimos superá-la.

Ao voltar do mercado, ela disse não ter encontrado a massa que queria. Falei que ia me levantar para levá-la em outro lugar onde ela pudesse achar o que queria. Tomei um banho, troquei de roupa e a chamei para ir comigo. Quando me viu, me deu um beijinho doce na boca, um gesto de gratidão por fazer sua vontade, e disse carinhosamente:

— Já está pronta, minha filha? Vamos?

Nunca mais eu me esqueceria desse beijo.

Nem desci do carro quando estacionamos no supermercado. Mamãe falou que era coisa rápida e iria sozinha. Voltou em poucos minutos, não sem antes exercer sua típica generosidade dando moedas para um mendigo. Já na garagem do prédio, ela me disse que estava cansada. Quando chegamos na porta do apartamento, a luz do corredor estava queimada. Toquei a campainha para Lalo abrir, e ela encostou no elevador, procurando um apoio. No escuro, caiu. Uma batida forte com a cabeça. Gritei desesperada, esmurrando a porta. Lalo a colocou no colo. Descemos e fomos para o Instituto do Coração.

Fui com ela no banco de trás. Seus olhos azul-petróleo estavam abertos. Eu dizia a ela para ficar comigo. No pronto-socorro, fiquei rezando, pedindo à Nossa Senhora que cuidasse dela. Passaram-se alguns minutos e ouvi uma voz bem baixinha no meu ombro, me pedindo para entrar. Quando cheguei à sala de cirurgia, minha mãe estava morta, deitada em uma maca, sem rastro da vitalidade com a qual me alegrara por toda a vida.

— Mãe, você precisava trocar sua roupinha, o seu corpo físico. Vá em paz.

Assim me despedi. Tentando manter a calma, Wanderte e eu ligamos para os nossos irmãos avisando sobre o ocorrido. Ninguém estava preparado para a morte dela. Ainda tive a ingrata tarefa de escolher seu caixão, enquanto Lalo e Wanderte cuidavam de seu sepultamento. Mamãe foi enterrada ao lado de Leo e Bill, ainda no domingo, em um cortejo só de amigos, entre eles Martinha e Eloísa. Voltando para casa, chorei tudo o que podia. Pretendia passar o resto daquele dia dormindo, digerindo essa ausência.

Meu sono, porém, foi interrompido pela manhã quando alguém me ligou, dizendo que Maria Rita, esposa de Roberto, tinha acabado de morrer e o velório já estava acontecendo. Ninguém sabia que eu havia enterrado minha mãe naquele mesmo dia, pois tudo aconteceu tão rápido que nem pude avisar. Roberto tentou de tudo para curar Maria Rita e, naquele momento tão triste, precisei ser forte para abraçar meu velho amigo.

Quando cheguei ao velório, encontrei a querida dona Laura. Depois de nos abraçarmos, ela fez um pedido típico de mãe.

— Filha, não chora com o Roberto, não, porque ele está tão abalado... Não demonstra que está abalada também. Promete que não chora com ele?

Ela não sabia, mas eu tinha muitos motivos para chorar, principalmente porque naquele dia, como nunca antes, Roberto e eu estávamos ligados pela infelicidade da perda de uma pessoa amada. Queria ajudá-lo e queria que ele me ajudasse. Porém, a dor nos torna impotentes e às vezes exige coragem. Respirei fundo e prometi à dona Laura que não iria chorar. Roberto estava perto do caixão e nos demos um abraço bem apertado, sem que precisássemos dizer uma palavra. Só algum tempo depois Roberto soube da morte da minha mãe Odettinha, como ele gostava de chamá-la.

Ajuda pela música

Foi absolutamente por acaso que quebrei o hiato de onze anos sem disco. Por volta de 2000, estava nos meus planos gravar um CD tendo Roberto como produtor, com assistência de Guto Graça Mello, em seu estúdio no Rio. Ter a companhia do meu amigo seria um prazer. Mas ele ainda estava bastante abalado com a morte de Maria Rita e por isso cancelamos os trabalhos.

De qualquer forma, minha voz era ouvida em discos de outros artistas, de Elymar Santos à banda Penélope, passando por Reginaldo Rossi, que me convidavam para participações. Tenho grande orgulho de ter participado de *Por onde andará Stephen Fry?*, o primeiro disco de Zeca Baleiro, que me conquistou desde a primeira vez que o escutei. Estreitamos contato e ele me chamou para ler sonetos de Shakespeare na introdução da música "Skap". Depois Zeca me convidou para participar do videoclipe de "Heavy Metal do Senhor".

Ainda morando na Granja, conheci o padre Pedro Bortolini, na época, condutor da associação Pequeno Cotolengo, criada para cuidar de crianças com necessidades especiais. Eu me interessei por sua iniciativa e selamos uma bela amizade.

Padre Pedro saiu da Granja, e a partir daí a igreja o deslocou para outras cidades, onde implantava novas casas do Pequeno Cotolengo. Eu acompanhava seu trabalho sempre que podia. Em uma brecha de agenda, fui visitá-lo em Curitiba ao lado do nosso amigo e empresário Tedd Albuquerque. Dentro do avião, voltando para São Paulo, Tedd me deu a ideia de fazer um disco para as crianças, destinando a renda para o Cotolengo.

Óbvio! Ajudar o Cotolengo com um disco era uma ótima ideia. Fiquei me perguntando como não havia pensado nisso antes. Montei rapidamente o repertório com Lalo a partir do que estava cantando em shows. Resgatamos alguns sucessos e, como o pessoal estava redescobrindo minhas gravações dos anos 1970, escolhemos cantar "Back in Bahia", "Mané João" e "Kriola". Homenageei Emilinha Borba com uma versão de "Escandalosa" e Tim Maia com a sua "Não vou ficar". Tim, devo lembrar, era muito carinhoso comigo e às vezes me visitava. Além de "Mané João", Roberto e Erasmo comparecem com "Eu sou terrível", "Na hora da raiva" e "É preciso saber viver". Sendo um disco em homenagem às crianças, "Menino bonito" não podia ficar de fora.

Ao longo dos anos, fui guardando composições próprias, esperando uma oportunidade para revelar algumas delas. Duas saíram do baú, "Veio mostrar" e "O amor sobreviverá", a música que eu e Lalo fizemos para Leo quando ele ainda estava vivo. Essa canção batizou o disco para demonstrar que nenhum suplício da vida pode matar o mais belo dos sentimentos. Foi também uma forma de honrar a memória do meu querido filho e tudo o que ele significa para mim, mesmo não estando comigo. Pelo caráter não comercial do projeto, os compositores e seus representantes legais fizeram a gentileza de isentar o pagamento de direitos autorais. Prensamos 5 mil exemplares, vendidos apenas pela internet ou na sede do Cotolengo em Curitiba. A tiragem se esgotou em poucos dias e a gravadora BMG me procurou, interessada em distribuí-lo comercialmente.

"O amor sobreviverá" fez com que eu vencesse o prêmio de Melhor Cantora Popular do Prêmio da Música Brasileira, então Prêmio TIM, na edição de 2004. Não imaginei que um disco feito para o bem de quem precisa, quase em esquema caseiro, pudesse chegar tão longe.

Lalo

Juntos há 35 anos, Lalo e eu passamos por muitas situações difíceis. Mas também tivemos momentos bem felizes, viajando por esse Brasil afora. Como meu diretor musical e guitarrista, ele é responsável pela sonoridade dos shows e também é o produtor dos meus discos, fazendo um maravilhoso trabalho como engenheiro de som em nosso estúdio. Enfrentamos juntos situações difíceis, como a morte do nosso filho, do meu irmão, além da partida de alguns de seus parentes que moravam no Chile.

Nosso amor é forte, apesar de não ser convencional, já que há quase quinze anos não moramos juntos. Sabendo que Lalo dominava técnicas de gravação, Roberto Carlos o convidou para trabalhar em seu estúdio no Rio, como engenheiro de som, gravando as vozes definitivas de seus discos. Foi uma bela experiência que não atrapalhava nossos shows, pois gentilmente Roberto o liberava para tocar comigo.

Nesse período, fui me acostumando à ideia de ter meu próprio canto, e Lalo também. Depois de voltar a São Paulo, ele resolveu morar em seu próprio estúdio. As meninas já eram adolescentes e ele brincava, dizendo que dentro de casa tinha mulher demais e não havia espaço para ele. Sempre atento e presente, era Lalo quem resolvia nossas necessidades familiares, buscando as meninas no colégio e trazendo para casa depois de festinhas.

Chego a passar dias gravando no estúdio, e as meninas reclamam da minha ausência. Aí elas vêm ficar conosco e nos divertimos nesse segundo ninho familiar. Em casa, longe dos holofotes, cada dia mais tenho a certeza do quanto gosto da presença de Lalo. Rimos muito juntos e fazemos longas caminhadas colocando nossos assuntos em dia. Quando estamos no palco ou gravando, percebo que é uma honra ter um profissional como ele do meu lado. É o companheiro que a vida me trouxe e agradeço por tudo que esse encontro me proporcionou: alegria, amor, afeto e grande aprendizado de vida.

A boa filha a casa torna

Quis muito fazer um show em Governador Valadares durante a Jovem Guarda e não consegui por bobagem. O pessoal da cidade achava que eu queria riscar Valadares da minha história, pois falava que nasci em Valadares, mas havia sido criada em Lavras. Muita gente ficou contra mim. Passei por lá apenas uma vez, no início da carreira, em uma apresentação com outros artistas. Fui e voltei no mesmo dia, nem tive tempo de passear por minha terra natal.

Um dia, recebi a ligação da Prefeitura de Valadares, que, por meio do prefeito Bonifácio Mourão, queria me entregar a chave da cidade. Claro que aceitei o convite e chamei Lalo e Jadde para irem comigo. Yasmim, estudando em Paris, foi uma ausência sentida. Naqueles dias, eu tinha sonhos recorrentes que me intrigavam, voando por cima de casas e florestas, me sentindo leve e feliz. Achei que deveria tentar quando tivesse a oportunidade.

Cheguei a Valadares e vi que era uma cidade bem estruturada, que mesmo assim conservava hábitos bem mineiros. No hotel, vi o céu azulzinho e achei lindo, com pessoas descendo de paraglider. Depois, alguém do hotel me contou que Valadares é a capital mundial do voo livre e aquele era justamente em um dia de competição de paraglider, com gente do mundo inteiro saltando do Pico da Ibituruna. Foi quando entendi o porquê dos meus sonhos.

Os preparadores nos deram noções básicas de como se sustentar no paraglider. Lalo não quis ir, ficou com medo. Jadde estava animada e topou me acompanhar. Da pedra, fiquei vendo a minha cidade, linda e tranquila. Em meio àquele momento de felicidade, antes de voar, cantei vendo a paisagem de Valadares. A TV Globo estava lá filmando. Fiquei surpresa quando sentei na cadeira simples e fina, feita de plástico, com o instrutor atrás tentando me tranquilizar. Mas eu estava preparada.

Em um paraglider ao lado, Jadde conversava comigo por um rádio. Saltamos juntas do Pico. Valadares tem uma luz linda, com os raios de sol saindo em feixes pelas nuvens. Foi uma maravilha. Quando pousei, queria até repetir, mas tinha de seguir direto para a cerimônia na Câmara Municipal. Eles fizeram um discurso dizendo que eu precisava conhecer a minha cidade. Na hora da minha fala, agradeci e fiz uma brincadeira:

— Não voltei antes porque só agora me convidaram. Mas acabei de sobrevoar a cidade e acho que agora a conheço melhor que muitos de vocês.

Todo mundo aplaudiu. Ainda não tive tempo de voltar, mas, assim que puder, irei. Quero saltar de novo.

Nova estação

Ao voltar para São Paulo, depois de trabalhar com Roberto Carlos, Lalo montou um estúdio em um dos quartos de seu apartamento, que fica 24 horas por dia à minha disposição. Nós dois passamos a brincar de fazer discos. O importante não era lançar, e sim criar. Com janelas antirruído devidamente instaladas, passei várias madrugadas cantando despretensiosamente Bossa Nova, samba-canção e rock contemporâneo com o violão de Lalo, enquanto a vizinhança dormia em silêncio. Os amigos ouviam esses registros e adoravam, dizendo que uma gravadora deveria lançá-los. Como a pirataria dominava o mercado, nem fui adiante na sugestão por achar que ninguém toparia. A agenda lotada de shows já me contentava.

Tudo mudou quando conheci Thiago Marques Luiz, um jovem produtor que em 2007 montava um álbum em homenagem a Dolores Duran. Meu amigo Eduardo Logullo o encontrou e sugeriu meu nome para o projeto, dizendo que eu estava gostando de cantar um repertório diferente. Thiago entrou em contato comigo e pediu para eu gravar uma versão de "Fim de caso", em voz e violão. Nós nos demos bem de cara e ele me convidou para o show de lançamento do tributo em São Paulo, no Sesc Pinheiros. Além de "Fim de caso", cantei "A banca do distinto", de Billy Blanco, e o standard "My Funny Valentine", o que me fez reviver prazerosamente os tempos de orquestra.

Thiago conhecia bem todas as fases da minha carreira e teve a ideia de produzir um disco em que eu me mostrasse versátil. Ele foi ao meu apartamento ouvir as gravações que eu fazia com Lalo, e conversamos sobre um possível repertório. De início, escolhemos as músicas que cantei no show em tributo a Dolores. Sua seriedade fez com que eu fechasse contrato com a gravadora independente na qual trabalhava, a Lua Music. Thomas Roth, o diretor, abraçou incondicionalmente o projeto, assim como Lalo. Finalmente o público poderia me escutar navegando em outros mares. Nós quatro apostamos no inusitado, sem medo de errar.

Eu queria abrir o álbum com uma mensagem de amor e esperança. "Nova estação", que Thomas e Luiz Guedes fizeram para Elis Regina gravar em seu último álbum, tem versos como "Renascer cada dia como a luz da manhã". Para quem já passou por tantas desventuras, essas palavras têm um significado especial. Vejo essa canção como uma versão amadurecida de "É tempo do amor". Ela tinha que ser a faixa-título, também para simbolizar a presença luminosa de Elis em minha vida.

Entre as faixas alegres selecionadas por mim e Thiago, estão "Choro chorão", de Martinho da Vila, e duas de Roberto e Erasmo: a rara "Samba da preguiça" e "Todos estão surdos", gravada com a participação de Dudu Braga, filho de Roberto, na bateria e no vocal. "Se tudo pode acontecer", da turma formada por Arnaldo Antunes, Paulo Tatit, Alice Ruiz e João Bandeira, entrou na trilha da novela *Tempos modernos*. Há certa leveza no *medley* que une "Eu e a brisa" e "O que é amar", de Johnny Alf, pioneiro da Bossa Nova. Mesmo sem conhecê-lo pessoalmente, ele me chamou para participar de um show seu. No ensaio, fez mil elogios ao meu trabalho, falando com muito carinho do disco *Vamos que eu já vou*.

Experimentei canções mais intensas, como havia tempos não fazia. Gravei a visceral "Mil perdões", de Chico Buarque, de quem me lembro bem circulando pelos bastidores da TV Record. Sempre gostei de seu trabalho, mas nunca me senti à vontade para chegar perto dele. Achava que havia um abismo entre nós quando olhava para seus pés calçados com aqueles clássicos sapatos pretos. De um amigo íntimo, Luiz Melodia, saquei "Salve linda canção sem esperança", que Lalo arranjou como um esperto reggae. O disco já estava fechado quando tive a ideia de regravar "Mais que a paixão" para reverenciar Egberto e sua importância fundamental em minha vida. Ainda fiz uma nova versão para "Imenso amor" e Lalo fez um arranjo com uma curiosa citação de "Kashmir", do Led Zeppelin, mas a autorização para usar a música do quarteto inglês não chegou a tempo. Essa versão está presente apenas na segunda tiragem.

As gravações foram feitas com tranquilidade e alegria, e tudo me satisfez. Thiago tem um excelente conhecimento da MPB, e a gente entrava pela noite lembrando músicas esquecidas. Desde então não nos desgrudamos mais e ele se tornou mais um bem-vindo parceiro de trabalho. *Nova estação* também marca o início da presença efetiva de Yasmim na minha carreira. Após terminar a faculdade de artes plásticas (a menina que desejava ser pintora chegou lá!), ela foi fazer especialização em Paris e deixou em casa um desenho feito em nanquim, inspirado em uma viagem à Chapada Diamantina. Achei lindo e pedi para que aquela arte fizesse parte do projeto gráfico do CD. Yasmim só soube disso quando o disco ficou pronto. Uma surpresa que a filhota adorou.

Assim que saiu, *Nova estação* me deu a alegria de ser premiado como o melhor disco de 2008 pela Associação Paulista de Críticos de Arte (APCA). Os amigos adoraram. Egberto ligou dizendo que as músicas eram sua trilha sonora durante passeios de carro pelo Rio de Janeiro. Erasmo ficou contente com a regravação de "Samba da preguiça", cuja letra sequer lembrava. Saímos em turnê com uma banda montada por Lalo, cenário de Yasmim e percussão de Jadde, gravando em São Paulo o primeiro DVD da minha carreira, com participações de Arnaldo Antunes, do grupo Ó do Borogodó e do saxofonista Ubaldo Versolato.

Johnny também seria um dos convidados, tocando piano no *medley* com suas músicas, mas passou mal no dia do show e morreu pouco tempo depois. Queria muito ter registrado para a posteridade um momento com ele.

Guardo *Nova estação* em um lugar especial na minha carreira. Sobretudo por encontrar pessoas que quiseram fazer um disco verdadeiro, sem invenções mirabolantes. Foi com muita felicidade que recebi a notícia de que *Nova estação* foi indicado ao Grammy Latino. Fomos para a premiação em Las Vegas em grande estilo e fiquei hospedada com Lalo no Hotel Belaggio. O álbum não levou o prêmio, mas valeu a pena ter ido. Ainda tivemos tempo de ir para Los Angeles, onde revimos amigos como Kate, ex-esposa de Laudir de Oliveira, e Haidée.

Ainda é tempo do amor

Tenho levado uma vida tranquila. Saio pouco de casa e me dedico ao prazer de estar com a família, que vai para a estrada comigo. Lalo continua comandando a banda, Yasmim fecha meus shows e Jadde toca guitarra, percussão e faz vocais. Tenho me dado apenas o direito de fazer o que quero, no meu tempo, e com as pessoas que eu gosto.

Foi com muito carinho e esmero que gravei meu álbum mais recente, *Vida de artista*, só com composições de Sueli Costa. A origem desse trabalho foi um show especial que fizemos uma única vez em Belo Horizonte, para o projeto Compositoras.br. Desde então, não parei de pensar nesse repertório de alta voltagem emocional, que gerou um trabalho muito bonito, burilado faixa a faixa. Fiz do meu jeito, colocando um pouco de leveza nessa obra que passou por grandes vozes.

Quando eu começava a pensar no show de lançamento do álbum, o produtor cultural Frederico Reder procurou Thiago Marques Luiz e pediu que ele entrasse em contato comigo para me mostrar a ideia de um musical que contaria a história dos anos 1960, época em que a Jovem Guarda teve um papel fundamental no Brasil, em que eu seria a protagonista.

O formato de musical exige bastante do artista e achei que não teria pique para aguentar uma temporada de quinta a domingo, com duas sessões no sábado. Estava acostumada com meus shows nos fins de semana, voltando logo para o conforto da minha casa. Thiago disse que eu deveria ao menos ir a uma reunião com ele para ver qual seria a proposta. Depois de pensarem em algumas possibilidades, Fred e o roteirista e pesquisador Marcos Nauer tiveram a ideia de fazer um grande documentário musical, sem diálogos. A música contaria a história. Eu teria total liberdade de escolher o que queria cantar. Só estaria no palco se concordasse 100% com o musical.

Fred, também diretor do espetáculo, e Nauer bolaram um musical de alto nível, com projeções de imagens e vídeos em um telão de LED, de padrão internacional, além de um elenco com jovens talentosos. O palco da estreia eu já conhecia bem: o Theatro Net Rio, ex-Tereza Rachel. Fui para o Rio ensaiar e vi que estava participando de algo muito especial e verdadeiro. No espetáculo, canto apenas oito músicas. É o suficiente para me lembrar de tantos momentos bons.

Jadde preparava seu disco autoral quando o pessoal do espetáculo me procurou. Embora fosse um formato inédito para ela também, ficou muito animada em participar. Resolveu fazer o teste de elenco e hoje brilha no musical, deixando toda a família muito orgulhosa. Ela canta antigos sucessos meus, e eu fico da coxia, lambendo a cria. Lalo orientou os arranjos de minhas músicas e participa como integrante da orquestra de Tony Lucchese. Minha família me estimulou a enfrentar a maratona de shows que o projeto necessita. Sem eles comigo no palco, não teria graça.

Depois de algumas sessões especiais, estreamos *60! Década de Arromba* em dezembro de 2016 e o espetáculo foi um grande sucesso de crítica e de público na temporada carioca, ocupando todos os lugares do teatro. Em São Paulo, o êxito se repetiu. O fato de as pessoas estarem interessadas na história dos anos 1960, em que modestamente tenho um papel importante, me deu forças para encarar as cinco sessões semanais sem me queixar ou reclamar do cansaço. O público é muito carinhoso. Em uma cena, entro pela plateia e vejo a emoção nos olhos das pessoas; um momento mágico. A alegria é valiosa e a música é parte importante dos momentos felizes. Ao ouvir os aplausos e ver as lágrimas do público, constato que todos os sacrifícios valeram a pena. Toda a tristeza ficou para trás. O tempo do amor das jovens tardes de domingo é hoje. É agora. Aquela boa energia do passado me deixa com sede de futuro. Estou aqui, pronta para o que virá.

Quero agradecer a Fred e Nauer por terem me dado nova energia com esse musical, que me fez refletir sobre toda a carreira. É um presente reviver uma época tão bonita da minha vida e confirmar a afirmação do Mestre Moacir de Curitiba, que disse que sou uma mistura de eterna *teenager* com uma cigana centenária. Celebro cada dia vivido, não cada ano. Comemoro os aniversários por décadas e sempre faço um balanço daquilo que passou e do que pode ser ainda melhor. Brinco que estou completando 7 anos.

Ainda sou uma criança. Quero fazer um disco de inéditas, o repertório está sendo montado. Erasmo mandou uma composição que adorei e, se pudesse, lançava já. Também pretendo gravar um projeto autoral, com músicas minhas e de Lalo, e um só de chorinho. Preciso de tempo para realizar tudo isso. Ainda mais agora, que um novo membro da família está chegando. Yasmim está grávida de uma menina e estamos muito felizes com essa vida nova que vem nos iluminar. Pensando bem, uma vida inteira não cabe em um livro só. Acho que no próximo ainda terei muito mais coisas para contar.

Discografia

Álbuns:

***Wanderléa* (1963)**
Columbia
Orquestra e coro sob a direção de Astor
Produzido por Evandro Ribeiro

1) Não existe o amor (Non Esiste L'Amor) (Ezio Leoni/Luciano Beretta/Piero Vivarelli. Versão de Othon Russo.)
2) Quando setembro vier (Come September) (Bobby Darin. Versão de Titto Santos.)
3) Estudante (Castro Perret)
4) Quero amar (Castro Perret)
5) Picada da pulguinha (Dora Lopes/Gilberto Lima)
6) Goody Goody (Johnny Mercer/Matty Malneck)
7) Dá-me felicidade (Free Me) (Lynn Breedlove/Jimmy Breedlove. Versão de Rossini Pinto.)
8) Meu coração canta (My Heart Sings) (Ma Mie) (Jean Marie Blanvillain "Jamblan"/Henri Laurent Herpin. Versão de Fred Jorge.)
9) Meu maior desejo (Rossini Pinto/Fernando Costa)

10) Meu anjo da guarda (Rossini Pinto/Fernando Costa)
11) Birutinha (Othon Russo/Jorge Smera)
12) Pescaria com twist (Renan França/Murillo Latini)

Quero você (1964)
CBS
Com Renato e Seus Blue Caps
Produzido por Evandro Ribeiro

1) Meu bem Lollipop (My Boy Lollipop) (Morris Levy/Johnny Roberts. Versão de Gerson Gonçalves.)
2) Você não vai partir (You Can't Say Goodbye) (Trini Lopez. Versão de Neuza de Souza.)
3) Capela do amor (Chapel of Love) (Jeff Barry/Ellie Greenwich. Versão de Neuza de Souza.)
4) Não (Juventud Twist) (Manuel Alejandro. Versão de Erasmo Carlos.)
5) Sem amor ninguém vive (Rossini Pinto)
6) Peço paz (Just Once More) (Al Western. Versão de Neuza de Souza.)
7) Sem endereço (Memphis) (Chuck Berry. Versão de Rossini Pinto.)
8) Longe de ti (Away From You) (Gerry Marden/John Chadwick. Versão de Neuza de Souza.)
9) Exército do surf (L' Esercit Del Surf) (Mogol/Iller Pataccini. Versão de Neuza de Souza.)
10) Me apeguei com meu santinho (Let's Get Ready for The Summer) (Don Thomas/ Jean Thomas. Versão de Rossini Pinto.)
11) Colibri (Little Bird) (Dale Hawkins. Versão de Neuza de Souza.)
12) Quero você (Prima Di Te, Dopo Di Te) (Lunero/Mogol. Versão de Francisco Rodrigues.)

É tempo do amor **(1965)**
CBS
Produzido por Evandro Ribeiro

1) É tempo do amor (Le Temps de L'Amour) (Roger Samyn/ Françoise Hardy/Marc Aryan. Versão de Rossini Pinto). Com Renato e Seus Blue Caps.
2) Um beijinho só (Just A Little Kiss) (Sandra Brennan/Steve Verroca. Versão de Rossini Pinto.) Com The Youngsters.
3) Do Wah Diddy Diddy (Jeff Barry/Ellie Greenwich. Versão de Roberto Nunes.) Com Renato e Seus Blue Caps.
4) É pena (I'm Sorry) (Ronnie Self/Dub Allbritten/N.N.) Com The Youngsters.
5) Será você? (Do You?) (Lolita Rivera/Sven Libaek. Versão de Neuza de Souza.) Com Renato e Seus Blue Caps.
6) Vivendo sem ninguém (Rossini Pinto). Com The Youngsters.
7) O tipo do rapaz (The Kind Of Boy You Can't Forget) (Jeff Barry/ Ellie Greenwich. Versão de Rossini Pinto.) Com Renato e Seus Blue Caps.
8) Um quilo de doce (Roberto Carlos/Erasmo Carlos). Com The Youngsters.
9) Diga que você me quer (Tell Me That You Love Me Too) (Barry Stanton. Versão de Neuza de Souza.) Com Renato e Seus Blue Caps
10) Ternura (Somehow It Got To Be Tomorrow) (Today) (Estelle Levitt/Kenny Karen. Versão de Rossini Pinto.) Com The Youngsters.
11) Três rapazes (Three Little Piggies) (Sid Tepper/Roy C. Bennett. Versão de Neuza de Souza.) Com The Youngsters.
12) Boneca de cera, boneca de pano (Poupée de Cire Poupée de Son) (Serge Gainsbourg. Versão de Neusa de Souza.) Com The Youngsters.

A ternura de Wanderléa (1966)
CBS
Produzido por Evandro Ribeiro

1) Boa noite, meu bem (Goodnight Irene) (John Lomax/Huddie Ledbetter. Versão de Rossini Pinto.)
2) Esta noite eu sonhei (Si J'étais Le Fils D'un Roi) (Marc Aryan. Versão de Rossini Pinto.)
3) Viver sem você (Long Live Love) (Chris Andrews. Versão de Rossini Pinto.)
4) Em meus sonhos (When I'm Alone) (Dave Clark/Mike Smith. Versão de Wanderléa e Lilian Knapp.)
5) Aquele triste adeus (Just A Little Bit Better) (Kenny Young. Versão de Rossini Pinto.)
6) Devoção (Rossini Pinto)
7) Não vai, baby (June Bride Baby) (Bob Goldstein/Beverly Ross. Versão de Rossini Pinto.)
8) Pare o casamento (Stop The Wedding) (Kenny Young/Arthur Resnick. Versão de Luiz Keller.)
9) Assinado, seu bem (Carlinhos)
10) Imenso amor (Renato Corrêa/Wanderléa)
11) Tudo morreu quando perdi seu amor (Renato Barros)
12) Vá embora (Getúlio Cortes)

Wanderléa (1967)
CBS
Produzido por Evandro Ribeiro

1) Gostaria de saber (River Deep, Mountain High) (Phil Spector/Jeff Barry/Ellie Greenwich. Versão de Luiz Keller.)
2) Nenhuma carta sua (Keine Post Von Dir) (James Last/Günter Loose. Versão de Rossini Pinto.)

3) Vou lhe contar (Pushin' Too Hard) (Sky Saxon. Versão de Rossini Pinto.)
4) Você tão só (Einsamer Boy) (Kurt Hertha/Ralf Olivar. Versão de Rubem Carneiro.)
5) Ele é meu bem (He's My Guy) (Steve Jerome/Hash Brown/Bill Jerome. Versão de Rossini Pinto.)
6) Menina só (Single Girl) (Martha Sharp. Versão de Luiz Keller.)
7) Hei de encontrar meu bem (The Boat That I Row) (Neil Diamond. Versão de Rossini Pinto.)
8) Acho que vou lhe esquecer (Ed Wilson)
9) Horóscopo (Carlos Imperial)
10) Te amo (Roberto Corrêa/Sylvio Son)
11) Prova de fogo (Erasmo Carlos)
12) Meu bem só gosta de mim (Just So Bobby Can See) (Jack Segal/Gloria Shayne. Versão de Rossini Pinto.)

***Pra ganhar meu coração* (1968)**
CBS
Produzido por Evandro Ribeiro

1) Atende-me (I Stand Accused) (Of Loving You) (Warren Levine. Versão de Rossini Pinto.)
2) Canção de enganar um coração (Roberto Carlos/Erasmo Carlos)
3) Tem de ser assim (It's Nice To Be With You) (Jerry Goldstein. Versão Luiz Keller.)
4) Se estou contigo (If That Ain't Lovin') (Billy Swan. Versão de Luiz Keller.)
5) Toque pra frente (Getúlio Cortes)
6) Quem muito fala pouco acerta (Newton de Siqueira Campos)
7) Pra ganhar seu coração (Eduardo Araújo/Chil Deberto)

8) Estou com raiva de você (Papa's New Bag Ain't Nothing But A Hag) (Darryl Carter. Versão de Robert Livi.)
9) Eu já nem sei (Roberto Corrêa/Sylvio Son)
10) Ele só serve pra mim (All I Know About You) (Frank de Vol/ Brian Holland/Lamont Dozier/Edward Holland. Versão de Rossini Pinto.)
11) Não lhe quero nunca mais (Sad Sack) (Paul Kelly/Buddy Killen. Versão de Luiz Keller.)
12) A menina (Regina Correia)

Maravilhosa (1972)
Polydor
Direção de Produção: Jairo Pires-Mazzola
Direção de Estúdio: Guti
Arranjos: Zé Roberto
Assistente de Produção: Nelson Motta

1) Mata-me depressa (Rossini Pinto)
2) Back in Bahia (Gilberto Gil)
3) Alegria (Fábio)
4) Uva de caminhão (Assis Valente)
5) Telegrama (José Renato/Cacao)
6) Quero ser locomotiva (Jorge Mautner)
7) Vida maneira (Hyldon)
8) Valsa antiga (Paulinho Tapajós/Roberto Menescal)
9) Casaquinho de tricô (Paulo dos Santos Barbosa)
10) Badalação (Bahia Volume 2) (Nonato Buzar/Tom/Dito)
11) Deixa (Hyldon)
12) Tempo de criança (I Hear Those Church Bells Ringing) (Lawrence Russell Brown/Irwin Levine. Versão de Mazzola.)

Feito gente (1975)
Polydor
Direção de Produção: Guti e Arthur Laranjeira
Direção de Gravação: Guti

1) Eu nem ligo (Gonzaguinha)
2) Que besteira (João Donato/Gilberto Gil)
3) Carne, osso e coração (Joyce Moreno)
4) Ginga da mandiga (Jorge Mautner/Rodolph Grani Júnior)
5) Conversa mole (Vital Lima/Hermínio Bello de Carvalho)
6) Lua (Sueli Costa)
7) Que falem de mim (Bidu Reis)
8) Palavras (Gonzaguinha)
9) Poeira e solidão (Sueli Costa)
10) Verdes varandas (Sueli Costa/Ebe Guarino)
11) Segredo (Luiz Melodia)
12) Feito Gente (Walter Franco)

Vamos que eu já vou (1977)
EMI-Odeon
Arranjos e Produção Executiva: Egberto Gismonti
Direção Artística: Milton Miranda
Regências: Gaya

1) A terceira força (Roberto Carlos/Erasmo Carlos)
2) Poema para Léa (Paulo Diniz/Juarez Correya)
3) Antes que a cidade durma (Altay Veloso)
4) Calypso (Egberto Gismonti/Geraldo Carneiro)
5) Coisas da vida (Rosinha de Valença)
6) Café (Egberto Gismonti)
7) Vamos que eu já vou (Altay Veloso)
8) Carmo (Egberto Gismonti/Geraldo Carneiro)
9) A felicidade bate à sua porta (Gonzaguinha)

10) Educação sentimental (Egberto Gismonti/Geraldo Carneiro)
11) Relva verde (Altay Veloso)
12) Dança mineira (Tibério Gaspar/Aécio Flávio)

Mais que a paixão (1978)
EMI-Odeon
Direção de Produção: Renato Corrêa

1) Canção de adeus (Altay Veloso)
2) Antes que o mundo acabe (Roberto Carlos/Erasmo Carlos)
3) Lindo (Gonzaguinha)
4) O canto da lira (Djavan) Com Djavan (violão).
5) Segredo (Luiz Melodia)
6) Fruto maduro (Moraes Moreira) Com Moraes Moreira.
7) Pingo de leite (Wanderléa/Márcio Proença)
8) Guerreiro São João (Gonzaguinha)
9) Pitanga (Marlui Miranda/Capinan)
10) Bicho medo (Fátima Guedes)
11) Mais que a paixão (Egberto Gismonti/João Carlos Pádua) Com Egberto Gismonti (piano).

Wanderléa (1981)
CBS
Produção: Mauro Motta
Coprodução: Roberto Costa
Arranjos e Regências: Lincoln Olivetti

1) Ser estranho (Aristeu/Wanderléa/Casabranca)
2) Receita médica (Irinéia Maria/Raul Miranda)
3) Se você pensa (Roberto Carlos/Erasmo Carlos)/ Vem quente que eu estou fervendo (Carlos Imperial/Eduardo Araújo) / Pare o casamento (Stop The Wedding) (Kenny Young/Arthur Resnick. Versão de Luiz Keller.) / Prova de fogo (Erasmo Carlos)

4) Liberdade de amar (Irinéia Maria/Geise)
5) Um jeito novo de amar (Wanderléa)
6) Facho de luz (Irinéia Maria/Raul Miranda)
7) Eu apenas queria que você soubesse (Gonzaguinha)
8) Na hora da raiva (Roberto Carlos/Erasmo Carlos)
9) Você vai ser o meu escândalo (Roberto Carlos/Erasmo Carlos)
10) Pobre do meu coração (Odair José/Maxine)

Wanderléa (1989)
3M
Coordenação Artística: Moacyr Machado
Produção Executiva: Ed Wilson e Reinaldo B. Brito
Coprodução: Lalo Califórnia e Wanderléa
Arranjos e Regências: Sérgio Sá

1) Faço tudo de novo (Prêntice/Ed Wilson)
2) Amar é viver (Gilson/Joran)
3) Água na boca (Ed Wilson/Wanderléa/Dani)
4) Sinto muito (Carlos Colla/Chico Roque)
5) Te amo (Roberto Corrêa/Sylvio Son) / Foi assim (Juventude E Ternura) (Renato Corrêa/Ronaldo Corrêa) / Ternura (Somehow It Got To Be Tomorrow) (Today) (Estelle Levitt/Kenny Karen. Versão de Rossini Pinto.)
6) Não tem mais jeito (Cury/Ed Wilson)
7) Caso sério (José Augusto/Paulo Sérgio Valle)
8) Só por amor / "Jamaicana" (The Banana Boat Song / Jamaica Farewell) (Erik Darling/Bob Carey/Alan Arkin. Versão de Luhli e Lucina.)
9) Me ame ou me deixe (Michael Sullivan/Paulo Massadas)
10) Sagrada euforia (Sérgio Sá)
11) Animais (Sérgio Sá)

Te amo (1992)
Direção e Produção de Max Pierre

1) Te amo (Roberto Corrêa/Sylvio Son)
2) Eu já nem sei (Roberto Corrêa/Sylvio Son)
3) Ternura (Somehow It Got To Be Tomorrow) (Today) (Estelle Levitt/Kenny Karen. Versão de Rossini Pinto.)
4) Tem de ser assim (It's Nice To Be With You) (Jerry Goldstein. Versão de Luiz Keller.)
5) Me ame ou me deixe (Michael Sullivan/Paulo Massadas)
6) Capela do Amor (Chapel Of Love) (Jeff Barry/Ellie Greenwich. Versão de Neuza de Souza.) / Meu Bem Lollipop (My Boy Lollipop) (Morris Levy/Johnny Roberts. Versão de Gerson Gonçalves.)
7) Prova de fogo (Erasmo Carlos) / Pare o casamento (Stop The Wedding) (Kenny Young/Arthur Resnick. Versão de Luiz Keller.)
8) Preciso te esquecer (Michael Sullivan/Paulo Massadas)
9) Nossa canção (Luiz Ayrão)
10) Nunca mais vou repetir que te amo (Getúlio Cortes)
11) Imenso amor (Renato Corrêa/Wanderléa)
12) Foi assim (Juventude E Ternura) (Renato Corrêa/Ronaldo Corrêa)

O amor sobreviverá (2003)
Independente/BMG
Produzido por Lalo Califórnia

1) Veio mostrar (Wanderléa)
2) Menino bonito (Rita Lee)
3) Sentado à beira do caminho (Roberto Carlos/Erasmo Carlos)
4) Mané João (Roberto Carlos/Erasmo Carlos)
5) Kriola (Hélio Matheus)
6) Back in Bahia (Gilberto Gil)

7) É preciso saber viver (Roberto Carlos/Erasmo Carlos)
8) Eu sou terrível (Roberto Carlos/Erasmo Carlos)
9) Escandalosa (Moacyr Silva/Djalma Esteves)
10) Negro gato (Getúlio Cortes)
11) Não vou ficar (Tim Maia)
12) Na hora da raiva (Roberto Carlos/Erasmo Carlos)
13) Pare o casamento (Stop The Wedding) (Kenny Young/Arthur Resnick. Versão de Luiz Keller.)
14) Capela do amor (Chapel Of Love) (Jeff Barry/Ellie Greenwich. Versão de Neuza de Souza.)
15) O amor sobreviverá (Wanderléa/Lalo Califórnia)

Nova estação (2008)
Lua Music
Produzido por Lalo Califórnia e Thiago Marques Luiz

1) Nova estação (Thomas Roth/Luiz Guedes)
2) Dia branco (Geraldo Azevedo/Renato Rocha)
3) Samba da preguiça (Roberto Carlos/Erasmo Carlos)
4) Salve linda canção sem esperança (Luiz Melodia)
5) Mil perdões (Chico Buarque)
6) My Funny Valentine (Richard Rodgers/Lorenz Hart)
7) Chiclete com banana (Almira Castilho/Gordurinha)/Adeus, América (Haroldo Barbosa/Geraldo Jacques)/Eu quero um samba (Haroldo Barbosa/Janet de Almeida)
8) A banca do distinto (Billy Blanco)
9) Choro Chorão (Martinho da Vila)
10) Eu e a brisa/ O Que é Amar (Johnny Alf)
11) Se tudo pode acontecer (Arnaldo Antunes/Alice Ruiz/Paulo Tatit/João Bandeira)
12) Todos estão surdos (Roberto Carlos/Erasmo Carlos)

13) Mais que a paixão (Egberto Gismonti/ João Carlos Pádua)
Faixas-bônus:
14) Imenso amor (Renato Corrêa/Wanderléa)
15) Te amo (Roberto Corrêa/Sylvio Son)

Wanderléa maravilhosa ao vivo (2014)
Gravado no Teatro Municipal de São Paulo
Coqueiro Verde/Canal Brasil
Produzido por Lalo Califórnia e Thiago Marques Luiz

1) Vida maneira (Hyldon)
2) Back in Bahia (Gilberto Gil)
3) Deixa (Hyldon)
4) Telegrama (José Renato/Cacao)
5) Quero ser locomotiva (Jorge Mautner)
6) Badalação (Bahia Volume 2) (Nonato Buzar/Tom/Dito)
7) Mata-me depressa (Rossini Pinto)
8) Casaquinho de tricô (Paulo dos Santos Barbosa)
9) Uva de caminhão (Assis Valente)
10) Chica Chica Boom Chic (Harry Warren/Mack Gordon)
11) Ginga da mandiga (Jorge Mautner/Rodolph Grani Júnior)
12) Que besteira (João Donato/Gilberto Gil)
13) Pula, pula (Salto de Sapato) (Jards Macalé/Capinan)
14) Chuva, suor e cerveja (Caetano Veloso)

Vida de artista: canções de Sueli Costa (2016)
Nova Estação/Vanguarda Music
Produzido por Lalo Califórnia e Thiago Marques Luiz

1) Vida de artista (Sueli Costa e Abel Silva)
2) Dentro de mim mora um anjo (Sueli Costa e Cacaso)
3) Vinte anos blue (Sueli Costa e Vitor Martins)

4) Sabe de mim (Sueli Costa)
5) Amor, amor (Sueli Costa e Cacaso)
6) Jura secreta (Sueli Costa e Abel Silva)
7) Poeira e solidão (Sueli Costa)
8) Vamos dançar (Sueli Costa e João Medeiros Filho)
9) Coração ateu (Sueli Costa)
10) Alma (Sueli Costa e Abel Silva)

78 Rotações

Columbia, 1962

1) Tell Me How Long (Samuel Kelsey)
2) Meu anjo da guarda (Rossini Pinto - Fernando Costa)

Columbia, 1962

1) Ao nascer do sol (M. Rigual — C. Rigual. Versão de J. Morais)
2) Quero amar (Castro Perret)

Compactos*

***Com faixas que ficaram de fora dos álbuns de carreira**

CBS, 1967

1) Meu desencanto (Break Away From That Boy) (Louis Al/Marcus F. Mathis. Versão de Rossini Pinto.)
2) Ele é meu bem (He's My Guy) (Steve Jerome/Hash Brown/Bill Jerome. Versão de Rossini Pinto.)

CBS, 1968

1) Finalmente encontrei você (Ronaldo Corrêa/Renato Corrêa)
2) Foi assim (Juventude E Ternura) (Renato Corrêa/Ronaldo Corrêa)

CBS, 1969

1) Você vai ser o meu escândalo (Roberto Carlos/Erasmo Carlos)
2) Atende-me (I Stand Accused) (Of Loving You) (Warren Levine. Versão de Rossini Pinto.)

CBS, 1970

1) Quando eu vi você dormindo (Dom)
2) Eu respiro você (Dom)

Polydor, 1970

1) A charanga (Dom/Wanderléa)

Polydor, 1971

1) Bye Bye (Sing Sing Barbara) (M.Laurent/Luc Au Livier. Versão de Wanderléa.)
2) Anônimo veneziano (Stelvio Cipriani)

Polydor, 1971

1) Lourinha (Fred Falcão/Arnoldo Medeiros)
2) Que horas são? (Ravel/Dias/Costinha)

Polydor, 1971

1) Chuva, suor e cerveja (Caetano Veloso)
2) Pula, pula (Salto de Sapato) (Jards Macalé/Capinan)

Polydor, 1973

1) Mata-me depressa (Rossini Pinto)
2) Sem se atrapalhar (Caetano Veloso/Moacyr Albuquerque)

Polydor, 1973

1) Eu quis falar do meu amor (Roberto Corrêa/Jon Lemos)
2) Kriola (Hélio Matheus)

Polydor, 1974

1) A tua imagem (Bidu/Alcio)
2) Mané João (Roberto Carlos/Erasmo Carlos)

RGE, 1983

1) Perdidos de amor (Luhli/Lucina) Produzida por Guto Graça Mello
2) Acorda, saci (Guilherme Arantes/Ziraldo) Produzida por Alexandre Agra

Som Livre, 1985
Produzido por Guto Graça Mello
Produção Musical: Rita Luz
Arranjos: Lincoln Olivetti

1) Menino bonito (Rita Lee)
2) Happy End (Renato Corrêa/Cláudio Rabello)

DVD

Nova Estação Ao Vivo (2010)
Lua Music
Produzido por Lalo Califórnia e Thiago Marques Luiz

1) Nova estação (Thomas Roth/Luiz Guedes)
2) Dia branco (Geraldo Azevedo/Renato Rocha)
3) Samba da preguiça (Roberto Carlos/Erasmo Carlos)

4) Salve linda canção sem esperança (Luiz Melodia)
5) Mané João (Roberto Carlos/Erasmo Carlos)
6) Se tudo pode acontecer (Arnaldo Antunes/Alice Ruiz/Paulo Tatit/João Bandeira) Participação de Arnaldo Antunes
7) A banca do distinto (Billy Blanco)
8) Chiclete com banana (Almira Castilho/Gordurinha)/Adeus, América (Haroldo Barbosa/Geraldo Jacques)/Eu quero um samba (Haroldo Barbosa/Janet de Almeida)
9) Eu e a brisa / O que é amar (Johnny Alf)
10) My Funny Valentine (Richard Rodgers/Lorenz Hart)
11) Mil perdões (Chico Buarque)
12) Mais que a paixão (Egberto Gismonti/João Carlos Pádua)
13) Choro chorão (Martinho da Vila)
14) Uva de caminhão (Assis Valente)
15) Brasileirinho (Waldir Azevedo)
16) Imenso amor (Renato Corrêa/Wanderléa)
17) Todos estão surdos (Roberto Carlos/Erasmo Carlos)

***Wanderléa Maravilhosa Ao Vivo* (2014)**
Gravado no Teatro Municipal de São Paulo
Coqueiro Verde/Canal Brasil
Produzido por Lalo Califórnia e Thiago Marques Luiz

Bibliografia

Livros:

Carlos, Erasmo. *Minha fama de mau*. Rio de Janeiro: Objetiva, 2008.

Fróes, Marcelo. *Jovem Guarda em ritmo de aventura*. São Paulo: Editora 34, 2000.

Monteiro, Denilson; Nassife, Eduardo. *Chacrinha — A biografia*. Rio de Janeiro: Casa da Palavra, 2014.

Rodrigues, Sérgio. *Braz Chediak: Fragmentos de uma vida*. São Paulo: Imprensa Oficial, 2005.

Zimmerman, Maíra. *Jovem Guarda: moda, música e juventude*. São Paulo: Estação das Letras e Cores, 2013.

Jornais

A Luta Democrática

A Noite

Correio da Manhã

Diário da Noite

Diário de Notícias

Folha de S.Paulo

Jornal da Tarde
Jornal do Brasil
O Estado de S. Paulo
O Fluminense
O Globo
O Pasquim
Tribuna da Imprensa
Última Hora

Revistas

Amiga
Contigo
Fatos e Fotos
Intervalo
Manchete
O Cruzeiro
Radiolândia
Revista do Rádio
Pop
Status
Veja

Sites consultados:

Biblioteca Nacional Digital
www.memoria.bn.br

Estranho Encontro
www.estranhoencontro.blogspot.com.br

Jovem Guarda
www.jovemguarda.com.br

Instituto Memória Musical Brasileira
www.immub.org

Revista Amiga e Novelas
www.revistaamiga-novelas.blogspot.com.br

Velhidade
www.velhidade.blogspot.com

Agradecimentos

Meus agradecimentos especiais ao jovem jornalista Renato Vieira pelo maravilhoso trabalho de pesquisa e edição dos meus textos, trazendo importantes cronologias, fatos e datas que enriqueceram tanto minhas memórias contadas aqui.

Agradecimentos a Pedro Ursini, Hermes Ursini, Jairo Goldflus, Lalo Califórnia, Yasmim Flores, Fatima Pfeil, Dr. Braz Martins Neto, Julio Maria, Thiago Marques Luiz, Caetano Veloso, Césio Gaudereto, Danilo Casaletti, Edmundo Leite, Francisco Carlos Ferreira, Joyce Moreno, Jô Soares, Marina Person, Marcelo Fróes, Paula Lavigne, Marcus Preto, Solano Ribeiro, Samuel Oliveira, Tiago Luís, Tuna, Sebastião Archanjo (*in memoriam*), Xarlô e Zuza Homem de Mello pela ajuda checagem de dados.

Índice onomástico

Este livro foi composto na tipologia Minion Pro
Regular, em corpo 11/16, e impresso em
papel off-white no Sistema Cameron da
Divisão Gráfica da Distribuidora Record.